KB102075

월야환담

월야환담 광월야 · · 1

홍정훈 장편 소설

초판 1쇄 찍은 날 2017년 05월 08일
초판 1쇄 펴낸 날 2017년 06월 23일

지은이 홍정훈
펴낸이 서경석

편집책임 이창진 | 편집 최지원 | 디자인 신현아

펴낸곳 도서출판 청어람
등록번호 제387-1999-000006호 | 등록일자 1999. 5. 31
어람번호 제8-0092호

주소 경기도 부천시 부일로 483번길 40 서경B/D 3F (우) 14640
전화 032-656-4452 | 팩스 032-656-4453
http://www.chungeoram.com | E-mail chungeorambook@daum.net

ISBN 979-11-04-91295-5 04810
ISBN 979-11-04-91294-8 (SET)

광월야 · 1 ·

월야환담

홍정훈 장편 소설

도서출판 청어람

차례

初夜

New Brave World

고풍스러운 마호가니 가구들과 윌리엄 부게로의 그림이 걸려 있는, 박물관을 연상케 하는 사무실에 한 청년이 서 있었다. 그는 윤기가 흐르는 탁자의 결을 따라 손가락을 미끄러뜨리며 생각에 잠겼다.

"자, 여기."

그의 맞은편에 서 있는 붉은 금발을 가진 정장 차림의 여성이 기다란 비녀를 꺼내 주었다. 이지적인 미모에 냉담한 표정의 그녀는 한심하다는 듯 청년을 바라보았다.

청년은 흑발을 단정히 빗고 그녀에게서 받은 비녀로 머리칼을 꼬아 정리했다. 긴 검은 머리칼이 옷자락 위에 상감된 뱀의 문양을 스치고 지나갔다.

“나이트 삐끼 같군. 이런 반짝이를 양복에 박아 넣다니. 대체 어떻게 이런 걸 입고 돌아다니란 말이야?”

가슴팍에 번쩍이는 은색 문양을 어루만지며 청년은 쓴웃음을 지었다.

“주술 문양이야. 보통 사람들에겐 보이지 않아.”

여자는 퉁명스럽게 대답했다.

“보통 사람에게 안 보인다니 퍽이나 위안이 됩니다. 내가 상대하는 사람들은 다들 보통 사람이 아니잖아? 그럼 결과적으로 날 만나는 사람들은 전부 다 이걸 본다는 뜻인데…….”

“뱀파이어들의 왕, 테트라 아낙스가 되었으니 이제 위엄을 좀 지키시지. 용어 선택도 신중히 하고. 서린.”

청년은 그 말을 듣고 움찔했다.

그가 테트라 아낙스라는 이름을 얻은 지 꽤 시간이 지났건만 아직도 적응되지 않는다.

뱀파이어의 왕 테트라 아낙스, 세이리오스(시리우스:천랑성) 아래에서 득도한 밤의 성자.

그 말년만 기억하는 이들은 성자라는 칭호에 반감을 가질지도 모르지만 테트라 아낙스의 본래 모습을 기억하는 이들은 부인하지 않을 것이다.

세이리오스의 성자 아낙스의 진실한 모습을 기억하는 자라면…….

인류가 어둠을 극복하기 전 뱀파이어들 역시 인류의 어둠에 고통받고 있었다. 태양광 아래에서 활동을 제한당하는 뱀파이어들은 쉽사리 자신의 정체를 들키고 인간들에게 숙청당했다. 모든 인간이 태양광에 의존해 살아가던 시절, 밤에만 깨어 있는 흡혈귀들은 자신들의 정체를 감출 수 없었던 것이다.

불로장생을 탐내서 뱀파이어가 된 자들은 자업자득이라고 비난할 수 있다.

그러나 모든 뱀파이어가 불로장생을 탐내서 남의 목덜미를 물어뜯은 것은 아니다.

선천적으로 뱀파이어가 될 인자를 가지고 태어나 2차 성징이 끝나는 순간 발현해 버린 자들과 사악한 주술의 희생양으로 본인의 의사와 상관없이 흡혈귀가 되어버린 자들, 때로는 신들의 장난으로, 때로는 그릇된 숭배와 믿음으로 뱀파이어가 된 자들이 있었다.

이제 갓 뱀파이어로 변의한 자들은 인간들에 의해 숙청당했고 운 좋게 오래 살아남은 자들도 생존을 장담하기 힘든 상황이었다.

고대로부터 이어져 온 강력한 뱀파이어들조차 인간들을 피해 숨어 다녀야 했다.

그때 천랑성 아래에서 태어났다 하는 자, 세이리오스의 성자가 나타났다.

'카두세우스' 의 지팡이를 들고 광야에서 걸어온 이 성자는 스스로를 아낙스라 부르며 인간들로부터 뱀파이어를, 또한 뱀파이어들로부터 인간을 보호했다.

그 자신이 지닌 강력한 텔레파시와 예지 능력을 활용해 인간들의 정보로부터 뱀파이어들을 지워 나가기 시작한 것이다. 어느새 뱀파이어들은 신화 속의 존재가 되어버렸고 인간과 뱀파이어는 같은 세계에 있으면서 서로 다른 차원을 살았다.

강력한 사념파 조작 능력과 예지 능력을 지닌 그는 인간들의 정신을 지배하고 인위적으로 인식의 공백을 만들어 뱀파이어들을 보호했다.

인간들의 의식이 뒤틀린 어둠 속에서 뱀파이어들은 인간을 피해 번영했다. 마법과 요괴들이 인간들의 의식을 피해 존재하는 세계, 월야의 시작이었다.

아낙스는 뱀파이어들을 지키며 또한 뱀파이어와 라이칸스로프로부터 인간을 지켰다. 과학과 마법을 조화롭게 유지하면서 영성과 이성의 위험한 외줄 타기를 해왔다.

하지만 세이리오스스의 성자, 아낙스는 자신의 파멸을 예견하고 있었다.

항해술이 발달하고, 제지술이 전수되고, 금속활자가 사용되면서 장서가 늘어나기 시작했다. 문명이 발달하고 인구가 증가하며 인간의 정보 생산량이 기하급수적으로 늘어났다.

강력한 예지 능력을 가진 아낙스는 인간들이 정보를 대량으로 생산하면 할수록 그들에게 영향을 받았다. 그가 인간들을 들여다보고 인간들의 기억을 조작하는 만큼 인간들 역시 그에게 영향을 주었던 것이다.

그 정보의 양은 아무리 초월적인 역량을 타고난 아낙스라 하더라도 감당할 수 있는 게 아니었다.

그렇다고 스스로의 능력을 봉인하고 쏟아지는 예지를 거부하고 도망친다면 뱀파이어들의 정체가 만천하에 드러나게 될 테고 그렇게 된다면 뱀파이어만 파멸하게 되지 않을 것이다. 인류도 불사성에 의해 파멸당하리라.

아낙스에게는 선택의 여지가 없었다. 스스로 광기의 화신이 될 것을 알았음에도.

쏟아지는 대량의 정보로부터 자신을 지키기 위해 아낙스는 자신을 복제했다. 궁여지책 중에서 그야말로 하책이었다. 그와 대등하나 그에게 주도권을 양도하는 존재를 만든 결과, 그는 자신의 파멸을 오히려 가속시켰다.

그것이 자신의 파멸을 가속화시킬 것을 알면서도 그는 자신을 복제하고 복제된 자들의 시각을 빼앗아 오로지 정보 연산만을 위한 오라클 시스템을 만들었다.

그러는 사이에 인간은 전등을 발명하고 마침내 밤의 어둠을 완전히 지배해 버렸다.

흡혈귀들에게는 갑자기 찾아온 르네상스였다.

전등이 발명되고, 전기가 어둠을 밀어내었을 때 인간은 밤에도 생활을 시작하게 되었다.

그 결과 뱀파이어들은 테트라 아낙스의 가호를 받지 않더라도 인간들 틈 사이에서 자유롭게 살 수 있게 되었다.

전등이 발명되고 많은 사람이 밤에도 일을 할 수 있게 되면서 밤의 어둠을 벗하고 산다 해서 그 정체가 바로 드러날 일은 없게 되었다.

누군가가 농을 섞어 이렇게 말했다.

'야근이 뱀파이어를 구원했다' 라고…….

틀린 말은 아니었다. 야밤에 생활해도 아무도 이상하지 않게 여기게 되는 시대가 되자 테트라 아낙스의 보호 없이도 살아갈 수 있게 되었다.

그러자 테트라 아낙스의 규율에 묶여 있던 뱀파이어들이 일탈을 시작했다.

기나긴 겨울밤처럼 싸늘하고, 겨울밤보다 더욱더 긴 불로불사의 삶. 그 안에서 고독과 광기의 학대를 견디기 위해 뱀파이어는 인간을 뱀파이어로 만들었다. 동족을 만들고 동지를 만들어 고독과 고통으로부터 도망치려 했다.

뱀파이어의 수가 급격히 늘어나고 갑자기 뱀파이어가 된 인간들은 아낙스의 율법을 이해하지 못했다.

이대로는 세계의 균형이 깨어지고 인류 문명조차 파멸할 것이라 느낀 아낙스는 더욱더 자신의 수명을 연장시키는 데 집착했다.

'내가 아니면 안 된다. 지금도 혼탁한 이 세계를 어떻게 통제하고 있는데? 통제자인 내가 사라지면 격노와 광기가 이 세계를 침탈하리라.'

예지 능력자인 그가 아집에 사로잡혔을 때 그의 운명은 그 항로를 정했다.

태초에 아낙스를 잉태한 어둠의 여신, '릴리쓰'가 낳은 아이는 아낙스가 자신의 생명을 연장하기에 너무나도 좋은 소재였다. 아낙스의 역량을 그대로 옮기기 위해서는 최고의 소재가 필요했고 릴리쓰의 자식은 최고의 소재임이 분명했다.

그러나 그것이 아낙스의 파멸이 되고 말았다.

그가 릴리쓰의 아이, 서린을 사로잡고 자신의 수명을 연장하려 했을 때 외려 그의 자아는 서린의 자아에 흡수당해 버렸다.

애초에 서린은 그것을 위해 만들어진 존재였다. 아낙스의 광기로부터 세상을 구원하고 아낙스에게 안식을 주기 위해 만들어진 필요의 아이. 그의 강대한 자아는 광기로 너덜너덜해진 아낙스를 포용했고 아낙스는 결국 서린의 안에서 안식을 얻고 잠들었다.

그 결과 새로운 아낙스가 태어났다.

천랑성의 성자가 늑대 인간의 육신을 입고 다시금 온전한 정신, 고귀한 이상을 회복했다.

그러나 이미 뱀파이어들은 끝없이 늘어나 아낙스에게 반기를 들었고…….

인간이 만들어내는 무수한 정보는 새로운 아낙스 역시 파멸시킬 것이다.

"많이 자랐군."

그는 자신의 머리채를 매만지며 쓴웃음을 지었다.

서린, 새로이 테트라 아낙스가 된 릴리쓰의 아들, 리림은 자신에게 주어진 삶이 그리 길지 않다는 걸 직감하고 있었다.

13세기 소르본 대학의 장서는 약 천여 권에 불과했다. 그러나 지금 21세기에 생산되는 정보량은 어떠한가? 13세기와는 비할 수 없을 만큼 많은 인구가, 비할 수 없을 만큼 빠른 속도로 정보를 생산하고 있었다.

이성과 광기의 줄을 타는 자, 월야의 수호자를 자처하는 아낙스는 그 모든 정보를 외면할 수 없었다. 이를 감당하기 위해서 테트라 아낙스는 오라클 시스템을 만들고 자신을 복제해 그 정보를 통제하기 위한 부연산자들을 만들어내었으나 그럼에도 불구하고 한계는 명확하다.

물론 그가 자신의 정체를 깨닫지 못한 시절, 스스로 인간이라고 여겼을 때의 기대 수명보다는 긴 시간이 남아 있다. 불로불사의 흡혈귀라는 이름에 걸맞을 정도는 아니지만 길어봐야 백여 년을 사는 인간들이 부러워할 정도의 시간은 남아 있다.

하지만 시시각각 찾아오는 광기에 대한 공포는 어쩌란 말인가?

그리고 자신에 대한 불신은?

"많이 자라 버렸어."

서린은 다시금 자신의 머리채를 어루만지며 중얼거렸다.

"벨라루스에서 그를 목격했다는 소리가 있어."

테트라 아낙스의 일각을 담당하는 여성은 서린을 바라보며 그렇게 말했다.

아낙스의 보조적인 도구로 만들어진 그들은 인간적 감성을 배제한 목소리로 서린에게 조언한다.

"그를 설득할 수 있나? 무모한 짓 같은데."

"해봐야지."

서린은 고개를 끄덕였다.

第1夜

몰락한 왕자

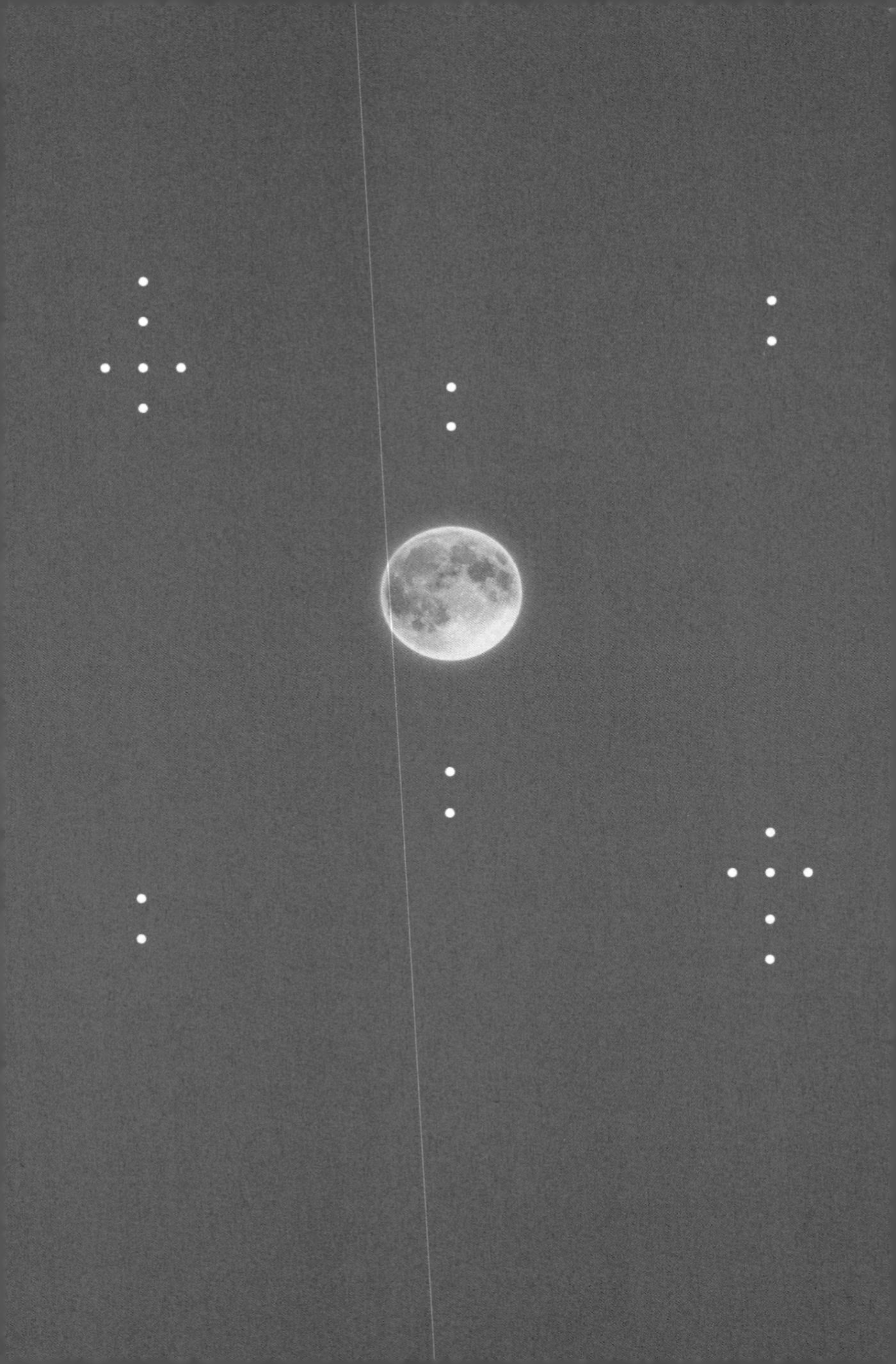

1

벨라루스 공화국 시클로프 시에서 드네프르 강을 넘어 동쪽으로 20여 킬로미터 내에는 온통 황폐해진 옛 집단촌 지대가 있었다. 이 집단촌은 새로운 중화학 공업지대를 만들기 위해 소비에트 연방 시절 건설이 진행되었지만 연방이 붕괴한 이후 자금 지원이 끊겨서 무산되었다.

이후 독립한 벨라루스 공화국은 소비에트 연방 시절의 기획을 이어나가려 했지만 개방된 지금은 도저히 생산 단가를 맞출 수 없었다. 냉전 시절이라면 모를까 이제는 수입해 쓰는 게 훨씬 저렴했기에 공화국에서는 이곳을 용도 변경 하려 했다. 하지만 현재 벨라루스 공화국은 전형적인 이촌향도 현상을 겪고 있었다. 러시아어가 가능한 젊은 층들은 대도시로, 혹은 인근 국가로 옮겨 가면서 인구는 꾸준히 줄어들고, 시골 도시들과 그 주변에 점점이 뿌려진 집단촌들은 공동으로 변해가고 있었다.

그 결과 제대로 유지 보수되지 않은 낡은 공장과 아파트들은 을씨년스러운 분위기를 풍기고 있었다.

그런 을씨년스러운 폐허의 안쪽에서 불빛이 일렁이고 있었다.

드럼통 안에서 장작이 타오른다. 두꺼운 페인트가 그대로 말라붙어 있는 폐목이 불타면서 희미한 화공약품 냄새가 코를 찌르고 있었다. 이런 장작불 따위로는 몰아낼 수 없는 한기가 폐건물 안을 휘어잡고 있었다. 하지만 장작을 던져 넣는 사람은 뼈마디마저 얼어붙게 할 한기에도 아랑곳없이 무표정한 얼굴로 낡은 폐목을 쪼개 드럼통 안에 던져 넣었다.

만약 눈썰미가 좋은 사람이 보았다면 그가 썩지도, 그렇다고 바스러질 정도로 말라비틀어지지도 않은 나무토막을 맨손으로 찢었다는 것을 알아챘으리라. 실제로 그는 지금 이 순간도 누군가의 집의 벽, 혹은 문이었을 나무를 붙잡고 마치 잘 삶은 닭고기를 찢듯 결을 따라 가볍게 찢어내고 있었다.

끼릭…….

때가 낀 양모 장갑 사이로 튀어나온 손가락이 술병의 마개를 돌린다. 익숙지 못한 손길이 까드득 하고 유리병의 목을 분질러 버렸다. 사람의 손힘이 유리병을 으깰 수 있는가는 의문이지만 이미 폐목을 치킨처럼 뜯어버리는 그의 힘이라면 충분히 가능할 것이다.

"젠장."

그는 자신의 손아귀에서 찢어진 술병을 보며 투덜거리더니 깨진 병목을 그대로 물어 거침없이 술을 위장으로 쏟아부었다. 독한 보드카와, 아마도 섞여 있을 유리 조각들이 별다른 여과 없이 그대로 그의 식도를 타고 흘러들어 갔다.

"퉤!"

그는 투덜거리며 입에서 침을 뱉었다. 타액과 희석되었음에도 불구하고 도수가 꽤 있는지 드럼통에 맞은 침이 화르륵 불타오른다. 그는 망연자실한 눈으로 드럼통에서 불타는 불꽃을 바라보며 넝마를 여몄다. 유리 조각 때문인지 입가에는 피가 흘러내리고 있었다. 하지만 그는 멍하니 불꽃을 바라보며 다시금 술병을 기울였다.

타오르는 불꽃이 아무런 내장재도 없는 콘크리트 토막에 짙은 그림자를 드리운다. 거친 바람이 거리를 할퀴고 지나갔다.

그때 건조한 공기 사이로 흡사 천둥소리 같은 발걸음 소리가 뚜벅뚜벅, 들려오고 있었다. 단단한 구두 바닥이 콘크리트 복도를 지르밟으며 보무도 당당하게, 한 치의 위축됨 없이 다가온다.

술병을 기울이던 남자의 손이 잠시 멈추었다.

발소리는 그가 멈추든 말든 여전히 들린다. 이런 곳에 구두 소리라면 군인일까? 그러나 벨라루스군의 군화는 뒷굽에 무게 중심이 실리지 않는다. 딱딱한 굽, 기능성보다 디자인을 중시한 신발임에는 틀림없다. 이 발소리의 주인은 과연 적일까?

남자에게는 적이 많았다. 너무나 많아서 어린 시절부터 지금까지, 평생 자신의 목숨을 노리는 자들을 피해 다녀야 했다. 이런 오지에서 다가오는 자가 있다면 당연히 경계할 수밖에 없는 삶을 살아왔다. 발소리의 주인은 그의 존재를 숨기지 않고 다가오고 있지만 지금까지 찾아온 암살자 중엔 보무도 당당하게 행진하며 덤벼든 이들도 없지 않았으니 경계를 풀 이유가 없다.

그렇지만 그는 이내 텅 비어버린 술병을 내려놓고 새 술병을 꺼냈다. 모닥불 옆에는 이미 빈병이 잔뜩 쌓여 있어서 산상수훈 중인 예수 그리스도의 말씀을 경청하는 신자들의 행렬 같아 보였다.

“여기 있었군.”

술병들이 모닥불을 반사하는 모습을 보며 그는 코를 막았다. 퀴퀴한 악취와 페인트 묻은 폐목들이 타는 독한 냄새, 그리고 무엇보다도 몇 달은 안 씻은 것 같은 남자로부터 흘러나오는 악취가 그의 코를 자극했다.

웅크린 채 빈 술병과 새 술병들 사이에 앉아 있는 남자에게는 마치 맹수 우리에서나 날 법한 노린내가 가득했다. 그런 살기 가득한 악취를 맡으면서 코를 막았다는 것만으로도 이 정장 차림의 남자가 예사롭지 않은 인물이라는 걸 알 수 있게 해주었다. 하긴 지금 현재 기온은 영하 13도, 드네프르 강이 가깝다고는 해도 대륙성 기후를 가진 벨라루스의 건조한 공기에는 피부조차 갈라질 지경이었다.

조끼도 없는 슈트 한 벌만으로 버티기에는 쉽지 않은 날씨다.

“굿바이 미스터…….”

쪼그려 앉아 있던 노숙자 차림의 남자가 그렇게 말했다. 목소리가 갈라져 있지만 묘하게 맑고 선명한 목소리다.

"아니, 지금 막 만났는데."

"꺼지라고."

노숙자 차림의 남자는 신경질적으로 말했다. 그 순간 그의 눈에서 붉은 안광이 번져 나왔다. 하지만 그때 양복 차림의 남자가 품 안에 손을 넣었다.

권총인가? 아니면 오직 양복 차림인 겉모습과 달리 안에서 대구경 라이플이나 머신 건 같은 거라도 꺼낼까? 노숙자 차림의 청년은 그리 생각하면서도 가만히 그 남자를 지켜보았다. 대체 뭘 꺼내나 궁금했기 때문이었다.

하지만 남자가 꺼낸 것은 버라이즌의 마크가 붙은 스마트폰이었다.

"이걸 받게."

"내가 왜?"

"그분께서 그대와 이야길 하고 싶어 하시니까."

"그분……. 그분이 누군데?"

노숙자 차림의 남자는 새 술병을 뜯고 벌컥벌컥 마시기 시작했다. 보드카를 맹물처럼 마시는 그 모습을 보며 양복 차림의 남자가 한숨을 내쉬었다.

"네 마리 뱀의 수장이시지."

"……."

노숙자는 그 말을 듣고 우뚝 멈춰 섰다. 그는 한숨을 내쉬더니 모자를 벗었다.

몇 달을 안 씻었는지 땟국물이 질질 흐르는 회색의 머리칼이 모자 안에서 모습을 드러내었다. 수염도 덥수룩하게 자라 있었지만 청회색과 적색의 눈동자는 아직 그가 젊은이, 청년이라는 것을 알게 해주었다.

"네 마리 뱀의 수장이시라. 대단하신 분 납셨군."

청년은 빈정거리며 전화를 받았다. 벨라루스 시클로프 북동쪽 폐집단촌 단지에서 버라이즌의 전화가 될 것 같지 않지만 일단 전화를 받자 갑자기 그의 주위가 순식간에 녹아버렸다.

"……."

청년은 별로 당황하지 않았다. 마치 순식간에 지구에서 우주 공간으로 튕겨 나간 것 같은 기분이 들었지만 이런 걸로 당황하기에는 그가 그동안 겪어온 일이 너무 가혹했다. 마치 저 멀리, 성운의 모습을 찍은 허블 망원경 사진처럼 우주의 어둠과 빛의 안개가 사방에 자욱하게 깔렸다.

[아……. 멋진 모습이군. 형, 그거지? 코스튬플레이? 내가 이해하지 못하는 캐릭터지만 틀림없는 것 같아. 원래 형은 원판이 좋잖아. 뭘 해도 잘될 거야.]

마치 허블 망원경에서 찍힌 성운의 빛무리 같아 보이는 안개 너머에서 사람의 목소리가 들린다. 청년은 그게 자신의 생물학적인 동생이라는 걸 깨닫고 혀를 찼다.

"빈정거리는 건가?"

그러자 성운 사이에서 누군가가 모습을 드러내었다. 얇은 투버튼 슈트를 입은 귀티 나는 외모의 남자였다. 그는 청년의 노숙자 같은 모습을 보고 놀랐다.

[…진심이야, 형? 그럼 그게 일부러 뭔가 꾸미고 있는 게 아니라 정말 그런 몰골을 하고 있는 거야?]

그런 몰골이라는 용어가 청년을 자극했다. 하지만 청년은 보이지 않는 빛의 안개와 어둠이 우주, 그 짙은 환상 속에서도 본능적으로 술병을 찾아냈다.

까득!

병목을 따고 술을 벌컥벌컥 들이켠 청년을 보며 이 환영 너머의 존재, 청년의 동생이 외쳤다.

[어째서 그런 몰골로 살고 있는 거지? 형은 이제 자유야! 자유의 몸으로 살겠다고 한 거 아니야?]

"…말하기 싫어."

청년은 더 이상 말할 것도 아니라고 생각하고 쪼그려 앉았다.

"아니, 이상한 일이군. 롯시니, 너는 내가 왜 이러는지 알고 있어야 하잖아?"

[나는 이 능력을 자주 쓸 수 없어.]

"……."

그럴 리 없다. 롯시니, 그의 동생이자 테트라 아낙스의 전생체가 된 이 녀석은 테트라 아낙스의 능력을 고스란히 받아 챙겼다. 단번에 수천, 수만 명의 기억을 조작하고 법망과 사회기록망마저 주무르던 테트라 아낙스의 텔레파시 능력과 예지 능력은, 원한다면 미래의 일까지 알아챌 수 있었다. 그런데 그 능력을 자주 쓸 수 없다니?

[형, 나는 그렇게 오래 살 수는 없을 거야. 그러니까 형의 도움이 필요해.]

"무슨……."

[테트라 아낙스가 왜 파멸했을 것 같아? 애초에 예지 능력이나 정보 능력이라는 건 독이 든 성배야. 막대한 정보가 쏟아져서 순식간에 삶의 감각이 없어지기 때문에 견딜 수가 없어.]

"……."

노숙자 몰골을 한 청년은 그의 동생의 고백을 듣고 혀를 찼다. 상식적으로는 알고 있던 말이지만 그래도 괜찮을 거라 믿었다. 그의 동생은 낙천적이고 부드럽고 온화한 성품을 가지고 있어서 아무리 정신적으로 혹독한 일을 겪는다 하더라도 이기고 견뎌낼 수 있을 거라 막연히 믿고 있었다. 하지만 그게 아니었던가?

[나는 과거의 아낙스처럼 강력한 힘으로 그들을 억압할 수 없어. 하지만 내가 억압하지 않으면 분명히 뱀파이어들의 욕구는 주체할 수 없이 넘쳐나겠지.]

"뱀파이어의 욕구?"

뱀파이어의 왕 테트라 아낙스는 인간과 뱀파이어들을 공존시키기 위해 뱀파이어들을 탄압하고 억누르고 있었다. 그러나 오랜 세월을 살아온 뱀파이어들에게는 견딜 수 없는 일이었다. 실제로 뱀파이어는 아니나 그와 유사한 존재, 늑대 인간인 청년이 지금 이렇게 망가져 있지 않은가?

청년은 다시금 술병을 들어 목을 축였다. 도수 높은 독주가 목을 축일 수 있을 리가 없다. 오히려 체액을 마르게 하지만 그 갈증을 이기기 위해서 그는 다시금 술로 목을 축인다.

그는 입가를 쓱쓱 소매로 닦고 자신의 동생을 바라보았다.

"간단하잖아. 과거의 테트라 아낙스처럼 무력으로 그들을 짓눌러. 어차피 뱀파이어라는 것들은 진마라면 모를까, 그렇지 않은 것들은 태양 아래에서 무력해지잖아. 나는 지금 네가 왜 징징대고 있는지 모르겠군."

뱀파이어들의 욕구가 단순히 피를 마시고 생존하는 것 이상이라면 테트라 아낙스는 그들의 목줄을 쥐고 있는 것이나 다름없다. 뱀파이어들의 왕 테트라 아낙스는 그 예지 능력, 텔레파시 능력으로 뱀파이어의 존재들을 인간들에게 감추어서 뱀파이어들에게 안식의 땅을 제공해 주었다. 그의 눈 밖에 난다는 것은 테트라 아낙스의 가호를 더 이상 받을 수 없다는 것. 일광을 견딜 수 있는 막강한 뱀파이어라면 모를까 그렇지 않은 대부분의 뱀파이어는 그 자체로 파멸이다.

서린, 새롭게 테트라 아낙스의 자리를 물려받은 그의 동생은 쓴웃음을 짓고 있었다. 그 이전에 테트라 아낙스라 불리던 자, 세이리오스의 현자는 냉철하고 무자비한 힘으로 뱀파이어들을 지배하고 있었다. 사설 군대와 강력한 뱀파이어 수족들을 부리며 뱀파이어 사회를 탄압하고 있었다. 그의 뜻에 따르는 자들은 부귀영화를 누릴 수 있었고 그렇지 않은 자들은 도시의 하층민처럼 어둠 속에 숨어 살며 범죄자가 되거나 그도 아니면 히피처럼 살아야 했다.

‘아니, 에스프리의 아르곤은 테트라 아낙스에게 반기를 들지 않았지만 이미 히피 꼴이긴 하지.’

청년은 그리 생각하며 술병을 기울였다. 이사카 베르게네프라는 이름을 가지고 분쟁 지역을 용병으로서 배회하던 그는 지금 눈앞에 있는 새로운 테트라 아낙스, 서린과 형제지간이었다. 오랜 옛날부터 육신을 초월해 옮겨 다니던 정신체, 릴리쓰에 감염된 인간이 잉태한 아이는 뱀파이어와 라이칸스로프 어느 쪽이든 될 수 있었고 그렇게 태어난 이들은 광신과 마법의 세계에서 무시할 수 없는 존재가 된다.

하지만 그의 동생은 밤의 광신과 마법의 세계, 그 왕좌를 지키기에는 너무나 선량하다. 남의 피를 빨아서 연명하는 괴물들에게 모질게 나가지 못하는 건 좋다만 그게 과해서 자신의 지위, 자신의 목숨까지 위험하게 해서야 되겠는가?

게다가 결국 더러운 일은 형에게 맡기려고? 인생에서 가장 좋은 부분만 골라 가도 정도가 있어야지. 자신의 손을 더럽히기 싫으니 형에게 도와달라는 뜻인가?

[만약 뱀파이어들이 그 능력에 상관없이 일광을 버틸 수 있다면?]

서린은 그리 말하며 작은 플라스틱 약병 하나를 꺼냈다. 흡사 타이레놀 통같이 생긴 약통에는 테트라 아낙스가 가지고 있는 의료 기업의 로고가 박혀 있었다.

“그렇다면 확실히 테트라 아낙스의 권위가 훼손되겠군. 대낮에도 사람처럼 돌아다닐 수 있다면 얼마든지 자신의 정체를 감추고 살 수 있을 테니까. 하지만 설마?"

[그게… 가능해질 거야.]

그렇다면 그것은 전등의 발명과는 비교할 수도 없는 또 한 번의 르네상스가 될 것이다.

일광을 견뎌낼 수 있고 남의 피를 빨기만 하면 불로장생을 누릴 수 있다면 인간들은 기꺼이 스스로 뱀파이어가 되려 할 것이고, 오랜 세월 고독 속에서 숨어 살아야 했던 뱀파이어들 중 극히 소수라도 기꺼이 뱀파이어를 늘리고 싶어 한다면 뱀파이어는 눈 깜빡할 사이에 번지게 될 것이다.

과거에는 테트라 아낙스의 압도적인 힘으로 뱀파이어들에게 고삐를 물리고 족쇄를 채워왔지만 새로운 테트라 아낙스는 확실히 그렇게 강하게 나가지 못하고 있었다.

알렉산더의 사후, 알렉산더의 제국은 그 휘하 장군들에 의해 쪼개졌다. 칭기즈칸 역시 마찬가지. 강력한 카리스마와 힘을 가지고 있던 존재의 죽음은 반드시라고 해도 좋을 만큼 분열을 일으킨다. 지금의 서린으로서는 그런 내부 문제를 다스리는 데만도 한계에 달해 있으리라.

이사카 베르게네프는 다시금 술로 목을 축이고 빈 술병을 뒤로 던졌다.

"그래서 내 도움이 필요하다고? 너의 손을 더럽히고 싶지 않으니 나보고 대신 더럽혀 달라는 거냐? 왜 그렇게나 내가 만만해 보이지? 우리가 형제라는 사실에 대체 피 이상의 어떤 의미가 있고, 어떤 친애의 정이 있어서 내가 그 정도까지 해야 한다는 거야?"

[…….]

"어리석군. 날 봐. 나는 내 삶조차 통제할 수 없어. 자유와 평화를 갈망해 왔지만 결국 진짜 자유를 얻고 나니 내가 얼마나 공허한 존재인지… 아……."

이사카는 그리 말하고 양손으로 자신의 얼굴을 감싸 쥐었다.

[형, 나는 형이 필요해. 진심으로 필요해. 내 마음을 형에게 전할 수만 있다면 내 손으로 심장을 꺼내서 증명이라도 하고 싶을 정도야.]

서린은 그런 이사카를 가만히 지켜보고 있었다.

그렇게 얼마나 시간이 지났을까?

얼굴을 감싸 쥔 채 얼어붙은 게 아닐까 싶던 이사카의 몸이 움직이기 시작했다.

"…좋아. 하겠어."

스스로도 이게 얼마나 어리석은 행동인지 잘 알고 있었다. 왜 운명에 농락당하면서도 정작 자신과의 대칭점에서 모든 것에게 사랑받는 동생을 위해…….

수난을 겪던 그가 왜 다시금 손을 더럽혀야 하지?

하나뿐인 동생의 요청이라서? 혈육 간의 친애의 정 때문에? 차라리 그런 이유라면 좋겠다.

그가 동생에 대해 가지는 감정은 단순한 것이 아니다.

둘은 형제의 정이라는 걸 느끼기에는 너무나 다른 삶을 살아왔다.

어린 시절부터 릴리쓰의 자식으로 태어난 두 형제, 그중 형인 그는 처음부터 신분이 노출되어 무수히 많은 암살자들, 그를 잡아 뜻을 이루려 하는 사악한 이들을 끌어당겼다.

그들을 피해 살기 위해서 그는 스스로 전장을 전전해야 했다. 동생이 따뜻한 집에서 가족과 함께 학교를 다니고 평화로운 삶을 누리는 동안 형인 그는 동생 몫까지 살인자들의 이목을 끌어안고 지옥을 헤매고 다녔다. 릴리쓰의 아이들을 노리는 어둠의 존재는 너무나도 많아서 살기 위해서는 무슨 짓이든 다 해야 했다.

그 시련을 견뎌내면서 이사카는 자유를 갈망했다. 언젠가 안식의 날이 찾아오기를… 바라고 또 바랐다. 그래서였을까? 그를 미끼로 삼아 모든 이목을 끌고 결국 동생이 월야의 왕, 테트라 아낙스를 집어삼키고 새로운 테트라 아낙스가 되었을 때 그는 오히려 기뻐했다.

어린 시절부터 별다른 고생 없이 치안이 안정된 국가에서 가족들에게 사랑받으며 자란 동생이 부귀공명을 손에 넣었다. 그로 인해 피해자가 된 형이 동생을 원망한다면 그것은 인지상정이라 하리라. 하지만 이사카는 진심으로 기뻐했다.

동생이 차지한 자리, 테트라 아낙스의 이름은 독이 든 성배라고 할 수 있었다. 누군가는 반드시 차지해야 하고 그것을 노리는 이도 많지만 그만큼의 화를 자초할 것임은 분명하다. 부귀공명은 누릴 수 있겠지만 이사카 베르게네프가 원하는 것은 단순한 부귀공명이 아니었다.

'자유, 마침내 자유가! 신이시여, 마침내 우리가 자유로워졌나이다.'

태어날 때부터 강제된 운명을 살아오던 이사카 베르게네프는 마침내 찾아온 자유에 감격했다.

하지만 늑대로 태어난 자에게 자유란 어떤 의미를 가지는 것일까?

용병, 마피아, 무기상, 마약상…….

살기 위해 저질렀던 일들이 이제 그를 집어삼켰다.

자유하에서도 그가 살아가는 방식은 이전과 다를 게 없었다.

이전에는 운명이 그에게 그런 삶의 방식을 강제했다면 자유가 찾아온 지금에는 온전히 그의 책임이었다.

이걸 위해서 그렇게 자유를 갈망해 왔나? 자유를 누리면 누릴수록 그는 자신이 텅 빈 껍질에 불과하다는 걸 깨달았다.

애초에 그는 자신을 사랑하고, 삶을 사랑하는 법을 몰랐다.

막연히 동경만 해왔을 뿐, 누군가에게 사랑받는 법 없이 그저 살기 위한 본능만으로 살아야 했다. 화목한 가족들 사이에서 모든 것을 누리며 살아온 서린은 분명히 이사카의 적수가 될 수 없다. 험악한 환경 속에서, 전사로서의 역량을 시험받는다면 겨뤄볼 것도 없다.

그러나 사랑받으며 자란 자의 힘은 전장에서 발휘되는 것이 아니다. 이사카는 생존의 전장에서는 그 누구 못지않은 강자이지만 삶에서는 그다지 강하지 못했다.

그러니까 서린의 부탁은 그게 무엇이든 들어줄 수밖에 없었다. 텅 빈 쭉정이, 공허한 삶에서 서린만이, 서린의 존재만이 그에게 무게감 있게 다가왔다.

유일한 형제를 증오하고, 시기하고, 때로는 그에 대한 열패감에 몸을 뒤튼다 하더라도… 그가 가장 좋은 것을 거두어 가고 가장 모자란 것을 받는다 하더라도, 때로는 아예 아무것도 주지 않고 그 홀로 독식한다 하더라도 이사카는 서린의 청을 들어줄 수밖에 없었다.

[한국 여권과 통장, 신용카드를 만들어뒀어. 이름은 서현, 아버지가 형을 위해 지은 이름이야.]

"아버지가 준 이름인가?"

이사카는 쓴웃음을 지었다. 생물학적인 아버지가 과연 그의 정체나 알고 있을지 의문이다.

[한국에 가면 아르쥬나의 마스터가 형을 도와줄 거야. 아무래도 형과 나는 서로의 입장이 있으니까 대놓고 서로서로 손잡으면 곤란하기도 하고.]

뭘 도와준다는 거지? 라이칸스로프의 왕자로 태어나 야수처럼 치열하게 살아온 이사카는 반감을 느꼈다. 하지만 자신의 몸을 바라본 그는 곧 납득하고 말았다. 이사카의 지금 모습은 확실히 누군가가 돕지 않으면 살아갈 수 없는 몰골이긴 하다. 노숙자 꼴을 하고 있으니 당연하지.

그래도 물어보고 싶었다.

"나를 어떻게 도와준다는 거지? 다른 사람들, 아니, 다른 흡혈귀들의 시선을 그렇게 의식하면서? 그 아르쥬나의 마스터라는 사람은 내게 뭘 해주겠다는 거야?"

[…서현으로서 살아가는 법을 가르쳐 줄 거야.]

"……."

역시 서린은 왜 이사카가 이런 몰골로 살고 있는지 알고 있었던 모양이다.

[인터폴 수배도 풀어놨어. 필요하다면 동료인 라이칸스로프도 얼마든지 신분을 만들어줄게.]

"유능하군. 예상외인걸? 하지만……."

이사카의 눈에 갑자기 생기가 돌기 시작했다.

폐건물을 향해 유선식 대전차미사일이 날아들고 있었다. 보병이나 차량에서 발사한 대전차미사일은 무서운 기세로 쭉쭉 날아와 폐건물의 외벽에 명중했다. 아니, 정확히는 건물에 명중하기 전 스스로 폭발하면서 엄청난 열폭풍으로 건물을 통째로 강타했다.

그것만으로도 건물의 벽돌벽이 허물어지며 건물 전체가 요동친다. 순식간에 무시무시한 불기둥이 건물 전체를 휘감았다.

대인살상용 열압력 탄두, 이것 앞에서는 엄폐물 따윈 별 의미가 없다. 건물의 빈틈 구석구석까지 분말이나 분무 상태의 연료가 분사되고 점화하면서 구석구석 빠짐없이 열과 폭풍으로 구워 버리는 무기다.

"장관이군."

METIS 유선 미사일 발사기를 장착한 도요타 픽업트럭에 올라타고 있는 청년들은 벌써 반쯤 무너진 건물을 보며 탄성을 질렀다.

"폭연이 너무 심해서 아무것도 안 보이는데? 보통 인간이라면 이 정도로 죽었겠지?"

기화폭탄의 폭발로 인해서 건물 전체가 빈틈없이 폭풍과 불꽃으로 날아갔을 것이다. 하지만 그들은 그 정도로 만족하지 않았다.

"우리 표적은 인간이 아니야. 괴물이다. 이런 대전차미사일 한 발에 죽을 정도면 그렇게 비싼 현상금을 걸었겠냐?"

"크크크. 한 발 더!"

그들은 차량에 얹은 발사관에 새 열압력 탄을 장전했다. 30킬로그램이 넘는 묵직한 미사일을 마치 장난감처럼 가볍게 다루는 완력을 볼 때 이들이 보통 인간이 아님을 알 수 있었다.

또 한 발의 미사일이 날아가 폐건물에 충돌했다. 벽돌로 만들어진 낡은 폐건물은 두 번의 폭발을 견디지 못하고 완전히 허물어지고 있다.

"이 정도라면 아무리 잘난 놈이라 해도 쓴맛을 봤겠지?"

"한 발 더 쏠까?"

"아!"

그때 쌍안경을 들고 있던 남자가 비명을 질렀다. 그는 즉시 옆에 놓여 있던 두시카 기관총을 차량에 용접한 마운트에 거치하고 탄을 장전했다.

"아직 살아 있어!"

"그럴 리가?! 확실해?!"

"미사일 한 발 더 장전해!"

그들은 서둘러 미사일을 장전하기 시작했다. 하지만 그때 갑자기 도요타 하이럭스 픽업트럭이 통 하고 튀어 올랐다. 뭔가가 위에서 떨어지며 차량을 짓눌러서 서스펜션이 출렁이며 불안정한 사면에 주차하고 있던 차량을 튀어 오르게 한 것이다. 모두 놀라서 자신들의 뒤에 떨어진 것을 바라보았다.

"늘 오던 암살자들이 끊겼다가 이제 다시 찾아오다니 반갑군. 한때 모두가 찾는 인기 스타였다가 쇠락해서 관심에서 벗어나니까 별로 좋지 않은 관심조차 반기게 된다고."

이사카가 그들의 뒤에 착지해 있었다. 허름한 옷차림에 들고 있는 거라곤 빈 술병이 전부지만 그의 등장은 모두의 모골을 송연하게 만들기 충분했다. 미사일이 적중된 건물에서 여기까지는 약 300미터 정도의 거리가 있었다. 라이칸스로프나 뱀파이어의 신체 능력이 뛰어나긴 하지만 단번에 좁힐 수 있는 거리는 아니다.

그런데 대체 어떻게 좁혔을까?

보통 흡혈귀들이라면 이런 상황에서 경악하며 이사카를 경계했을 것이다. 하나 이들은 달랐다.

"크크크."

"아직도 자기가 뭔가 되는 줄 아나 보군."

"거지꼴을 하고 말이야."

암살자들은 이사카의 갑작스러운 등장에도 전혀 놀라워하지 않았다. 되레 비웃고 있었다. 라이칸스로프의 왕자라 불리는 이사카를 상대로 이렇게 비아냥거리는 놈들이 이전에 있었던가?

"잡자!"

차량에 있던 놈 중 쌍안경을 들고 있던 놈이 홀스터에서 권총을 빼 들었다. 하지만 이사카는 발로 그의 팔과 몸통을 함께 훅 차버리고 하이럭스의 난간을 잡고 빙글 몸을 돌려 평행봉 체조 선수처럼 크게 루프를 그리며 지면에 착지했다.

"흡!"

짧은 기합 소리와 함께 도요타 하이럭스가 팩 뒤집어졌다. 사면에 주차해 있었다고는 하지만 수 톤에 달하는 픽업트럭을 가뿐하게 뒤집어엎은 것이다.

그러나…….

차량에 올라타 있던 이들은 빠르고 민첩한 동작으로 간단히 차량에서 튀어나왔다. 뱀파이어라고 해도 상당한 수준의 반응 속도다. 뱀파이어 평균을 크게 웃도는 신체 능력이다.

"하하하! 아?!"

스스로도 차량에서 뛰어내린 자신이 대견한지 큰 웃음을 터뜨리던 뱀파이어는 코앞에 쇄도한 이사카를 발견하고 깜짝 놀랐다. 이사카를 향해 반사적으로 스콜피온 기관단총을 겨누었지만 그가 방아쇠를 당기기도 전에 총이 이사카에게 잡혔다. 이사카는 능숙한 솜씨로 탄피 배출구를 붙잡아 총이 연사되지 못하게 하고 손목을 꺾어 총을 빼앗고 재차 팔을 꺾었다.

그리고 한껏 꺾여서 높은 압력을 유지하고 있는 팔꿈치 부위에 대고 기관단총을 갈겼다.

퍼퍼퍽!

선혈이 낭자하며 팔꿈치 뼈가 드러났다. 이사카가 힘을 주고 당기자 걸레짝이 된 팔이 끊어졌다. 이사카는 그 팔목을 잡고 마치 단도처럼 역수로 쥔 뒤 그대로 흡혈귀의 정수리를 찍었다.

으적!

팔뚝 뼈가 비수처럼 두개골을 깨고 꽂혔다. 이사카는 그렇게 머리를 찍어버린 흡혈귀의 목덜미를 한 손으로 잡고 방패처럼 번쩍 들어서 다른 뱀파이어들의 총격에 대비했다.

두두두!

어설트 라이플을 들고 있던 이들이 탄창을 다 비워낼 기세로 쏴 갈기지만 이사카는 뱀파이어를 방패막이로 들고 뒤로 훌쩍 뛰어 도요타 하이럭스 뒤로 숨었다.

"젠장! 역시 만만치 않은 놈이군!"

"가장 고위 라이칸스로프니까!"

"그래도 무장은 우리가 더 우세해! 쏴 갈겨! 수류탄 있어?"

그들은 어설트 라이플의 탄창을 갈며 수류탄을 준비했다.

도요타 하이럭스 픽업트럭 뒤에 숨은 이사카는 예상보다 훨씬 숙달된 적들의 공격에 의아해했다.

"굉장히 용감한 놈들이네. 게다가 해가 완전히 안 떨어졌는데……."

뱀파이어의 적은 일광이다. 아무리 겨울철의 희박한 빛이라고는 해도 이 정도 빛이면 고위 흡혈귀가 아닌 이상 전신을 불로 지지는 것 같은 고통을 느껴야 마땅하다.

그렇다면 저들이 고위 흡혈귀란 말인가? 그러나 이사카가 알고 있는 한 저런 고위 흡혈귀들은 존재하지 않는다.

뱀파이어들이 테트라 아낙스의 가호하에 번영을 누리기 시작한 이래 그들은 막대한 부를 거머쥘 수 있었다. 연 5%의 성장을 복리로 200여 년 넘게 반복했다고 생각해 보라. 약 17,000배 이상으로 원금이 불어나게 된다.

물론 실제로는 그보다 더 높은 성장률을 보여왔다.

테트라 아낙스는 그 예지력으로 나폴레옹 전쟁의 승패, 대기근, 각종 사건 사고 등을 예견했고 뱀파이어들은 매번 승리에 베팅해서 막대한 이득을 올려왔다. 다만 모든 흡혈귀가 그런 부와 명예를 누리진 못했다. 부와 영화를 손에 넣은 것은 어디까지나 테트라 아낙스에게 충성하는 친테트라 아낙스파의 흡혈귀들뿐이다.

테트라 아낙스는 흡혈귀의 수가 구조적으로 늘어날 수 없다고 예측했었다. 인간의 피를 빨아야 하고 인간에게 자신들의 정체를 들켜선 안 된다면 인구에 종속되고 지역에 종속될 수밖에 없었다. 한 지역에 너무 많이 몰려서도 안 되고 그렇다고 인구가 너무 적은 곳에서는 살아갈 수 없으니 자신의 말을 듣는 뱀파이어들에게는 막대한 부와 영화를 주고 그렇지 않은 이들은 철저하게 탄압했다.

그러하니 테트라 아낙스의 가호를 받지 못하는 흡혈귀들과 가호의 흡혈귀들 간에는 귀족과 노예만큼의 격차가 있었다.

뱀파이어들 사이에 귀족적인 조직 문화와 계급의식이 싹트게 된 것이다.

그러니까 일광을 견딜 수 있는 등급의 고위 흡혈귀가 라이칸스로프를 암살하기 위해 직접 몸으로 뛴다는 건 있을 수 없는 일이다. 하지만 이 녀석들이 고위 흡혈귀가 아니라면 어떻게 일광을 버티고 있는 거지?

"후후후. 놀랐나?"

그때 이사카에 의해서 정수리에 자기 손목을 박아 넣은 뱀파이어가 고개를 돌렸다. 분명히 정수리를 찍어 뇌수를 휘저어놨을 텐데도 뱀파이어는 아랑곳하지 않고 이사카를 돌아보았다. 신체 손상에 상관없이 사고 기능을 유지하는 것도 고위 뱀파이어들의 특징이었다.

"새로운 시대가 올 거다! 그날이 오면 네놈 같은 것들은 반드시……."

"…미안하지만 이상한 종교에 관심 없거든?"

이사카는 심드렁하게 중얼거리고 자신이 뱀파이어의 머리에 꽂아 넣은 손을 붙잡고 빙글 돌렸다. 뇌수를 관통당한 뱀파이어가 그 충격에 다시금 실신했다.

"왜 서린이 나보고 도와달라고 했나 했더니만 이런 놈들 때문인가 보군. 대체 지금 무슨 일이 일어나고 있는 거야?"

이사카는 그리 투덜거리고 픽업트럭에 실려 있던 것 중 쓸 만한 게 있나 찾아보았다. 그때 저놈들이 떠드는 소리가 들려왔다.

"수류탄 없어?"

“…….”

수류탄을 던질 셈인가? 그건 곤란하다. 파편식 수류탄이라면 엄폐물로 파편과 충격파를 피하면 되겠지만 요새는 수류탄도 열압력 탄이 대세였다. 분말이나 가연성 액체가 분무되고 점화되는 방식이라 엄폐물의 효과를 보기 힘들다.

“뭐, 이쪽엔 그보다 더 좋은 게 있지.”

이사카는 즉시 차량에 붙어 있던 미사일 발사관을 그들에게 돌리고 발사했다.

“앗!”

뱀파이어 암살자들은 자신들을 향해 대전차미사일 발사관이 돌아서자 깜짝 놀랐다. 열압력 탄 수류탄을 막 준비하긴 했지만 수류탄과 METIS 미사일이라니 너무 체급이 다르다.

피하기에도 이미 늦었다. 거리가 너무 가까워서 미사일은 즉시 폭발하며 폭염과 폭풍으로 뱀파이어들을 휩쓸었다. 보통 사람들이라면 충격파만으로 죽을 위력이고 뱀파이어조차 전신을 태워 죽이는 거나 다름없으니 확실히 먹힐 거다.

하지만…….

“맙소사.”

이사카는 폭염 속에서도 멀쩡히 서 있는 적들을 보고 경악했다. 뱀파이어 암살자들은 이미 몸의 피부가 다 녹아 흐물거리고 있었다. 열압력 탄은 그들의 피부를 순식간에 태워 버렸다. 저 정도면 아무리 강력한 생명력을 가지고 있는 뱀파이어라도 치명상이다.

그런데 뭔가 이상하다.

"크크크."

"키키킥."

뱀파이어 암살자들은 웃으면서 자신들의 총기를 들고 이사카에게 겨누었다. 저렇게 타들어갔는데 아직도 의식이 끊기지 않고 살아 움직인단 말인가? 이미 육신이라기보다는 잘 구워진 스테이크 같은데 그 상황에서도 몸이 움직이다니……?

저 정도라면 상위 뱀파이어의 정도를 벗어났다.

일반 클랜원으로는 어림도 없고 진마와 진마의 종자인 에스콰이어급이 아니고서야 이런 화염 속에서 멀쩡히 서 있을 수 없다.

"크크크. 놀랐냐? 이제 너희의 시대는 가고 새로운 시대가 열린다고 했지?"

머리에 손목을 쑤셔 박은 뱀파이어가 다시금 정신을 차렸는지 키득키득댄다. 그 모습을 본 이사카는 빙글 고개를 돌렸다.

"우리 악수하지."

이사카는 다시 그놈의 머리에 쑤셔 박은 손을 다정하게 붙잡은 뒤 빠지지 않게 조심스럽게 번쩍 들어 올렸다. 그리고 그는 뱀파이어 암살자들에게 그들의 동료를 집어 던졌다. 뱀파이어들이 응사를 시작했지만 열압력 탄의 폭염에 휩쓸린 무기들이 제 기능을 발휘할 리가 없었다. 뱀파이어들도 제정신이라면 그걸 모를 리 없었는데, 저런 걸 보면 역시 의식이 끊기지는 않았지만 정신적으로 충격은 심하게 받은 것 같았다. 하긴 뇌수를 구워 버렸을 텐데 정상적인 생각이 가능하면 그게 더 이상할 것이다.

열로 인해 고장 난 총기들은 발사되지 않고 이사카가 던진 뱀파이어가 그들을 덮쳤다. 하지만 그들은 던져진 뱀파이어를 여럿이 달려들어 받아내며 충격을 완화시켰다.

"소용없어! 우린 이미 진마나 다름없는 생명력을 가지고……."

뱀파이어들은 흥분해서 육탄전을 벌이려 했지만 그들 위로 뛰어오른 이사카가 손날을 세웠다.

"정말 그렇게 생각해?"

퍽!

이사카의 손날이 깨끗하게 흡혈귀의 목을 날려 버렸다. 마치 도끼로 자른 것처럼 깔끔하게 참수하다니?! 흡혈귀의 근력은 인간을 까마득히 초월하기 때문에 목 근육 역시 보통 질긴 게 아니다. 칼로 잘랐다면 모를까, 손날로 자르다니?

"큭!"

다른 흡혈귀들이 대응하려 했지만 방법이 없었다. METIS 대전차미사일이 그들의 숨통을 끊을 수는 없었지만 몸을 움직이지 못하게 만들기에는 충분했다. 동료 뱀파이어를 받아낸 것만으로도 그 충격에 다리가 부러질 지경이었다.

"그래. 태양광 아래에서 움직이는군……. 목이 잘려도 의식을 잃지 않고."

이사카는 잘린 머리를 움켜쥐었다. 확실히 잘려 있음에도 불구하고 뱀파이어의 탐욕스러운 구속력이 피 한 방울, 눈물 한

방울조차 헛되이 흘리는 걸 허용치 않는다. 잘린 목과 몸통 사이로 혈액이 마치 점성 강한 실타래처럼 연결되고 있었다. 손을 놓기만 하면 순식간에 몸을 재생시킬 것이다. 실제로 불타 버린 뱀파이어들도 급격하게 재생하면서 다가온다.

"하지만 왜 우리의 시대가 끝난다고 말하지? 나는 단 한 번도 내 시대 따위 가져본 일이 없어."

이사카는 잘린 머리를 높이 치켜들더니만 무서운 기세로 집어 던졌다. 그에게 접근해 오던 뱀파이어의 머리에 이사카가 던진 머리가 충돌하며 둘 다 수박처럼 박살 나고 뇌수와 뇌수가 뒤섞였다.

"큭! 움직인다!"

그사이 몸을 재생한 다른 뱀파이어가 이사카에게 뛰어들었다. 하지만 이사카는 손을 펼쳐서 한 손으로 뱀파이어의 손을 맞잡았다.

뚜두두둑!

순식간에 뱀파이어의 손이 으깨졌다. 보통 사람이라면 손목 아래가 날아갔겠지만 이 정도는 뱀파이어에겐 아무것도 아니다. 하지만…….

이사카는 반대쪽 손도 펼쳐서 뱀파이어의 양손을 잡았다.

뚜두둑!

"크으… 끄아아아아악!"

뱀파이어가 몸부림치며 비명을 지른다.

"자, 왜 우리의 시대가 끝난다고 단언하지?"

"그, 귀족 뱀파이어들이 대부분의 뱀파이어를 억압하는 시대가 끄, 끝날……."

그 순간 뚜두둑, 하고 뱀파이어의 팔꿈치가 탈구되었다. 어깨가 빠지며 팔이 축 늘어졌다. 하지만 이사카는 손을 펼쳤다 다시 잡았다. 으깨진 손가락의 뼈와 살점을 털어내고 더 짧게, 팔뚝을 잡았다.

뿌드드득.

손목뼈가 순식간에 으깨졌다.

"그러니까 그걸 왜 나에게?"

"너, 너는 테트라 아낙스의 친형이 아니냐!"

그런 의미였나? 이사카는 갑자기 화가 났다. 그와 동생 간의 관계는 굉장히 복잡 미묘한데 외부의 녀석들은 너무 단순하게 생각한다. 왜 남의 일에 그런 단순한 시각으로 이렇네 저렇네 운을 뗄 수 있는 거지? 다른 이도 아닌 그에게?

뚜둑!

팔꿈치 아래가 으깨져 잘려 나갔다. 이사카는 상완부를 잡고 발을 들어서 뱀파이어의 허리에, 골반 위에 걸쳤다.

"흡!"

짧은 기합 소리와 함께 뱀파이어의 탈구된 어깨가 비틀려 뽑힌다. 어깨 근육이 찢어지며 새하얀 뼈가, 아직 살아 있는 연골 조직과 관절들이 통째로 노출되었다. 골반을 발판으로 삼아서 짧게 잡은 양팔을 잡아당긴 것이다.

"……."

“사… 산 채로 찢고 있어?!”

뱀파이어들은 기겁했다. 그들의 신체 능력은 올림픽 선수가 젖먹이 아기처럼 보일 만큼 강력하지만 이사카 베르게네프가 보이는 힘은 그들이 어린아이 같아 보일 정도였다. 아니, 이건 인간 아기와 고릴라 정도의 차이가 있었다.

“내가 동생을 위해 많이 희생하고 양보하긴 했지만 너희가 생각하는 것만큼 동생이랑 잘 지내진 않는다고. 와, 이 상황에서도 재생되는군. 대단한데?”

이사카는 자신이 잘라냈던 손아귀와 팔뚝이 그새 재생되는 걸 보고 감탄했다. 그가 직접 뱀파이어로부터 찢어낸 팔뚝은 바닥으로 떨어진 피와 살점을 퍼 올려 스스로 재생되고 있었다. 뱀파이어의 구속력이라는 건 너무나 탐욕스러워서 눈물조차 몸 밖으로 배출하지 못하게 한다고 하지만 바닥에 있던 피가 스스로 중력을 거부하고 치솟아 오르는 모습은 장관이었다.

“확실히 씹는 맛은 있겠군.”

이사카는 손에 쥐고 있던 팔들을 곤봉처럼 휘둘러 단번에 뱀파이어의 머리통을 강타했다. 좌우에서 동시에 어깨 부위가 날아들면서 사이에 끼인 머리가 없어져 버렸다. 두개골과 안면 뼈 전체를 통째로 으깨 버린 것이다. 마치 원래 없었던 것처럼 머리의 흔적도 남지 않았다.

머리를 잃은 뱀파이어의 몸이 쓰러지자 이사카는 손톱을 세워 쓰러진 뱀파이어의 몸통을 후려갈겼다. 곡물로 꽉 찬 부대자루를 찢는 것 같은 소리와 함께 허리가 두 동강 나자 이사카는 뱀파이어의 하반신 발목을 붙잡고 머리 위에서 풍차처럼 빙빙 돌리더니 원심력을 살려서 그대로 휙 집어 던졌다.

낡은 철탑에 충돌한 하반신이 저 멀리 건물 너머로 날아가 사라졌다.

"재생력이 진마급이라고?"

이사카는 심드렁하게 날아간 하반신을 보고 이번엔 상반신을 붙잡았다. 바닥에 떨어진 팔뚝을 주워 올려 상반신에 맞춰 끼우는데, 흡사 변신로봇 장난감을 갖고 노는 아이처럼 간단하게 뱀파이어의 팔을 이어 붙인다.

"아… 아아!"

뱀파이어는 자신의 운명을 예감하고 비명을 지르려 했지만 소리도 나오지 않았다. 이사카는 그의 팔을 잡고 붕붕 풍차처럼 돌려서 상반신은 정반대 쪽으로 던져 버렸다. 두 몸통 다 족히 200여 미터는 날아가 버렸다.

"……."

보고 있던 다른 흡혈귀들도 그 모습을 보곤 질려 버렸다. 저게 곧 자신들의 운명이기 때문이었다.

"확실히 튼튼한 놈들이라 재활 훈련에는 좀 도움이 되는군. 그래, 진마급으로 튼튼해."

이사카는 자신의 목을 뚜둑뚜둑 소리가 나도록 당기며 어깨를 풀었다.

'한국에 가서 아르쥬나의 마스터 밑에서 일을 도와줘.'

서린은 이사카, 아니, 이제 서현이라는 이름을 택한 그에게 그렇게 부탁했다.

'그게 어떻게 널 돕는 게 되지?'

서현은 반문했다. 방금 전 뱀파이어 암살자들은 간단히 처리하긴 했지만 그건 그니까 가능한 일이었다. 객관적으로 보면 결코 쉬운 상대가 아니었다. 그들이 말한 대로 정말 진마에 준하는 재생 능력을 가지고 있었고 화기도 매우 강력했다. 벨라루스처럼 치안이 확고한 국가에서 대전차미사일을 쏴대는 무장 집단을 운용할 수 있는 건 정부군과 테트라 아낙스의 사설 부대뿐이었다. 그런 놈들이 테트라 아낙스의 종사와 서현을 공격했다는 건 테트라 아낙스의 지배력에 심각한 문제가 발생했다는 뜻이기도 했다.

실제로 이번 습격으로 테트라 아낙스의 종사는 큰 부상을 입었다. 태양광을 이겨내는 뱀파이어임에도 불구하고 처음 열압력 탄두 일격에 이미 만신창이가 되었던 것이다.

테트라 아낙스가 개발했다고 하는 태양광을 이겨내는 방법은 간단한 약제로, 태양이 가진 에너지가 뱀파이어의 VT인자를 침해하는 과정을 방해해 태양광을 막아내는 약에 불과했다. 지금 나타난 암살자들처럼 강력한 신체 능력을 부여하진 않는다.

대체 무슨 일이 벌어지고 있는 건가? 만약 저런 식으로 하위 흡혈귀들이 단번에 그 능력을 높이는 방법이 존재한다면 테트라 아낙스의 체제는 무너지고 말리라. 이것은 테트라 아낙스만의 문제가 아니다. 고삐 풀린 뱀파이어들이 순식간에 세계를 위협하리라.

이런 급박한 상황임에도 불구하고 서린은 서현의 직접적인 도움은 거절했다.

'형이 나와 노골적으로 손잡는다면 형도 나도 둘 다 난처해질 거야. 무엇보다도 내가 형에게 그렇게까지 전폭적인 지지를 요구할 수 있는 처지는 아니지.'

뱀파이어와 라이칸스로프, 이들은 서로서로 오랜 세월간 적수였다. 테트라 아낙스가 만들고 유지하는 세계, 월야를 걷는 이 두 종족은 한정된 자원을 놓고 서로 경쟁하는 사이. 뱀파이어의 왕이 된 서린이 라이칸스로프와 친하게 지내는 건 그에게 정치적인 약점이 될 것이다.

테트라 아낙스가 정치적인 약점을 걱정할 정도면 이미 끝장이라는 느낌이지만… 서현은 동생의 뜻을 따르기로 했다.

'그렇다면 손을 잡지 않고, 필요할 경우는 테트라 아낙스의 세력도 손대면 되나?'

'어쩔 수 없지, 그건.'

반쯤은 농담으로 했던 말인데 서린은 심각한 표정으로 답했다.

'대신 세건 형을 구해줘.'

'세건?'

'한세건. 비스트라고 하면 알아들을 수 있을까?'

'비스트… 아, 진마사냥꾼. 비스트 말인가?'

한세건을 떠올린 서현은 피식 웃었다.

그러다 곧 정색했다.

'그게 말이 돼?!'

하나 서린은 진심이었다.

'부탁할게, 형. 이런 걸 부탁할 수 있는 사람은 형밖에 없어.'

그리고 서현은…….

서린의 부탁을 도저히 외면할 수 없었다.

• ☾ • See You Next Night •

第2夜

리림과 마수

1

오랜 방황을 끝내고 이제 다시 삶을 마주할 때가 왔다.

민스크에 도착한 서현은 그리 각오하고 상점 쇼윈도에 비쳐지는 자신의 몰골을 바라보았다.

이건 뭐 노숙자가 따로 없다

하긴, 단 한 번도 건실한 삶이라는 걸 살아본 적이 없는 그였다. 내면과 외면을 일치시킨다면 이게 맞다. 아니, 외려 노숙자들이 그와 비교되는 걸 싫어할지도 모른다.

다행히 테트라 아낙스의 종사들은 서현을 그냥 내버려 두지 않았다.

'그 모습으로 호텔을 예약할 수는 없을 겁니다. 일단 저희가 예약을 해드리지요.'

서현은 거의 반나절 동안 몸을 씻고 한국으로 여행을 떠날 준비를 했다.

"아……."

서현은 짜증을 내면서 물건들을 고르고 있었다. 물건을 사고 고르는 건 좋다. 그런데 그가 짜증을 내는 것은 테트라 아낙스의 다른 종사가 신분증을 건네주며 한 말이 떠올랐기 때문이다.

'이제부터 당신의 이름은 서현입니다. 어린 시절 왕따를 당해 정신적 충격을 받고 사회생활에 적응을 못 해서 외국을 전전하며 돌아다녔고 검정고시로 겨우겨우 고졸 학력을 취득했습니다.'

'왕따가 뭐지?'

'동년배 클래스메이트 단체에 의한 집단 린치를 말합니다. 육체적, 정신적인 양방 모두에서의…….'

'…….'

라이칸스로프의 왕자가 졸지에 왕따 피해자가 되어버렸다.

기록에 의하면 너무나 혹독한 린치를 당해서 정신과 의사의 대인공포증, 불안증, 조울증 진단을 받은 걸로 되어 있었다.

'만약의 경우 정신병 때문이라고 하면 최고잖아? 모두 면죄된다고! 다들 형을 동정할 거야. 피해자니까.'

동생의 따뜻한 배려가 느껴졌다.

"…개자식."

악의가 없다는 점에서 더욱더 화가 난다. 물론 서린에게 화가 나는 건 그것만이 아니었다.

'그리고 카드는 민스크까지만 써. 한국에 돌아가면 신용카드는 동결시킬 거고 예금계좌 역시 동결시킬 거야.'

'뭐?'

종사에게 받았던 카드 안에는 약 400만 USD에 달하는 거금이 들어 있었다. 보통 사람이라면 평생 놀고먹을 거금이지만 암시장에서 무기도 마련하고 밀무역을 하고 이런저런 일을 하기 위해서는 종잣돈이 많이 필요했다. 그런데 그걸 동결시킨다고?

'계좌에 돈을 많이 넣어둔 것은 어디까지나 형의 신분을 보증하기 위한 보증금이지. 직업도 없는 사람이 국경을 넘나든다고 수상하게 여기면 곤란하잖아. 계좌에 돈이 많으면 국경을 넘나들 때 편하니까…….'

테트라 아낙스의 입장에서 돈이란 아무리 많아봤자 종잇조각이다. 미래를 예측할 수 있는 테트라 아낙스는 금융시장에 뛰어들면 절대로 잃는 법이 없었고 이는 사실상 인류 전체의 재화가 그의 것이나 다름없다는 소리였다. 곳간에서 인심 난다는 속담도 있는데 서린은 어째 반대다.

'형을 공허하게 만드는 건 그거야. 갖고 싶은 걸 너무 쉽게 가져 버린다고. '아, 갖고 싶다~' 라며 상점을 털어버리는 사람에게 돈이나 노동이 무슨 가치가 있겠어?'

'완전 부인할 수는 없지만 그 정도까지는…….'

'형, 현실은 GTA 같은 게 아니라고. 형이 현실감각이 부족한 것은 다 너무 야만적인 사회에서 야만스럽게, 야만인, 아니, 짐

승같이 살았기 때문이야.'

'짐승같이…….'

라이칸스로프니까 틀린 말은 아니다. 아닌데 묘하게 어감이 안 좋다. 왠지 모르게 부인하고 싶어지는 어감이다.

'일단 아르쥬나의 마스터에게 형의 재활을 맡겼으니까 한국에 가서 새로운 마음으로 새 출발 하는 거야.'

'날 무슨 굉장한 인간 말종쯤으로 보는데? 너 원래 그런 성격이었냐? 진심으로 짜증 나는데?'

이런 녀석에게 세상의 부귀공명을 모조리 떠넘기고 자신은 거지꼴로 살았단 말인가?

왠지 세상이 불공평하다는 생각이 들었다.

서현은 벨라루스의 민스크에서 러시아의 모스크바를 경유해 인천 국제공항에 내렸다. 온갖 범죄로 수배되었던 그가 아무런 규제 없이 정식으로 비행기를 타고 공항에 내리니 생경한 기분이 들었다. 용병, 마약상, 밀입국자들과 함께 움직이던 그가, 옆으로 고개를 돌리니 어린아이를 안고 있는 젊은 부부와 화사한 복장의 여행객들이 수다를 떨고 있다면 확실히 기분이 좀 묘하겠지.

'…….'

서린에게 짜증을 내긴 했지만 지금 서현은 가슴이 두근거리고 있었다. 소풍 가기 전날의 어린아이처럼 설레는 마음으로…라는 비유를 쓰기엔 그는 소풍의 경험이 없었다. 학교를 다닌

적도 없었으니 괜히 서린이 그를 정신병자로 만든 게 아니다. 일반적인 경험을 공유하지 않는 자가 제일 쉽게 댈 수 있는 변명이 정신병 병력 아닌가?

서린을 생각하자 다시금 머리가 복잡해진다.

'기분이 묘하게 산뜻하군. 테트라 아낙스를 거꾸러뜨리고 서린이 새로운 테트라 아낙스가 되었을 때, 자유가 다가온다고 믿었을 때도 이런 기분이었지. 그러니 마냥 밝은 미래를 믿을 수는 없지만… 묘하게 기분이 좋아.'

크고 깔끔한 공항, 아무런 걱정 없는 여행객들 사이에서 산뜻한 옷차림을 하고 여행용 캐리어를 끌고 다니니 확실히 기분이 남다르다. 언제나 목숨을 노리는 놈들을 피해 다녔고, 그게 아니더라도 그가 태어났을 때의 러시아는 엉망이었다. 요새는 KGB 출신의 강력한 총리와 그의 충실한 동반자인 대통령이 많은 자원과 압도적인 기초 과학력을 기반으로 강대국 행세를 톡톡히 하고 있었지만, 그가 어릴 때만 해도 맥도날드 한번 먹어보겠다고 가게에 줄을 서야 했고 러시아 루블보다 미국제 청바지 현물거래가 더 잘 먹히던 시절이 있었다.

"그나저나 공항에 마중을 나와 있을 거라고 했지?"

서현은 그리 중얼거리며 공항 게이트로 걸어나갔다. 동료도 없고 테트라 아낙스의 종사들, 테트라 아낙스가 고용한 사람들도 없으니 여기서 제대로 만나지 못하면 졸지에 공항 노숙자가 될 것이다. 어디서 만날지 명확한 약속도 연락처도 없이 드넓은 공항에서 보자니 걱정이 되었다.

'대체 얼마나 특출 나게 생겼기에 단번에 알아볼 수 있다는 거야? 너무 자신만만한 거 아냐?'

그러나 확실히 아르쥬나의 마스터는 단번에 알아볼 수 있었다. 무수히 많은 사람들 사이에서도 확 눈에 띄는 우아하고 이지적인 미모의 여성이 손을 흔들며 그를 부르고 있었다.

"서현! 네가 서현이구나! 이야… 동생보다 훨씬 잘생겼는데?"

"……."

갑자기 친한 척 말을 걸어오는 그녀 때문에 서현은 당황했다. 뭐, 동생보다 인물이 낫다는 말은 아무리 빈말이라고 해도 듣기 나쁘지 않다.

"긴 비행에 피곤했지? 식사는 했어?"

"기내식을 먹긴 했지만……."

"한창 자랄 나이엔 부족하겠지? 좋아, 팔천 이내에서 뭐든 먹고 싶은 걸 먹으렴."

"팔천?"

팔천이면 뭐지? 한국 돈 팔천 원을 말하는 건가? 서현은 지갑을 열어보았다. 뭐 적지 않은 지폐가 들어 있긴 하지만 이게 얼마만큼의 가치가 있는지 가늠하긴 힘들다. 안 써본 돈인데 뭐가 얼마만큼 가치를 가지고 있는지, 이 지역 물가는 얼마인지 알아야지? 8천이라. 선심 쓰듯 말하는 걸 보니까 큰 금액이겠지? 서현은 그리 지레짐작했다.

결과적으로 말하자면 공항에서 그 돈으로 먹을 수 있는 것 중 가장 괜찮아 보이는 건 패스트푸드뿐이었다.

"역시 한식은 아직 입에 안 맞겠지? 나는 김성희라고 해. 이제부터 네 보호자가 될 사람이지."

김성희는 패스트푸드점의 트레이를 테이블 위에 내려놓으며 서현에게 악수를 청했다.

대담한 여자다.

서현이 라이칸스로프라는 걸 알면 손 하나만 잡아도 사지를 쭉쭉 찢어발길 수 있다는 걸 알 텐데……. 말하자면 지금 이건 사자 입에 머리를 들이미는 꼴이다.

흑백이 선명하게 대조를 이루는 하얀 피부, 검은 머리칼과 검은 눈동자가 대단히 매력적이다. 게다가 여성의 살 냄새, 진하고 달짝지근한 살 내음이 느껴진다.

그녀처럼 아름다운 미녀에게 느끼는 성욕과 식욕은 뱀파이어와 라이칸스로프 모두를 자극하는 최고의 조미료다. 식인 괴물에게 이렇게 선뜻 접촉해 오다니. 마법사라고 들었는데 자기 몸을 지킬 방도는 있는 건가?

서현은 그녀와 악수를 나누었다.

"그런데 여기서 팔천 원에 먹을 수 있는 게 이것뿐이네요?"

"패스트푸드를 좋아한다고 들었는데?"

"……."

애초에 이걸 먹일 생각이었구만 뭐. 그러면서 먹고 싶은 걸 골라보라고 물어보나.

서현은 식사를 하면서 조심스럽게 그녀를 바라보았다. 서현뿐만 아니라 다른 남자들이 모두 힐끔힐끔 그녀를 돌아보는 걸 느낄 수 있었다. 정작 그녀는 다소곳하게 몇 입 먹는 둥 마는 둥 하고는 음료를 마시며 의자에 기대어 앉아 서현을 다정한 눈초리로 바라보고 있었다.

확실히 미인이긴 하다.

서현은 그녀의 시선과 향긋한 살 내음을 뇌리에서 지우기 위해 질문을 던졌다.

"그래서 제가 뭘 해야 하는 겁니까? 뱀파이어 사냥? 마법사 집단 이탈자 추적? 용병 임무?"

"음……."

"뱀파이어들이 테트라 아낙스의 통제를 벗어나는 것 같던데 한국에서부터 조사하면 되는 겁니까?"

"아니, 당신이 해야 할 일은……."

김성희는 씨익 웃었다.

카페 아르쥬나는 대학 근처 공원을 끼고 있는 독채 건물이었다. 1층은 카페, 2층은 주거 공간으로 특급 상업지 바로 옆에 위치한 곳이라 장사는 항상 잘된다. 오컬트 카페라는 상당히 맛이 간 콘셉트를 유지하고 있지만 일반 손님도, 정보를 얻고자 하는 뱀파이어 헌터나 마법사들도 종종 오는 곳이다.

서현은 주위를 둘러보았다. 번화한 상업지에서 약간 떨어져 한가한 곳이지만 손님이 많이 올 만한 장소다. 이런 곳에 뱀파이어 헌터나 사술사들이 모여드는 건 상상하기 힘든데? 역시 등

잔 밑이 어두운 법인가? 나무를 숨기려면 숲에 숨겨라?

"자, 잠시 기다려 봐. 음. 아, 여기 있다."

김성희는 서현의 손에 대걸레를 건네주었다.

"청소하는 법은 알겠지? 일단 청소부터 해. 다른 일들은 차근차근 가르쳐 줄게."

김성희는 그리 말하고 먼저 계단으로 올라가고 있었다. 그걸 본 서현은 황급히 그녀를 불러 세웠다.

"저기……."

"앞으로는 날 마스터라고 불러."

"아니, 그런 게 아니라!"

"아!"

김성희는 그제야 손뼉을 딱 쳤다.

"당연히 중요한 일이 있지. 내가 참 이런 걸 깜빡하다니."

김성희는 그 말을 남기고 계단 위를 종종걸음으로 달려 올라갔다. 서현은 어이가 없어서 그녀의 뒷모습을 바라보았다.

굉장히 급한 일 아니었나? 뱀파이어가 일광을 이기며 돌아다니고 테트라 아낙스의 체제가 무너지면서 현세와 월야의 세계 간에 경계가 허물어지고 그것이 대재앙을 부를 것이라고… 서린은 그래서 서현에게 자신을 도와달라고 애원했었다.

실제로 뱀파이어 암살자들은 그들의 경력에 비해 놀라운 능력을 가지고 있었고 그런 게 전체적으로 확산되는 것은 서현도 원하는 바가 아니었다.

그래서 민스크에서 모스크바, 인천을 거쳐서 겨우겨우 이곳에 당도했는데 대걸레를 안겨주다니?

뭐, 위장이겠지, 이건? 진짜 중요한 걸 가지러 올라간 모양인데 참 이지적이고 아름다운 용모와 달리 덤벙대는 여자다. 서현은 그리 생각하며 김성희가 내려오길 기다렸다.

잠시 후 김성희가 종종걸음으로 계단을 내려와 테이블 위에 뭔가를 내려놓았다.

"자, 근로 계약서야."

"근로… 음, 근로 계약서?"

"부끄럽게도 줄 수 있는 건 최저 시급뿐이야. 숙소는 따로 구해줄게. 아, 한국어 읽을 수 있어?"

"……."

서현은 테이블 위에 놓여 있는 근로 계약서를 보고 혹시나 싶어서 종이를 들어서 불빛에 비춰 보았다. 숨겨진 글씨나 마법 문양이 들어가 있는 것도 아니다.

냄새를 맡아보니 그냥 종이, 혀를 종이 표면에 살짝 대보니 아무런 맛도 안 난다. 맛을 봐도 종이에 불과하다. 불에 그을려 볼까? 그런 생각이 잠깐 스치고 지나갔지만 역시 아무것도 나오지 않을 것이다.

"진심인가, 마녀?"

바람을 가르며 단번에 날아간 서현의 손끝이 김성희의 눈앞에 딱 멈춰 섰다. 그대로 내질렀으면 이 미녀의 머리가 눈썹 위와 아래로 분리되어 따로 놀았을 것이다.

하지만 김성희는 눈 하나 깜빡하지 않았다.

"……."

놀라지도 않았다. 아마도 그녀는 이 정도쯤이면 서현이 폭발할 것이라는 걸 예측하고 있었나 보다. 그렇지 않고서야 눈앞으로 찌르기를 날리는데 반사적으로 움찔하기라도 할 것이다.

설령 놀랐어도 평정을 가장하는 것이라면 그것은 체취로 드러난다. 라이칸스로프인 서현에게 그녀의 체취는 마치 직접 살갗에 코를 대고 탐닉하는 것처럼 강렬하게 느껴진다. 하나 그녀는 아주 약간 놀랐을 뿐 평정을 잃지 않고 있었다.

대단한 여자다.

서현이 내심 감탄하는 사이 그녀는 온화한 미소를 지으며 서현을 바라보았다.

"흠."

서현은 팔을 거두었다. 김성희의 눈빛은 확실히 그녀가 이번 일을 간단히, 장난삼아 하는 게 아니라는 걸 전달하고 있었다. 그렇다. 지금 이 순간 만약 서현이 원하기만 하면 그녀를 죽일 수 있다. 몸을 범하고 산 채로 잡아먹으며 자신의 욕망을 채울 수도 있겠지.

역으로 말해서 그건 그녀도 잘 알고 있는 일일 것이다. 서현이 손을 쓰려고 작정하면 그녀의 목숨은 순식간에 떨어질 것이다. 그런데도 불구하고 그녀는 당당하게 서현을 대하고 있었다. 그런 여자는 존중받아 마땅하다. 결국 갈라서게 될지 몰라도 지금 이 순간 그녀는 확실히 존중할 만한 인물이었다.

서현은 정중하게 사과했다.

"죄송합니다. 제가 결례를 범했군요. 하지만 납득이 가질 않아요. 지금 이런 건 대체 무슨 이유에서 하는 겁니까?"

"바로 그런 점 때문이지."

"네?"

"서현, 너는 아마도 월야의 세계에서 가장 강력한 혈통을 타고난 존재일 거야. 주어진 재능이 너무나 강력해서 모두 네 몸을 노리겠지. 안 그래?"

"네."

"하지만 네 정신은 어떻지?"

"……."

강인하다.

그렇게 답하고 싶었다.

다른 이들과 달리 그는 어린 시절부터 생명의 위협을 느끼며 살아왔다. 그 안에서 살아남을 수 있었던 것은 그의 정신력이 남다르지 않고서야 불가능한 일이다. 아무리 강력한 능력을 타고났다 하더라도 정신이 뒷받침되지 않으면 파멸할 수밖에 없는 것이다.

하지만 그 강함이 과연 전부인가? 실제로 서현은 알코올중독자처럼 잘 취하지도 않는 독주를 들이부으며 폐인 생활을 하지 않았던가? 그런 짓을 한 사람의 정신이 강인하다고 할 수 있나? 진정으로?

서현 자신도 스스로에게 높은 점수를 줄 수 없었다.

"지금 이 행동도 그래. 나는 나 자신이 꽤 괜찮은 마법사라고 스스로 자부하지만… 그것과 별개로 네가 방금 전 손을 제대로 뻗기만 했어도 죽었겠지. 하지만 여기서 날 죽인다면 넌 뭐가 되지? 뒷일은 생각해 뒀어? 다시금 야만의 세계로 돌아가 이성 없는 짐승으로 살고 싶은 거야?"

김성희는 그리 말하고 웃어 보였다. 매력적인 웃음이 서현을 추궁하고 있는데 차라리 화를 내는 것보다 더 마음이 아프다.

"……."

"서린이 네게서 원하는 것은 단순한 무력이 아니야. 단순한 무력이라면 그는 핵미사일도 발사할 수 있는 위치라고. 설령 테트라 아낙스로서의 지위가 흔들린다고 해도 워낙 강력한 위치다 보니까. 이 앞으로 다가올 시련은 단순한 완력과 무력으로 헤쳐 나갈 수 있는 게 아닐 거야, 서현."

"그럼… 대체……."

"난 네게 인간답게 사는 법을 가르쳐 주겠어. 자신의 삶을 사랑하는 자만이 최후의 최후까지 살아남을 수 있는 법이야. 예전엔 나도 그걸 몰랐지."

그걸 말하는 김성희의 입가에 쓴웃음이 스쳐 지나갔다.

"자, 인간답게 살려면 뭐가 필요하지? 돈이 필요하겠지? 돈이 필요하면 뭘 해야지? 노동을 해야겠지?"

김성희는 그리 말하며 다시금 테이블 위에 놓인 근로 계약서를 서현에게 내밀었다.

"그러니까 사인해. 사람으로서 살기 위한 첫걸음이야."

묘한 설득력에 서현은 전율을 느꼈다.

앞으로 다가올 일이 대체 어떤 일인지 모르지만 그녀의 말이 맞다. 서린은 높은 격투 실력과 강력한 힘, 어마어마한 초능력들을 가진 라이칸스로프의 왕자로서의 서현이 아닌, 인간 서현의 도움이 필요한 것이다.

결국 서현은 근로 계약서에 사인하고 말았다.

2

뱀파이어의 혈액에는 인간을 치유하는 힘이 숨겨져 있고 그들의 혈액을 정제해서 만든 비약 사이키델릭 문은 정신을 보강하고 지성을 강화시켜 주는 효과가 있었다. 강력한 주술적 효과와 함께 의존성을 가지고 있어서 일단 사이키델릭 문을 한 번이라도 접한 사람은 그 매력에 사로잡히고 만다.

뱀파이어의 피가 비싸지자 당연히 그들을 노리는 이들이 나타났다. 그들이 바로 뱀파이어 헌터다. 과거 뱀파이어 헌터는 뱀파이어들의 존속을 위협하는 존재였지만 테트라 아낙스가 뱀파이어들을 보호하고 전등이 발명되면서 이제 하이에나 신세로 전락했다.

초식동물의 무리에서 떨어진 낙오자만을 사냥하는 하이에나처럼, 테트라 아낙스가 보호하지 않는, 무리에서 낙오된 뱀파이어만을 잡는다. 그런 하이에나 같은 삶을 살아가는 뱀파이어 헌터들을 상대로 주술적 도구를 제공하고, 정보를 제공하고, 그들에게서 피를 사들여 정제해 주는 작업을 하는 게 카페 아르쥬나의 진정한 모습이었다.

"하지만 낮 시간에는 정상적인 카페 영업을 하지."

김성희는 서현을 숙소로 안내하며 말했다.

"그것도 당신의 그 지론인가요? 정상적인 삶을 살아야 삶을 체감한다?"

"그냥 취미… 지만 부인하진 않겠어. 큰 틀에서 보면 매한가지니까. 그렇다고 해두지."

김성희는 서현에게 스스럼없이 등을 내보인 채 당당히 걷는다. 그런 그녀의 모습을 보니 괜히 서현이 위축되는 기분이었다. 항상 암살자에게 시달려 온 그였다. 총도 칼도 아무것도 없이 맨몸으로 돌아다니자니 허전하다. 물론 그는 맨몸으로 전차도 상대할 수 있는 괴물이지만 아무런 무기도 없고 준비도 없으니 알몸으로 사람들 사이를 활보하는 기분이다.

게다가 사람들은 그런 서현과 김성희를 힐끔힐끔 쳐다본다. 이국적인 용모를 가진 서현과 미녀 김성희의 용모가 사람들의 관심을 끌고 있기 때문이지만 암살자들에게 시달려 온 서현으로서는 사람들의 이목을 끈다는 게 소름 끼친다.

잠깐 거리를 걸었는데도 눈 돌아가게 복잡한 인파를 헤치고 지나가야 했다는 것도 마음에 들지 않는다. 신기하고 새로운 경험이라 즐겁다고 생각하는 반면 어린 시절부터 암살자들에게 시달린 자가 가지는 보호 본능이 심신을 괴롭힌다.

"너무 주위 사람들을 의식하지 마. 여기는 안전해. 이런 거에도 이제 익숙해져야 하지 않겠어?"

"딱히 그런 건 아니에요. 그냥 필요한 만큼의 경계를 하고 있을 뿐이지."

"그게 과하다는 거야. 자, 여기가 네 숙소야."

김성희는 상업가 한복판에 서 있는 큼지막한 오피스텔을 가리켰다. 아무리 봐도 상당히 비싸 보이는 곳인데… 카페 아르바이트생에게 이런 걸 내준단 말인가?

"뭔가 집이 있을 만한 곳은 아닌 것 같은데요. 호텔인가?"

"비슷하지."

김성희는 서현을 오피스텔의 최상층으로 안내했다. 층 전체를 터서 만든 거대한 펜트하우스에는 각종 미술품, 그리고 포르말린에 담겨 있는 인간의 팔다리가 잔뜩 쌓여 있었다.

"여긴……."

서현은 그 모습을 보고 눈살을 찌푸렸다.

"진마사냥꾼 실베스테르의 거처가 아닌가요?"

"실베스테르는 한동안 한국에 안 들어올 테니까 그동안 네가 써. 아무래도 짐들 중 이상한 것들이 많으니까 남에게 맡기긴 그렇지?"

"……."

있는 건물을 활용하겠다는 건 좋은데 뱀파이어 사냥꾼인 실베스테르 신부와 릴리쓰의 자식 서현이 룸셰어를 할 관계는 아니다. 물론 실베스테르가 없는 동안 빈집을 지켜야 하는 거지만 이건 좀… 서현이 꺼려 하는 걸 알아챘을까? 김성희가 어깨를 으쓱해 보이곤 말을 꺼냈다.

"마음에 안 든다면 열심히 급료를 모아서 방을 따로 구하는 것도 방법이지. 하지만 그때는 보증금이나 월세에 전혀 도움을 줄 수 없어. 최저임금 받아서 원룸 보증금 내기도 빠듯할걸? 아, 고시원이라면 가능하겠네."

"고시원? 그게 뭔가요?"

"한국어가 익숙하지 않구나."

"……."

서현은 테트라 아낙스처럼 아카식 레코드에 접촉해 각 나라의 언어를 순식간에 체득할 수 있었다. 하지만 테트라 아낙스가 파멸했듯이 아카식 레코드에 함부로 접속하는 행위는 스스로를 파멸시킬 짓이다. 그래서 아카식 레코드에 접촉하지 않으면 접촉으로 얻었던 언어적 능력은 시간이 지남에 따라 사라져 간다. 아카식 레코드를 쓰지 않고 언어를 체득하기 위해서는 공부를 계속할 필요성이 있었다.

"언어 공부도 할 겸 이 세상 물정도 알 겸, TV를 봐. 한시라도 빨리 세상에 익숙해져야지. 음. 컴퓨터도 필요하겠구나. 하지만 그건 네가 벌어서 사야 할 거야."

"아, 그래요?"

"어디까지나 노동의 소중함을 알려주기 위한 장치니까 너무 매정하다고 생각하진 말아줘. 스스로 일해서 번 돈으로 하나하나 사 모으고 장만하는 것도 재밌을 거야."

"네, 어련하겠습니까. 동생도 당신도 절 무슨 사회 부적응자로 보는군요."

"그만큼 걱정이 되니까 그러는 것뿐이야. 사회에 적응한다는 게 그리 쉽진 않거든. 이번에는 세건이처럼 만들 수 없으니까."

김성희는 쓴웃음을 지었다.

"세건?? 한세건 말하는 겁니까?"

서현은 한세건의 이름이 나오자 불현듯 동생이 그를 자신에게 부탁했던 것을 떠올렸다. 서린은 한세건을 돕고 구해달라고 했었다. 하지만 대체 어떻게?

"그러고 보니 그는 어디 있지요?"

"현재는 내 손을 떠나서 독자적으로 행동하고 있어. 그는… 뭐, 그 이야기는 나중에 하자. 일단 오늘은 푹 쉬어. 내일부터는 본격적으로 세상 경험을 해야 할 테니까."

김성희는 그 말을 남기고 떠나갔다.

3

지금까지 서현은 곤궁함이라는 걸 경험해 본 적이 없었다. 전장을 누비고 다니며 헐벗고 살아온 자가 곤궁함을 느낀 적 없다는 것은 모순된 이야기처럼 들리지만 사실이었다.

"야, 알바생."

상점을 약탈하고 가지고 싶은 게 있으면 빼앗고 살아왔다. 돈은 있으면 좋지만 없어도 딱히 필요가 없었다. 가지고 싶은 게 있으면 가져 버리면 되었으니까. 노동의 고단함과 보람을 느껴 본 적이 없었으니 정상적인 삶에 대해서 막연한 기대감 이상을 가질 수 없겠지. 서현이 자유로운 삶에 적응하지 못한 것은 너무나 당연했다.

"내가 휘핑크림 올리지 말라고 했지. 응? 당장 바꿔 오란 말이야. 야."

플라스틱 스트로가 서현의 얼굴에 날아와 충돌했다. 간지럽지도 않지만 기분이 더럽다. 노동의 가치를 배우고 삶을 체감하는 법을 배워야 한다고… 아르쥬나의 마스터도 서린도, 심지어 서현 자신도 공감한 일이지만 이런 식으로 전개될 줄은 몰랐다.

"아이참. 오빠, 그냥 먹어. 뭘."

같은 테이블의 여자 손님이 남자를 말렸다. 그러나 남자는 계속 툴툴거렸다.

"뭔 헛소리야. 야. 너 안대 끼고 있는데 그거 좀 치워봐라. 응?"

"…안대 말인가?"

서현의 오른쪽 눈은 색소가 없어서 혈액이 그대로 비쳐져 새빨갛다. 자외선과 적외선 영역도 볼 수 있는 신안(神眼)이지만 남들에게 납득시키기 힘든 모습이기에 급한 대로 위생용 안대를 끼고 있었는데 남자는 그걸 치우고 맨눈을 보이라고 요구하고 있었다.

"뭐? 안대 말인가? 너 말이 짧다? 손님은 왕이란 말도 못 들었냐?"

"반말하려는 게 아니라 외국인이라서 그런 것 같은데 그만하면 안 돼, 오빠? 아유, 좀 그만해. 거 주차비 얼마나 한다고."

남자 손님의 일행인 여자는 정말 손톱 밑에 철사라도 꽂힌 것처럼 괴로운 표정을 짓고 있었다. 그녀가 말리고 있지만 남자는 여전히 성질을 부리고 있었다.

이 남자는 방금 전까지 다른 주차장에 주차해 놓고 왜 주차비를 안 주느냐, 어디가 너희 주차장인지 제대로 알리지 않은 네놈들에게도 책임이 있지 않느냐, 하면서 주차비를 달라고 행패를 부리다가 이제 별 사소한 것을 가지고 시비를 걸어오고 있었다.

서현으로서는 지금 상황이 너무나 황당무계해서 외려 화도 안 난다. 무수히 많은 악당들, 식인 괴물들, 살인마들, 마피아나 마약상, 전쟁용병을 상대해 봤지만 지금까지 이런 경우는 겪어 본 적이 없다. 설령 그의 목숨을 노리는 자라 하더라도 그들의 입장은 이해할 만했다. 처한 위치가 다르니까, 전쟁터처럼 압도적인 스트레스 상황이니까 목숨을 건 악의가 오고 가는 게 이상하지 않다.

그러나 지금 여긴 지루할 정도로 평화롭다. 서현이 이해하지 못하는 다채로운 색과 현란함이 가득 차 있었지만 어린 시절부터 흑과 백, 삶과 죽음으로 이원화된 세계를 살아온 서현에게 그러한 현란함과 다채로움은 아름다움 대신 조잡함으로 느껴졌다. 물론 그 자신이 평화와 자유를 동경했었다는 것을 생각하면 이는 모순된 일이다.

그러나 그런 상념은 나중으로 미루어두고 지금 서현은 자신에게 덤벼드는 남자의 악의를 마주해야 했다. 대체 이런 평화로운 시기에 이 남자는 왜 그에게 악의를 던지는 것인가? 몇 푼 되지도 않는 주차비 때문에?

"야, 이 새끼야. 요식업계에 누가 눈병 걸린 놈이 일하라고 그래? 너 때문에 다 옮으면 책임질 거야? 응?"

시비를 거는 게 분명한데 일리는 있는 말이다. 이 사람이 공공 위생을 염두에 두고 시비를 거는 게 아님은 분명하지만 서현으로서는 말문이 막힌다.

그때 이 남자가 놀라운 짓을 저질렀다.

남자가 서현의 안대를 직접 벗기려는지 손을 뻗은 것이다. 깜짝 놀란 서현은 반사적으로 자신의 얼굴로 오는 그의 손목을 잡았다.

'하마터면 죽일 뻔했네.'

서현 안의 야수가 반응했다면 이 남자는 순식간에 살해당했을 것이다. 이자는 지금 자신이 굶주린 맹수 우리에 팔을 집어넣는 짓이나 다름없는 행동을 했다는 걸 알고 있기나 할까? 그 맹수가 참을성 있었기에 망정이지 아니었으면 반사적으로 공격해 정수리부터 사타구니까지 수직으로 쪼개놨을지도 모른다.

"어쭈!"

남자가 발끈해서 손을 빼거나 밀려고 하는 걸 보면 역시 모르고 있는 것 같다. 그가 아무리 발버둥을 쳐도 서현에게 붙잡힌 팔뚝은 요지부동이었다.

"이게 뭐 하는 거야? 지금 너……."

남자의 표정이 급격히 열기를 잃어갔다. 아무리 힘센 사람에게 잡혔다 해도 좌우로 흔들거나 앞뒤로 밀고 당기면 요동이라도 치게 마련인데 그런 게 없다. 흡사 거대한 바윗덩이에 깔린 것처럼 절망적인 느낌이 들었다. 게다가 이 청년의 눈빛을 바라보자 갑자기 불안이 밀려 들어왔다.

"너 지금 나 폭행하려는 거냐? 아, 아야. 너 이 새끼 세게 쥐었어?"

물론 서현이 진심으로 폭행을 위해서 손을 썼다면 이 정도로 끝날 리 없다. 진짜 작정하고 세게 쥐면 인간의 손목 정도는 으깨지리라. 서현은 가소로워서 헛웃음이 절로 튀어나왔는데 그걸 본 남자는 그가 자신을 비웃는다고 여기고 더더욱 대로했다.

"…아, 아닙니다. 죄송해요. 아직 신참이라!"

젊은 여직원 한 명이 사이에 뛰어들어서 그들을 말렸다. 김성희가 없는 시간, 서현과 함께 가게를 보는 선배 여직원이었다.

"서현 씨가 외국에서 살다 와서 아직 한국에 익숙하지 않아요. 자, 서현 씨. 어서 손을 놓고 사과하세요."

여직원은 정색을 하며 서현의 손을 풀어내려고 했다. 하지만 서현으로선 납득이 가질 않았다.

"이 남자는 주문을 실수했다고 화내는 것보다 주차비 달라고 행패 부리다 안 되니까 우회 공격을 하는 것뿐이야. 그리고 남의 얼굴에 허락도 없이 손을 올렸는데……."

서현이 조목조목 자신의 정당함을 주장하자 여직원이 서현에게 히익 하고 정색했다. 서현은 할 수 없이 남자의 손목을 놓아주었다.

"아. 이 자식이! 이거 봐, 이거. 부어올랐어! 너! 이 새끼 이거 아주 깡패 새끼네. 와, 뭐 이따위 가게가 다 있어!"

"오빠……."

여자 손님은 여전히 남자 손님의 편에 서 있다. 서현이 보니 그녀는 사실 이 남자를 별로 좋아하지도 않는다. 아니, 오히려 지금 그녀도 이 남자를 한심하게 여기고 있었다. 그런 걸 보면 이 남자가 문명 세계의 표준형 인간은 아닌 듯하니 다행이다.

그렇지만 맞서서 싸우면 안 될 분위기인 것도 사실이다. 이 남자가 틀림없이 평균 이하의 진상이긴 한데 그럼에도 불구하고 같이 알바하는 사람들이나 손님들의 표정이 좋지 않다. 눈치를 보아하니 말싸움 정도면 괜찮지만 폭행을 해선 안 되는 것 같은데? 이것이 인간 세상에 적응하고 사람답게 산다는 것인가?

'사람답게 살기 참 더럽네.'

서현은 인간성에 대해서 회의를 느꼈다. 그러는 동안 서현에게 손을 잡혔던 남자는 계속 큰소리를 쳐댔다.

"너 이 새끼 기다려! 내가 지금 가서 고소하고 온다! 아니, 아니지! 전화! 너 이 새끼!"

'경찰을 부른다면 확실히 골치 아프지.'

범죄자였던 서현에게 경찰이라는 건 가급적 가까이하고 싶지 않은 대상이다. 확실히 곤란하다 싶어서 서현은 한숨을 내쉬고 고개를 숙였다.

"미안. 사죄하지."

"이 자식이 사람 패놓고 이제 와서 머리를 숙이면 다냐?"

"……."

서현은 고개를 들어서 그 남자의 눈을 바라보았다. 역시 곱게 넘어가진 못할 것 같다 싶어서 그는 정신을 집중하고 위협을 걸었다. 남자는 서현의 눈을 본 순간 갑자기 자신이 물에 빠진 것 같은 착각에 사로잡혔다. 싸늘한 한기가 사방에서 그의 몸을 엄습해 뼈마디까지 시렸다.

싸늘한 살기에 주눅 든 남자가 말문이 막히자 여직원이 잽싸게 수습했다.

"휘핑크림 뺀 걸 새로 드릴게요. 정말 죄송합니다."

"돼, 됐어. 누굴 거지로 보나?! 젠장. 이따위 가게 다신 오나 봐라! 가자, 정희야. 여기 아주 그냥 병신 같은 가게야. 오컬트 카페 좋아하네. 등신 새끼들."

남자는 욕설을 퍼부으며 가게 밖으로 걸어 나갔다. 그의 동행자인 여성은 가게 문 쪽으로 걸어가다가 남자가 사라지자 슥 몸을 돌려서 미안하다고 사죄하고 남자를 따라갔다.

"하아……."

서현은 긴 한숨을 내쉬었다. 이게 첫날부터 벌어진 일이라니 앞날이 깜깜하다. 서현은 앞치마를 풀어서 카운터에 올려놓았다.

"잠시 나갔다 올게."

"아, 서, 서현 씨!"

여직원은 깜짝 놀라서 서현을 말리려 했지만 서현은 그녀가 말릴 틈도 없이 밖으로 빠져나갔다.

라이칸스로프, 만월의 정기를 받아 괴물로 변신하는 변신자들은 제대로 된 세력을 유지할 수가 없었다. 원시사회에서 그들은 전설적인 영웅, 지고의 무장으로 이름을 날릴 수 있었지만 사람의 목숨을 귀하게 여기는 현대에 와서 그들은 공격성 과잉의 야만인에 불과하다. 라이칸스로프 중에는 지적이고 냉철하다고 평가받는 서현조차 자신의 감정을 절제하기가 쉽지 않았다. 하이에나나 타즈매니안 데블처럼 단기간 안에 엄청난 아드레날린이 쏟아져 나와 순식간에 눈앞을 날려 버린다. 이성은 마치 거대한 수문 앞에 놓인 종이 한 장과 같아서 분노가 터져 나오면 순식간에 자취를 감춘다. 그 결과 라이칸스로프들은 쉽게 분노하고 쉽게 흥분하며 쉽게 싸운다. 강력한 신체 능력을 가지고 있음에도 불구하고 그들 대부분이 제 수명을 누리지 못하는 것은 그 때문이다.

뱀파이어들이 테트라 아낙스의 가호 아래 귀족적인 문화를 형성했다면 라이칸스로프들은 그 특유의 공격성과 과격함으로 인해 도태되고 있었다. 이런 상황이다 보니 대부분의 라이칸스로프는 문명이 붕괴하고 치안이 좋지 않은 곳에서 마지못해 살고 있다. 서현 역시 과거에는 그처럼 전장에서 살지 않았던가?

그런 의미에서 오늘 그 진상 손님을 접대하는 건 분명히 사람으로 살아가는 훈련의 일환일 것이다. 괴롭긴 하지만 필요성은 인정한다.

'하지만 결과적으로 도움이 된다고 해서 그걸 받아들일 이유는 없지.'

착취당하고 학대당해 보면 약자들의 마음을 이해할 수 있을 것이라고 부당한 착취와 학대에 순종할 필요는 없지 않은가? 시련이 양식이 되었다고 말할 수 있는 건 어디까지나 그 시련을 겪은 당사자뿐이다.

서현은 지금까지 자신을 모욕한 자를 살려둔 적이 없었다. 물론 기껏 동생이 마련해 준 새로운 신분을 더럽히는 것은 어리석은 일이다. 일반인들은 돈 주고도 사기 힘든 새로운 신분을 만들어준 동생을 생각해서라도 지금은 참아야 할까?

천만의 말씀이다.

서현은 자신의 수완이면 법에 걸리지 않고 얼마든지 그를 죽일 수 있다고 확신하고 있었다. 인간 경찰들은 인간의 신체 능력으로 할 수 없는 일이라면 다른 쪽을 의심하지, 살인이라고 생각하지 않는 법이니까.

하지만 밖으로 나와 보니 그 남자와 여자는 이미 차를 타고 떠난 뒤였다. 그게 아니더라도 아르쥬나의 앞쪽 길은 평일도 주말도 쉴 새 없이 붐비는 곳이기 때문에 이내 인파가 저들의 자취를 지워 버렸다.

"아. 젠장. 이래서 문명인이란 놈들이 야만인보다 더 무례한 법이군."

서현은 고개를 절레절레 젓고 가게로 돌아왔다. 기분은 나쁘지만 지금까지 자신이 얼마나 비문명사회에서 살아왔는지 뼈저리게 느낄 수 있는 좋은 기회였다.

"그래. 일은 할 만해?"

박스를 끌어안고 주차장 쪽에서 걸어온 김성희는 다 알고 있으면서 물어보는 게 아닐까 하는 의뭉한 표정으로 서현에게 말을 걸어왔다. 설거지를 하고 있던 서현은 고개를 들어 벽시계를 바라보았다. 요새는 보기 드문 태엽식 괘종시계가 가리키고 있는 시각은 아직 오후 6시가 되지 않았다. 오늘 근무시간의 반도 채우지 않은 것이다.

"지옥 같더군요, 사람을 대한다는 건. 그동안 사람을 안 대한 건 아니지만 폭력에 호소하지 않고 사람을 대하는 건 너무 피곤해요. 협박이나 어르기도 안 되고 내가 해줄 수 있는 것도 없고."

서현은 쓴웃음을 지었다. 지금까지 그는 자신이 할 수 없는 것은 없다고, 근거 없는 자신감에 사로잡혀 있었고 실제로 그 자신감을 입증해 왔다. 주술과 마법의 비밀, 그 극치라 할 수 있는 존재, 릴리쓰의 직계 자손이며 가장 원시적인 라이칸스로프의 왕자. 시원의 존재인 그가 조금 오만하다고 해서 흠잡힐 일은 없었다.

그러나 인간 서현에게 있어서는 흠잡을 만한 일이었다. 서현은 다시 설거지를 하면서 투덜거렸다.

“대체 날 얼마나 인간 말종으로 보고 있길래 이런 일을 시켜서 길을 들이겠다고 생각하는 건지 모르겠군요. 당신이 그렇게 생각하면 이해하겠지만 동생까지 그런다는 건 솔직히 모욕적이네요.”

“그래도 해보니까 자신의 부족함을 알겠지?”

“그것도 심히 기분 나쁘군요. 부족함을 알게 해주기 위해서 이런 능멸을 가한단 말입니까?”

“그렇지만 실제로 이건 보통 사람들은 누구나 겪는 일이잖아. 거리를 봐봐. 너를 제외한 모든 사람이 이렇게 살아가고 있어.”

그런 점에서는 확실히 할 말이 없다. 물론 서현은 더 할 말이 많았다. 다른 사람이라면 모를까 그 시련을 직접적으로 서현에게 부과한 사람이 바로 김성희 아닌가? 서현이 스스로 좋은 경험이라고 느꼈다 하더라도 그녀가 저렇게 한마디 덧붙이면 화가 난다.

“퇴근 시간까지 아직 많이 남아 있군요. 그런데 피크타임 외엔 손님이 별로 없네요? 이거 망하는 거 아니에요?”

서현은 화제를 전환시켰다. 그와 함께 진상의 웨이브를 견뎌냈던 여직원은 벌써 옷을 갈아입고 퇴근 중이었다.

“아무래도 인테리어가 너무 낡았지. 오컬트 테마도 한물갔고. 그렇다고 인테리어를 새로 하고 가게를 새 단장 하면서 손님을 끌어모으고 싶진 않아.”

아르쥬나의 주 수입원은 차나 커피 판매 수익이 아니다. 카페 아르쥬나는 밤이 되면 일반인 대상이 아니라 뱀파이어나 마법사들을 위한 자리로 변하고 뱀파이어의 피를 매입하거나 마법의 비약을 팔고, 각종 장비에 마법을 걸어주는 게 주 업무다.

"오늘 손님 중에 좀 진상 손님이 있었던 것 같은데, 설거지만 끝내고 먼저 퇴근해도 좋아. 아무래도 저녁 시간 즈음에는 그쪽 손님들이 먼저 오는 경우도 많거든?"

그쪽 손님이라는 건 뱀파이어 헌터나 마법사들을 말하는 것이리라. 그들에게 서현의 존재는 확실히 이질적이다. 아니, 태생만으로 보면 적이라고 해도 좋으리라.

다만 지금 어둠의 세계를 지배하고 있는 주도 세력은 뱀파이어들이기 때문에 인간을 해치지 않는 라이칸스로프는 묵과하는 분위기였다. 무엇보다 일반 라이칸스로프는 돈이 되지 않는다. 뱀파이어의 경우는 혈액 교환으로 생명을 주고받는 그들의 메커니즘상 전신이 주술의 재료가 되었다. 피, 살, 뼈, 뭐든 돈으로 바꾸지 못할 것이 없었다.

그에 반해 라이칸스로프는 보다 원시적이고 단순하다. 샤머니즘 계통의 주술사들은 라이칸스로프의 유해를 필요로 하긴 하나 현재 마법사 세계의 주축을 이루는 이들은 영지주의자들이다. 결국 라이칸스로프는 죽이기는 힘든 데 비해 상금은 저렴하다.

인간을 잡아먹는 살인 괴물이 인간들 사이를 돌아다니고 있는데도 포상을 논하는 것은 이기적으로 보일지 모르나 대부분의 뱀파이어 헌터가 인류를 수호하고 인간을 지키겠다는 사명감으로 뛰어든 것이 아니다. 설령 그런 사명감을 가지고 뛰어든이라 하더라도 가혹한 월야의 세계에 마모되어 처음의 이상은 무뎌지고 결과적으로는 일종의 마약상으로 전락해 버린다.

김성희는 그런 서현에게 퇴근 후 자유롭게 돌아다녀 보라는 말로, 사실상 뱀파이어 헌터들과 마법사들을 피해서 움직일 것을 권했다. 그녀야 서현에게 별다른 편견이 없지만 다른 이들과는 아무래도 만나서 좋을 게 없다. 길보다 흉이 많으리라.

"하지만……."

그때 김성희가 뭔가를 던져주었다. 서현이 받아 보니 작은 플라스틱 통이다.

"움직임이 굉장히 세련되었구나."

김성희는 그런 서현의 움직임에 감탄했다. 설거지하던 손을 쓱 뽑아서 통을 받아내는데 주위에 물이 튀지 않는다. 손을 물에서 뽑을 때 반대쪽 손으로 수면을 억눌러 물이 튀는 걸 막으면서, 균등한 속도로 그녀가 던진 걸 받아내었다는 뜻이다.

"당신은 실베스테르나 한세건과도 많이 지낸 걸로 아는데, 그들과 나 사이에 뭐가 그리 다릅니까? 전투라면 모를까, 이런 사소한 행동에서 놀라다니?"

서현에게는 단순한 행동이었지만 그게 김성희에게 깊은 감명을 주었다는 사실이 놀랍다. 그녀가 어둠의 세계에서 이름을 날리는 유명한 뱀파이어 헌터들, 진마사냥꾼들을 보았다는 점에서 문득 궁금해졌다.

"음, 일단 세건이라면 그냥 손을 쓱 뽑아서 물을 튀겨냈을 거야. 실베스테르라면… 안 했겠지."

"뭘 안 해요?"

"설거지."

"……."

왠지 말문이 막힌다. 그들은 설거지를 안 한다고? 아니, 그럼 서현은 지금 왜 이걸 하고 있는가? 최저임금 때문에? 서현은 한숨이 나왔다.

확실히 그는 삶에 대해서 아직 경험이 부족한 것 같았다. 그는 김성희가 던져 준 플라스틱 통을 바라보며 물어보았다.

"이건?"

"컬러 렌즈야. 아무래도 눈이 신경 쓰이지?"

"전 신경 안 씁니다."

"넌 안 쓰더라도 네 주위 사람들이 신경 쓸 거야. 언제까지 그렇게 안대를 하고 다닐 수는 없으니까. 사람들 이목을 끌어서 좋을 게 없잖아?"

"그러시다면야……."

서현은 즉시 렌즈를 눈에 끼고 눈을 깜빡였다. 입으로는 싫은 척하더니만 크리스마스 선물 뜯는 어린애처럼 동작이 재빠르다. 동작만 보면 기뻐하는 걸로 착각할 정도다.

"손에 세제가 묻어 있지 않았나?"

"크……."

과연 잠시 쓰라린가 보다. 서현은 물을 틀어서 눈을 씻어내고 쇼윈도를 바라보았다.

서현은 청회색과 붉은색의 헤테로크로미아다. 붉은 오른눈은 온 세상의 환술을 꿰뚫어 보고 왼쪽의 푸른 눈은 굉장히 빠른 동체 시력을 자랑한다. 하지만 일반인들이 보기에는 특이한 눈일 뿐이다. 아니, 뭐 굉장히 매력적인 개성으로 비쳐질 수도 있겠지만 서현의 입장상 남들의 시선을 많이 끌어봐야 좋을 게 없다. 그렇긴 하지만…….

"다 갈색이네요?"

가장 흔한 눈색에 서현은 약간 실망한 듯했다. 딱히 지금까지 자신의 헤테로크로미아를 자랑스럽게 여기진 않았지만 그렇다고 가장 흔한 색으로 고를 필요는 없지 않았나? 서현이 그 점을 지적하자 김성희가 키득키득 웃었다.

"빨간 쪽 눈 말고 푸른 쪽도 신경 쓰이긴 하거든. 한국인들이 좀, 벽안에 약해서. 그 외에 다른 색들도 아무래도 이상하니까."

김성희가 웃어 보이자 서현은 혀를 찼다.

서린과 서현은 쌍둥이긴 하지만 서현에겐 좀 더 슬라브인, 아니, 고대 소그드인(서아시아계 백인종)의 특징이 많이 남아 있었다. 게다가 회색의 머리털도 문제다. 회색 늑대의 털처럼 보이는 그의 머리칼은 이국적인 이목구비와 함께 얽혀서 더욱더 사람들의 이목을 끌었다. 눈이야 컬러 렌즈로 가린다 쳐도 나머지는?

"외국인 같다고 그렇게 힐끔거리다니 이해가 안 가는군요."

"살던 곳은 안 그랬어?"

"동구권이나 중앙아시아 지역은 인종이 굉장히 다양한 편이지요. 하지만 총칼을 들고 있으면 피부색이나 눈색, 인종 특성 따윈 사소한 문제였어요. 총 든 사람에게 피부색을 가지고 참견하는 사람은 없거든요."

그런 소리를 들으니 과연 이런 마인드를 가진 사람이 평화로운 문명사회에서 돌아다녀도 되나 걱정되었다.

"그래서 이 일은 언제까지 시킬 건가요? 뱀파이어들 사이에서는 혼란기일 텐데. 뱀파이어 헌터들은 아무 일도 없나요?"

서현은 그릇들을 다 정리하고 수건으로 손을 닦았다. 테트라아낙스가 세대교체를 하고 일광에 견딜 수 있는 어떤 비약이 뱀파이어들 사이에서 유통된다면 뱀파이어 헌터들이 가장 먼저 그 세파를 겪게 될 것이다. 순망치한이라는 고사성어로 따지자면 저들은 입술이다. 이 월야의 세계에서 가장 취약한 자들. 그만큼 소문에 민감할 테지.

"뱀파이어 헌터들의 일은 신경 쓰지 마. 우선 네가 할 일은 카페에서 무사히 일을 하고 궁극적으로는 접객 업무까지 하는 거니까."

"…농담하시는 거겠지요."

처음 그녀에게 일을 하라는 소리를 들었을 때는 격분한 서현이 그녀를 죽일 뻔했었다. 그러나 이번에는 그녀의 머리통을 향해 손을 날리지 않았다. 좋은 징조다. 오늘 진상 손님을 만난 것으로 확실히 성장했다고 할 수 있으리라.

그렇지만 여전히 이해할 수 없다. 이 여자는 대체 무슨 속셈일까?

서현은 대답을 구하며 그녀를 바라보았다.

"슬프지만 농담이 아냐. 서현, 우리는 네가 인간들 사이에서 무슨 일이 있어도 네 안의 야수성을 통제하고 사람들을 해치지 않을 거라는 걸 믿고 싶어. 그런 면에서 뱀파이어 헌터들은 좀 더 허들을 높여서 술집이나 유흥접객업소 같은 데로 보내야 한다고 주장하고 있는걸?"

"술집이나 유흥접객업소라면?"

"카페보다 훨씬 손님 질이 나빠지지. 오늘 진상 고객을 만났다고 들었는데 그 정도는 귀여운 축에 속할 거야."

"……."

서현이 자신의 손을 펴보니 방금 수건으로 닦았음에도 불구하고 식은땀으로 촉촉하다. 오늘 그 진상 같은 놈이 귀여운 정도라니 무엇을 상상해도 그 이상을 보는 것 같다.

"그렇군요. 당신들은 내게서 인내력이나 절제력을 보고 싶어 하는 거군요."

확실히 그런 이유에서라면 이해가 간다. 나약한 인간들 입장에서는 자신들 사이에 야수가 돌아다니는 걸 참을 수 없는 것이다. 물론 인간들도 미치광이 살인마가 있지만 일반적인 인간 사이에서 살인마가 나타날 확률보다 라이칸스로프가 살인을 저지를 확률이 압도적으로 높다.

인간과 라이칸스로프를 대등하게 차별 없이 마음을 열고 대해달라는 건 미친 소리다.

"서린은 학창 시절을 성실하게 보냈어. 아르바이트도 하고… 그 태생이 라이칸스로프지만 서린은 모범생이었지. 그래서 다른 사람들이 서린을 신뢰하는 건 그리 어려운 일이 아니었어. 누구든 납득할 수 있었어. 하지만 서현 너는 다르잖아?"

"제가 원해서 한 게 아니라고요. 동생은 평화를 누리고 나는 운명에 학대당했는데 그렇기 때문에 동생은 신뢰하고 전 못 믿겠다니. 만약 동생과 내가 입장이 바뀌었다면… 아니, 그보다 별로 받아들여 달라고 하고 싶지는 않은데요. 날 보고 평가해야 할 뱀파이어 헌터라는 것들이야말로 자기들 잣대를 통과하지 못할 것 같은데. 자기들도 불법 무기를 휘두르고 다니는 마약중독자들 주제에."

서현이 살인 괴물이라 받아들일 수 없다면 그들은 어떠한가. 마약상, 사회 부적응자가 대부분이고 그중에는 살인도 저지른 이들이 분명히 존재한다. 그런 이들이 라이칸스로프라는 이유만으로 서현을 평가한다는 게 마음에 들지 않았다.

"그럼 뱀파이어 헌터들과 충돌하면서 살거나 아니면 산속에 들어가서 짐승처럼 살 거야? 문명의 이기를 누리고자 하면 당연히 사회의 일원으로서 살아가는 법도 알아야지."

"그래서 제가 독재자를 지망했었지요. 문명사회에서도 야만인인 채로 살아도 되는 지위와 힘."

서현은 아득한 과거를 회상하듯 말했다. 테트라 아낙스의 지위, 재산을 빼앗았다면 남의 눈치 따위 볼 필요 없이 도리어 만인이 그의 앞에서 벌벌 떨었을 것이다. 하지만 서현은 자신의 입으로 말하고 나서야 확실히 김성희가 하는 일이 타당하다는 걸 깨달았다.

그는 독재자도 아니고 테트라 아낙스도 아니며 부자도 아니다. 문명사회에서 야만인일 수 있는 것은 오직 부와 권력을 장악한 자뿐, 그렇지 못한 자는 공존하며 살아가는 법을 배워야 하는 것이다.

김성희는 서현이 공존하며 살아가는 방법을 배울 동안 그의 신분 보증인으로 나선 것이다.

"그렇게 생각하면 고맙군요, '마스터.' 당신이 내 신변을 보증해 주기 위해서 애썼다는 건 이제 알겠어요."

서현은 김성희를 마스터라고 불렀다. 아직 그녀를 완전히 신뢰할 수는 없지만 적어도 그녀가 가벼운 마음으로 서현을 맡은 게 아니라는 건 알 수 있었다.

"하지만……."

서현이 말을 이어나가려 할 때 둔중한 엔진음이 울려 퍼졌다.

4

아르쥬나의 문을 열고 들어온 이는 어울리지 않는 가면을 쓰고 있었다. 물론 보통 사람은 가면이라는 걸 인식할 수 없도록 잘 만들어진 가면이다. 엑토플라즘으로 뒤덮여 있는 그 가면은 아마도 죽은 다른 사람의 얼굴을 떠서 만든 것으로 인피보다 더 정확하게, 합성고무나 실리콘보다 더 훌륭하게 사람 피부의 질감을 표현해 주었다.

서현은 김성희의 눈치를 살펴보았다. 일반 손님 같지는 않다. 그렇다면 김성희를 찾아온 손님인가?

"……."

문을 열고 들어온 이는 돌처럼 굳어서 잠시 자신의 눈을 의심하고 있었다.

"왜 이사카 베르게네프가 여기에?"

"하."

서현은 저 가면을 쓴 상대가 누구인지 알아차리고 쓴웃음을 지었다. 또 다른 진마사냥꾼, 한세건. 마수라는 이명으로 불리는 자다.

"어쩐지 이상한 걸 뒤집어쓰고 있더라니."

"……."

서린이 테트라 아낙스에 등극한 이후 신분을 세탁할 수 있었던 서현과 달리 한세건은 여전히 수배자였다. 과거 뱀파이어들의 수장, 테트라 아낙스에게 싸움을 걸던 그는 방송국에 폭파 성명서를 보내고 서울 한복판에서 건축 중인 건물을 폭파시켜 버리는 놀라운 짓을 저질렀다.

뱀파이어가 잔뜩 몰려 있던 건물이긴 하지만 일반인들에게는 어디까지나 외국계 제약, 생명보험 회사였다. 그런 외국계 기업의 건물을 서울 시내 한복판에서 대폭발을 일으켜 거덜을 내버렸으니 어떻겠는가? 한국 경찰의 위상은 땅으로 떨어지고 군경 공무원과 정치가 여럿의 목이 날아가 버렸다. 당연히 그들은 죽는 그날까지 한세건을 물어뜯고 놓지 않았다. 아마 공소시효가

지난다 하더라도 그들은 기한을 연장하고 이를 갈며 한세건의 위치를 쫓아다닐 것이다.

테트라 아낙스는 그것조차 바로잡을 능력이 있었지만 그렇게 강렬한 정신 조작을 벌일 경우 서린의 정신 상태가 급격히 나빠질 것이다. 게다가 뱀파이어의 왕이 여전히 자신의 목을 물어뜯으려 하는 뱀파이어 헌터를 위해 그런 서비스를 베풀어준다면 밑의 뱀파이어들이 가만히 있지 않을 것이다. 과거의 테트라 아낙스, 고든은 폭력과 억압으로 뱀파이어들을 지배했지만 서린은 어디까지나 합리와 온정주의로 그들을 다스리려 한다. 그렇다면 더더욱, 한세건은 수배된 채로 방치해야 하는 것이다.

"아, 세건아. 어서 와. 하하. 이쪽은 서현이야. 내가 그를 보증한다는 건 많이 알려져 있을 텐데? 요새 너무 안 오니까 소식이 끊겼잖아. 딱히 서현이를 감춰두려고 한 것도 아니야."

김성희는 서현이 자신의 보호 아래 있음을 명시했다. 테트라 아낙스 사건 이후 한세건은 일반적인 뱀파이어 헌터들과도 거리를 벌리고 독자적으로 움직이고 있었다. 아마도 결국 테트라 아낙스와 서린을 제지하지 못한 자신에게 실망해서라고 여겼는데… 그 결과 그는 지금 한국 뱀파이어 헌터들 사이에서 큰 이슈가 되고 있는 서현의 등장을 모르고 있었다.

서현이 아르쥬나에서 낮 시간에만 일한다는 사실을 몰랐으니 낮에 방문했고 그 결과 이들은 매우 어색한 만남을 갖게 되었다.

"자자, 둘 다 초면은 아니지? 저기……."

김성희도 그 사이에서 어쩔 줄 몰라 했다. 한세건은 한숨을 내쉬고 카운터로 다가와 서현을 노려보았다. 가면의 너머로도 느껴지는 적개심이 서현의 피부를 찌른다. 이 정도로 살기를 내뿜을 수 있는 자도 별로 없으리라. 정말 뼛속까지 증오하지 않고서야 어째서 이런 식으로 사람을 바라볼 수 있을까?

'오늘 하루 진상 손님이 벌써 두 명이네. 아직 일 개시한 지 6시간도 안 지났는데.'

서현은 김성희가 자신을 위해 준비한 일의 허들이 굉장히 높다는 걸 새삼스럽게 실감했다.

뱀파이어 헌터들 사이에서 진마를 사냥했다고 하는 것은 당연히 크나큰 영광이다. 전등이 발명되고 테트라 아낙스가 본격적으로 뱀파이어 세력을 규합한 이래 일반적인 뱀파이어 헌터들은 뱀파이어의 무리에서 낙오된 이들만 주워 먹는 하이에나였다. 뱀파이어를 사냥한다는 명분은 거창하지만 결국 그 속내를 들여다보면 테트라 아낙스가 죽여도 된다고 허락한 뱀파이어들만 치우는 시체 청소부에 지나지 않는다.

한세건과 실베스테르는 그런 테트라 아낙스의 가이드라인을 따르지 않는다. 그들은 놀랍게도 뱀파이어 사회의 중추부에 위치한 진마에게 도전했고 그들을 죽였다. 뱀파이어 헌터가 단지 하이에나가 아니라는 걸 만방에 알렸기 때문에 많은 뱀파이어 헌터가 그들을 존중했다.

한세건에게 어떻게 한마디라도 붙여보려고 아르쥬나에 출근

도장을 찍는 신참 뱀파이어 헌터들도 있을 정도였다. 물론 한세건은 그런 붙임성 있는 성격들에는 상성이 최악이라 아르쥬나를 멀리할 수밖에 없었다.

"요새는 안정화가 되었… 아니, 그런데 저 늑대 자식을 무슨 생각으로 여기에 둔 거예요? 서린 한 번으로는 부족합니까?"

한세건은 자신의 몸에 매번 비약을 흘려보내 주는 삽입물, 인젝터를 내려놓았다. 뱀파이어 헌터들이 즐겨 쓰는 비약 사이키델릭 문에 극심하게 중독된 그는 한때 최악의 경우인 뱀파이어화나 커럽티드화, 비약 중독이 극심해져 일어나는 변이를 몇 차례나 이겨냈다. 그런 변이로부터 자신을 지키기 위해 전신에 인젝터를 삽입하는 대수술을 했었지만 최근에는 인젝터 없이도 생활할 만큼 신체가 안정화되었다.

그 사실을 알리고 겸사겸사 총열도 교체할 겸 왔는데 뜬금없이 라이칸스로프의 왕자가 점원 역할을 하고 있으니 놀랄 수밖에. 무엇보다 현재 한세건의 몸 상태는 남에게 알리고 싶지 않은 중대한 문제다. 그걸 믿을 수 없는 녀석 앞에서 떠벌리는 건 좋지 않다. 솔직히 말해서 당장에 목을 따버리는 게 더 나을지도 모르겠다.

서현 입장에서도 한세건은 껄끄럽다. 뱀파이어 헌터들 사이에서 부상한 새로운 진마사냥꾼, 한세건은 테트라 아낙스에게 여전히 이빨을 드러내고 있지만 동생 서린은 한세건을 부탁한다고까지 했다.

서린과의 관계가 매우 돈독한가?

그런 것 같지는 않다. 한세건은 자신이 서린을 테트라 아낙스로 만들어준 거나 다름없다는 사실에 굉장히 불쾌감을 느끼고 있었다.

그에게 뱀파이어는 오직 죽어 있을 때가 좋은 것이다. 서린과는 과거 잠깐 동안 한솥밥을 먹으며 지내왔지만 그렇기 때문에 더욱더 서린과 척을 지고 선을 그어두어야 했다. 서현이 자유를 얻었을 때 정작 그 안에 아무것도 없었던 것처럼, 그에게 뱀파이어에 대한 증오를 빼버리고 나면 오직 공허만이 남을 뿐이리라.

이런 상황을 볼 때 서린이 그를 염려하는 건 그냥 일방적인 감정인 것 같다. 짝사랑? 순간적으로 그런 용어가 떠올랐지만 단어가 가지는 파괴력이 굉장하다. 망상 중에 픕 하고 웃음이 터져 나오자 한세건은 심각한 표정으로 서현을 노려보았다.

아, 눈빛이 너무 마음에 안 든다. 증오하고 짜증 내는 눈빛. 왜 양아치들이 서로 흘겨본다고 주먹다짐을 시작하는지 저 눈빛만으로도 공감할 수 있었다. 하지만 뱀파이어 헌터들이나 마법사들에게 절제력과 인내력을 인정받아야 하는 서현에게 있어서 뱀파이어 헌터 사회에서 추앙받는 '비스트'와의 다툼은 피해야 할 일이지.

"여기서 최저임금을 받으며 일하고 있지. 그 최저임금에는 너 같은 진상 손님의 말에 대답할 의무가 들어 있나? 그렇다면 정말 노동자의 가치가 저렴한 나라군, 이곳은."

"…무슨 바람이 불어서. 네놈 동물원 패거리는 어쩌고?"

서현에게는 서현이 직접 라이칸스로프로 만들어준 충복들이 있었다. 한세건은 그들과의 관계를 의심하며 물어보았다. 그렇지만 동물원 패거리라니…….

'센스 좋군. 놀림받는 대상이 내가 아니라면 웃어주고 싶을 정도야.'

하지만 한세건이 그를 바라보는 눈빛은 절대 같이 놀자는 눈빛이 아니다. 그가 말하는 것은 서현이 이미 결성한 라이칸스로프 조직을 버리고 왜 여기서 혼자 이러고 있느냐는 것이다.

그런 한세건의 질문에 대신 김성희가 대답했다.

"서현이 입장에서 그 애들은 딸린 애들이잖아. 새 출발 하려는데 혹들을 달고 살 수는 없지."

…….

시의적절한 비유다. 솔직히 말해서 서현은 그 말을 듣는 순간 김성희에게 감탄했다. 그 자신도 의식의 수면 위로 떠올리지 못한, 자각하지 못한 욕구를 정확하게 파악한 것이다. 이런 게 어른의 지혜라는 것일까?

그녀가 말한 대로 서현은 자신의 라이칸스로프 갱에 회의감을 느끼고 있었다. 그들을 싫어한다는 것은 아니다. 다만 너무나 어린 시절 라이칸스로프 갱이 되어 전장을 누벼온 이들은 서현보다 훨씬 더 단순 무식하고 야성적인 감각을 가지고 있었다. 그들을 문명사회에 풀어놓았다면 아마도 오늘 진상 손님 같은 경우 만인이 보는 앞에서 사지를 뽑고 산 채로 머리통부터 으적으적 씹어 먹었을 것이다.

그들과 친애의 정이 없는 건 아니지만 그런 점에 있어서는 함께할 수 없다. 기껏 자유를 찾았는데 그들과 함께라면 다시금 전쟁터를 떠돌아다니는 용병이나 살인귀 신세를 벗어날 수 없다고 생각한 서현은 적당히 그들에게 향후 해야 할 일들을 알려주고 분산시켰다. 세력을 끌어모으라고, 새로운 질서가 지배하는 세계에 대응하기 위해 돈을 벌어 모으라고 그들을 파견 형식으로 보내 버린 것은 그 때문이다. 자기만의 시간을 가지고 싶었다고 표현할 수도 있었겠지.

하지만 정작 그렇게 자기만의 시간을 갖게 되자 이제 자신이 얼마나 공허한 존재인지 직면해야 했고, 그 와중에 폐인 짓도 하다가 결국 동생에게 이끌려 서현이란 이름을 받고 여기 와 있는 것이다. 말하자면 길고 구구절절한 사연이 있는데 그걸 김성희는 단 몇 마디로 깔끔하게 표현해 버렸다.

"무책임하군."

한세건은 남의 일이라고 편하게 한마디 내뱉었다.

'아, 진심으로 마음에 안 든다.'

서린은 대체 왜 이런 놈을 돌봐주라고 한 걸까? 서현은 동생의 심보를 도무지 알 수 없어서 전전긍긍했다.

"아르쥬나 마스터의 가호 아래 있다니까… 뭐라고는 안 하겠다만 너 같은 놈이 이제 와서 사람답게 살아보겠다고 하는 건 정말 역겹고 추한 일이거든? 네놈은 권력과 금력을 위해서 남들을 마음껏 희생시켜 왔으면서 이제 와서 이게 무슨 짓이지? 진심으로 짜증 나니까 가급적 시야에 안 보였으면 좋겠다. 아니면 아예 자살을 하지그래?"

"뭐라고?"

서현은 한세건의 말에 발끈했지만 한세건은 무시하고 다 쓴 인젝터와 권총 총열들을 꺼냈다.

"이 총열들에 인식 장애의 마법을 걸어줘요. 인젝터는 충전해 주시고. 언제까지 가능합니까?"

"일주일 정도?"

"오래 걸리는군요."

한세건은 바이커용 배낭에서 묵은 지폐 다발을 꺼냈다.

"선금으로 내고 가지요."

"어머. 매번 고맙기도 하지. 하지만 세건, 괜찮아? 좀… 이야기 좀 해."

김성희는 한세건이 아르쥬나를 멀리하고 두문불출하는 것에 걱정을 하고 있었다. 하지만 한세건은 고개를 절레절레 저었다. 역시 그가 가고자 하는 길은 김성희와는 다르다. 서린을 테트라 아낙스로 앉히고 난 뒤에 그 사실은 극명해졌다.

결국 김성희는 월야의 세계, 그 안정을 꾀하는 마법사다. 그녀는 처음부터 이 세계의 주민이었고 한세건은 이 세계에 의해 침탈당한 자다. 한세건이 이 세계 전체의 파멸을 꾀한다면 김성희는 그저 폭군을 몰아내고 안정만 오면 된다. 고든이란 폭군을 몰아낸 것으로 김성희가 만족해 버린 시점에서 한세건은 그녀와 선을 그었다.

그리고 이번에는 서현인가?

한세건은 혀를 찼다. 서현, 이사카 베르게네프는 시원의 라이칸스로프로서 결코 호락호락한 상대가 아니다. 그런 이가 아르쥬나의 마스터 밑에서 최저임금으로 착취당하고 있다니 확실히 격세지감이 느껴진다. 절대적인 힘과 권력을 가진 뱀파이어 사회가 붕괴하고 있고 뱀파이어 헌터이며 월야 전체를 파괴하려는 그와 뱀파이어들의 독주에 반발하는 중립 세력인 마법사들의 힘이 강해지고 있다.

과거 압도적인 세력을 자랑하던 뱀파이어 사회가 요 몇 년간 몰락하고 대신 새로운 세력들이 부상하고 있는 셈이다.

그리고 그 중심에 한세건이 있었다.

기쁜 일이다. 처음에 그가 뱀파이어 헌터가 되었을 때 주위 사람들은 이 어린 소년이 설마 그런 거대한 일들의 중심에 설 줄은 감히 상상도 하지 못했으리라.

그렇지만 역시 이사카 베르게네프는 마음에 들지 않는다. 그가 여기에 와 있다는 게 뱀파이어 세력의 약화를 의미한다고 해도 개인적으로 저놈을 마음에 들어 할 이유는 전혀 없다. 그리고 그건 이사카, 아니, 서현 역시 마찬가지였다.

"아르바이트 같은 것보다 훨씬 제 건실함을 알릴 수 있는 기회로군요. 이 자식을 보고도 참고 있다는 게."

서현은 분노로 떨면서 한세건을 가리켰다. 그러자 한세건 역시 어깨를 으쓱해 보였다.

"그런 면에서 내 인내심은 절정에 달해 있지. 라이칸스로프로 보자면 식인 괴물이고 인간으로 쳐도 전쟁범죄자, 살인마, 빼도

박도 못할 쓰레기인 네놈이 시야에 들어왔는데 참아주는 게 놀랍지 않나?”

“…….”

서현은 진심으로 상처받았다. 그가 전쟁범죄에 손을 댄 것은 사실이다. 용병들 사회를 전전하고 전장을 누비다 보니 당연히 저지른 일이지만 그에게는 피치 못할 사정이, 특수성이 있지 않은가? 그렇다고 그 특수성을 들어 스스로를 변호하는 것은 정말 인간쓰레기나 할 수 있는 짓이다. 술 취해서 이성을 잃었다는 건 분명히 멀쩡하던 사람이 범죄를 저지를 요인이다. 하지만 술에 취했다는 사실을 범죄자 당사자가 내세워서 핑계로 삼는 것은 얼마나 파렴치한가?

전쟁범죄자, 살인마, 쓰레기……. 서현 입장에서는 무엇 하나 부정할 수 없는 사실이고 그것에 항변하면 더더욱 뻔뻔해질 뿐이라는 점이 서현을 상처받게 했다. 그렇다고 여기서 한세건을 테러범, 수배자 등등으로 비난해? 그게 정답이긴 하지만 그렇게 원색적인 비난에 돌입하면?

이건 뭐 어린애 말싸움 수준으로 떨어지는 게 아닌가? 네가 잘못했어, 아니, 네가 더 잘못했어… 이런 입씨름을 하고 싶지 않다. 믿기 힘들겠지만 서현은 라이칸스로프의 왕자라는 별칭에 걸맞은 품격을 가지고 있었다. 비록 그 생애 대부분을 수라장에서 보냈지만 그럼에도 불구하고 높은 감수성을 가지고 있었다. 생존을 위해서 일부러 감수성을 죽이고 야수의 왕자로 살았지만 여기서 한세건의 비난에 자신을 지키기 위해 추잡한 입씨름을 하고 싶진 않았다.

"아니 그, 서현은 특수하잖아. 리림이라서 어린 시절부터 암살자들이 줄지어 쫓아다녔는데 어떻게 일반적인 잣대로 잴 수 있겠니?"

보다 못한 김성희가 대신 변호해 주었다. 그건 고마운 일이지만… 짜증 났다. 이 상황 자체가 견딜 수 없이 짜증 난다.

"아……."

서현은 말문이 막혀서 손으로 자신의 얼굴을 덮었다.

대체 어쩌다가 이렇게 되었지?

놀라운 것은 이게 고작 첫날에 벌어진 일이라는 것이다. 라이칸스로프의 왕자, 서현이 아르쥬나에서 근무한 첫날 벌어진 일이 이 정도니… 앞날이 두렵고 걱정되지 않을 수 없다.

원래 아르쥬나에는 잠깐 들를 생각이었지만… 한세건은 예정을 변경해서 저녁 시간 이후까지 아르쥬나에 머물기로 했다.

테트라 아낙스가 새롭게 바뀌었지만 뱀파이어 헌터들은 꾸준히 신참이 유입되었다.

뱀파이어라는 질병은 일종의 축복으로 여겨질 수도 있었다. 죽음을 앞에 둔 사람들에게는 훌륭한 도피처고 그게 아니더라도 뛰어난 완력, 불사성은 인간이라면 누구나 탐내는 게 아닌가?

물론 그 대가로 피를 마시는 괴물이 되지만 인간은 이미 괴물이다. 남을 해치고 살아가는 인간들은 이미 많다. 뱀파이어들이 사람의 목에 이빨을 꽂아대는 것과, 다른 인간이 파멸하든 말든 자신의 이익만 추구하는 인간과 다를 게 무엇인가?

왜 월야를 모르는 일반인들이 착취자를 묘사할 때 '흡혈귀'라는 용어를 선택해 왔겠는가? 이미 어떤 의미에서는 흡혈귀가 훨씬 더 인간적이라고 할 수 있을 정도로…….

인간은 인간에게 가혹하다.

그리고 뱀파이어가 인간에게 가혹한 것은 그들 역시 넓은 의미로는 인간이기 때문이다. 그러다 보니 뱀파이어는 계속, 통제할 수도 없이 늘어난다. 테트라 아낙스가 강철의 율법으로 규제하더라도 뱀파이어가 되고 싶어 하는 인간들은 기꺼이 뱀파이어가 된다. 또 그렇게 뱀파이어가 된 신참들 중에는, 아니면 너무 오래 살아서 동반자를 필요로 하는 자들 중에는 자의로, 또는 타의로 다른 사람들을 뱀파이어로 만드는 경우가 있었다. 이는 뱀파이어가 존재하는 이상 발생할 수밖에 없는 사회적 비용이었다.

"아, 저기… 한세건 씨입니까?"

저녁 시간의 아르쥬나에 앉아서 다른 뱀파이어 헌터들을 보는 둥 마는 둥 하며 생각에 잠겨 있던 한세건에게 누군가가 다가왔다. 퀭한 눈을 가진 호리호리한 체격의 40대 남성, 전에 본 적 없는 걸 보니 신참 뱀파이어 헌터 같다. 거의 삼촌뻘 정도 되는 나이 차이가 있지만 한세건을 선배라고 여겨서 그런지 태도는 정중하다. 나이가 무엇보다 앞서는 대한민국 문화보다 뱀파이어 헌터 사회에서 한세건이 가지는 위상이 그만큼 더 강렬하다는 뜻이리라.

“그런데?”

“저, 저는 최근에 아내와 자식을 뱀파이어에게 잃고 뱀파이어 헌터가 되었습니다. 다, 당신처럼 되고 싶어서요.”

“…….”

나이 40에 이제 뱀파이어 헌터로 투신하다니… 너무 늦다. 군인이거나 경호원, 무술가였던 것도 아니라면 아무리 비약 사이키델릭 문의 효과가 있다 하더라도 적응하기 힘들지 않을까?

물론 그가 보는 앞에서 가족이 살해당했다면 그 복수심, 분노는 이루 말할 수 없을 것이다. 지옥의 불길조차 미적지근하게 느껴지겠지. 파멸이 기다리고 있다 하더라도 질주할 수밖에 없는 입장이라는 건 이해할 수 있었다.

하지만 인간은 시간의 매질을 견뎌낼 수가 없다. 이 남자뿐만 아니라 많은 사람이 가족의 복수를 위해서 뱀파이어 헌터라는 직종에 투신하지만 결국에는 사이키델릭 문에 중독되어, 그저 뱀파이어의 피와 살을 탐하는 또 다른 괴물, 흡혈귀로 인생을 마치게 된다. 그렇다고 그의 선택을 무시하고 그를 뱀파이어 헌터가 아닌, 정상적인 삶을 살게 강제할 수는 없다. 한세건이 선택하던 때에도 그렇지만 당사자에게 있어서는 살아도 지옥, 죽어도 지옥인 지옥도가 펼쳐져 있을 테니까.

과거 자신이 뱀파이어 헌터가 되겠다고 했을 때, 실베스테르나 다른 이들이 이런 눈으로 날 봤겠구나. 그런 격세지감을 느끼며 한세건은 쓴웃음을 지었다.

"제게 가르침을 줄 수 있겠습니까?"

"……."

남자가 한세건에게 자신을 도제로 받아들여 달라고 청했다. 그러자 다른 뱀파이어 헌터들도 힐끔거리며 그들을 바라본다. 여기서 허락했다가는 다른 이들도 덩달아 우르르 몰려들겠지. 한세건은 고개를 가로저었다.

"미안하지만……."

그러자 이번엔 다른 이가 다가왔다. 방금 전 남자가 복수심으로 황폐화된 이라면 이번 남자는 탐욕으로 황폐화된 자다. 어딜 가나 불모지가 펼쳐져 있다.

"혹시 그룹 사냥을 주도할 생각은 없소, 진마사냥꾼?"

"그룹 사냥?"

"아무래도 혼자서 뱀파이어의 피와 살을 다 회수하는 건 쉽지 않으니까, 사냥조와 회수조를 분리 운용하자는 거요. 수익은 당연히 진마사냥꾼인 당신이 대부분 가져가도 좋지. 그렇지?"

그가 주위 사람들을 둘러보자 다들 고개를 끄덕인다. 말하자면 그들은 뱀파이어를 사냥한 뒤 그 전리품을 실어 나르는 하이에나다. 한세건이 혼자서 전리품을 회수해 봤자 다 줍지 못하고 흘리는 게 많을 테니 그걸 자신들과 나누자는 뜻이다.

'내가 스승을 잘 만났었군.'

그런 뱀파이어 헌터들을 보며 한세건은 내심 혀를 찼다.

"그런 건 나중에… 필요할 때에……."

뱀파이어 헌터들의 그룹 사냥을 주도할 수 있다는 건 분명히 큰 재산이다. 이들과 정규적으로 수익을 배분하겠다는 건 하이에나 무리의 두목이 되겠다는 뜻이니 사양해야겠지만 그렇다고 여기서 이들을 모욕하여 척을 질 필요는 없다.

'뭔가 흥미로운 정보는 없나? 이래서 내가 여기 오고 싶지 않았는데. 다들 관심이 나에게만 쏠려 있고 유익한 정보 따윈 없군.'

한세건은 자신에게 쏟아지는 다른 뱀파이어 헌터들의 관심을 거북해하며 생각에 잠겼다. 서린이 테트라 아낙스가 되어 다른 뱀파이어들을 최대한 많이 포용하고 있었지만 그런 만큼 오히려 뱀파이어 헌터는 늘어났다. 뱀파이어들의 사고는, 그들의 피해자는 계속해서 발생한다. 외려 고든 시절보다 훨씬 많아졌다.

뱀파이어들이 테트라 아낙스의 보호를 받으며 여행하기 편해지면서… 그동안 억압받았던 그들의 충동이 폭발했다. 마치 여행지에서 술 먹고 사고 치는 철부지 관광객처럼 그동안 고든이란 폭군이 억압해 왔던 욕구가 들끓어 올라 넘친다.

'이게 네 답이냐?'

서린에게 그렇게 물어보고 싶을 정도였다. 물론 서린의 뜻은 아니겠지. 뱀파이어들이 인간을 기만하고 인지의 어둠, 월야의 세계에 기거하는 이상 이것은 피할 수 없는 일이다. 아무리 선량한 의지를 가진 왕이 그들을 다스린다 해도 그것은 기만의 왕국이다.

그들의 기만에, 그들의 탐욕에 인생을 빼앗긴 세건으로서는 도저히 타협할 수 없는 대상이다. 설사 그 왕좌에 선량한 영혼이 앉아 있더라도. 그가 가슴에 품고 있는 증오는 되레 더더욱 맹렬하게 울부짖었다.

왕권에 반기를 들고 일어서는 자는 현왕보다 폭군을 반기는 법이다.

서린이 선의를 가지고 이 세계를 다스리려 한다면 그것은 그의 지배 체제에 반대하는 이들의 힘을 빼앗는 일이 될 것이다. 아무리 선량한 뱀파이어라도 제거하려 하는 자와 인간에게 피해를 주지 않으면 참을 수 있는 자, 이들 모두가 단결하기 위해서는 고든처럼 강력하고 폭압적인 군주가 필요했다. 서린같이 무른 자가 테트라 아낙스가 된다면 그에 대항하는 자들의 의지는 분산되고 흩어지리라.

'괜히 왔군.'

한세건은 심기가 불편했다. 한세건이 뱀파이어 헌터에 입문할 때만 해도 소수의 뱀파이어 헌터들이 그룹을 지어서 사냥하고 다녔지, 이렇게 대놓고 하이에나 떼처럼 몰려다니진 않았다. 그룹 사냥은 당연히 단독 사냥보다 훨씬 높은 성공률을 지니고 있었지만 무장한 폭도가 하나도 아니고 여럿이 몰려다니면 경찰의 이목을 끌지 않을 수 없다.

테트라 아낙스가 그들을 보호하지 않는다면 말이다. 뱀파이어 헌터들이 경찰에 잡히고 일반인들에게 그 정체가 드러나게 되면 당연히 뱀파이어 세계에도 안 좋은 영향을 미치기 때문에 그들의 정보를 테트라 아낙스가 지켜준다. 뱀파이어를 사냥하는 자들이 뱀파이어들의 왕에게 정보 보안에 관련된 비용을 떠넘긴 셈이다.

한세건은 그게 마음에 들지 않았다.

"뭐, 내가 환영받을 처지가 아니긴 하지만 저 작자에게 이런 취급 당하니까 진짜 기분 나쁜데."

서현은 세건의 태도에 짜증을 느꼈다. 물론 라이칸스로프인 그를 만인이 환영해 줄 리는 없다. 그가 저지른 죄도 있으니까 달게 받아야 할 일이지. 그러나 적어도 저놈에게는 그런 소릴 듣고 싶지 않았다.

서현이 전쟁범죄자라면 그는 아예 인터폴에 수배된 테러리스트 아닌가? 대한민국 경찰들이 자다가도 이불을 뻥 차고 일어나 이를 뿌득 갈고 분노 때문에 잠을 이루지 못하게 만든 장본인이면서 남에게 설교할 처지가 되나?

공정하고 화목한 삶에 대해서 남에게 설교할 처지냔 말이다.

"저기… 괜찮으면 자리를 비켜도 되는데."

보다 못한 김성희가 한마디 했지만 서현은 어깨를 으쓱해 보이곤 나이프로 치즈와 살라미를 잘라서 크래커에 올리기 시작했다.

"돈이 없어요."

문제가… 지금 서현에겐 돈이 없다.

서린이 준비해 준 정착금은 너무나도 적었고 김성희 역시 초반에 좀 길을 들이겠다는 건지 서현에게 많은 돈을 주지 않았다. 아르바이트야 이제 막 시작했으니 돈을 받을 수 있는 게 아니고 서현도 자존심이 있지 가불해 달라는 말을 할 수도 없다. 그렇다고 나가서 밤거리를 쏘다니면 돈이 나갈 거 아닌가?

아니면 집에 들어가? 그 실베스테르 신부가 쓰던 해괴한 펜트하우스는 집이라기보다는 무슨 사교도(邪敎徒)들의 제단 같았다. 어느 날 문을 열고 들어갔는데 염소 머리 가면을 뒤집어쓴 사교도들이 인신공양을 하고 악마를 소환해도 이상하지 않을 거다.

"최저 시급이라도 벌어야지. 성실한 모습을 보여야 한다면서요?"

서현은 짜증이 묻어나는 투덜거림을 내뱉으며 흡사 기계처럼 정확하게 치즈를 썰어낸다. 간단히 쟁반에 데커레이션한 서현이 그걸 들고 가자 가게에 모여 있던 뱀파이어 헌터들이 별다른 생각 없이 주워 먹는다. 아무래도 밤 시간에 사냥을 다니며 불규칙한 생활을 하는 그들이니 이런 간식이 절실하리라.

하지만 한세건은 쟁반은 쳐다보지도 않고 다른 헌터들과 이야기를 나누고 있었다. 정확히는 다른 헌터들이 간만에 공공장소에 모습을 드러낸 그를 내버려 두지 않는다고 해야 하리라.

'이야기를 나눈다기보다는 팬들에게 시달리는 아이돌이군. 좋겠어, 인생 막장 뱀파이어 헌터들에게 인기 있어서?'

서현은 아니꼬운 눈초리로 한세건을 흘겨보고 다 쓴 그릇들을 회수해 설거지를 시작했다. 저들에게 조신하고 성실한 모습을 보여주고자 하는 것이지만 달리 할 일이 없기도 하다.

그렇게 설거지를 하고 있자 신기해하는 시선이 날아와 피부에 꽂힌다. 라이칸스로프의 왕자, 흉포한 식인귀 늑대 인간이 이렇게 얌전하게 일하고 있는 모습은 뱀파이어 헌터들에게 확실히 충격적인 모습이었을 것이다.

'역시 아르쥬나의 마스터 김성희는 대단하군. 저런 광견을 거두다니.'

누가 입 밖으로 내진 않았지만 그 자리에 있던 뱀파이어 헌터 모두가 그 의견에 공감했다. 가장 난폭한 야생마를 길들인 목동이 최고의 목동이라는 데 누가 이견을 제시할 것인가? 서현, 이사카 베르게네프의 흉명은 한국에는 아직 잘 알려져 있지 않지만 그렇다고 해서 그가 손쉬운 상대라고 여길 이는 아무도 없었다.

그렇게 얼마나 지났을까? 긴장 풀린 뱀파이어 헌터들이 다시금 이야기를 나누기 시작했다. 생사가 오가는 업종에 종사하는 놈들이 아무리 훌륭한 신원보증인을 두었다 해도 라이칸스로프인 서현의 앞에서 자기들 이야기를 한다는 게 우습게 보일지 모르나… 인간은 전장에서조차 상상도 못 한 바보짓을 하는 생물이다.

서현이 얌전히 자기 일만 하자 저들은 서현을 경계하면서도 자신들의 정보를 공유하기 시작했다.

"아, 저기 최근에 그거 들어봤나?"

"뭐?"

"뱀파이어들 사이에서 희한한 약이 도는 것 같은데……."

"음?"

"약?"

"저 친구 있는데 이야기해도 되나?"

"뭐, 라이칸스로프 친구 말야? 딱히 상관없잖아?"

뱀파이어 헌터들은 다들 반사회적인 인물들이다. 법치국가 입장에서 보자면 그들은 마약상이나 다를 바 없다. 그렇다고 마약 조직과 친하게 지내는 것도 아니니 그들이 흉금을 터놓을 수 있는 상대는 같은 뱀파이어 헌터들밖에 없다.

물론 그렇다고 뱀파이어 헌터 간에 동지 의식이 있다거나 서로서로 믿음과 신뢰가 넘친다고는 할 수 없다. 뱀파이어의 피는 같은 부피의 금보다 비싸다. 그런 환금성 높고 휴대하기 간편한 물건을 다루는 사람들 사이에 신뢰가 쌓일 리가 없다.

그래도 아르쥬나처럼 모두가 중립일 수밖에 없는 공간에서는 다들 입이 가벼워진다. 사실 이들이야말로 대화에 굶주려 있는 이들이기 때문이다.

그런데 그때 한세건이 그들 사이에 끼어들었다.

"계속해 봐."

"아… 아니, 그… 뱀파이어들 사이에 도는 소문인데……."

헌터는 한세건을 보고 당황해서 동료들 눈치를 살폈다. 한세건은 뱀파이어 헌터들 사이에서 존중받고 있지만 그렇다고 일반적인 뱀파이어 헌터들과 친하게 지내는 인물은 아니다. 사교적이지 않은 성격이다 보니 멀리서 존경하고 동경하긴 좋을지 몰라도 함께하기에 좋은 인물은 아니리라. 그래도 한세건의 요청을 거절할 명분은 없다.

"거 최근 청방(靑幇) 쪽에서… 새롭게 들리는 말인데… 뱀파이어들 사이에서 묘한 비약이 돌고 있다고 하는데……."

"뱀파이어들 사이에서의 비약이라."

한세건은 그 말을 듣고 혀를 찼다. 뱀파이어들은 식욕, 수면욕, 성욕 그 어떤 것도 결국 흡혈 욕구로 귀결된다.

'졸리니까 흡혈하고 싶다.'

'춥고 피곤하니까 피 먹고 싶다.'

'성적으로 자극받으니 피를 마시고 싶다.'

이런 식으로 욕망이 한쪽으로 귀결되어 버리는 뱀파이어들에게 마약은 통하지 않는다. 그런 욕구를 느끼면 느낄수록 뱀파이어가 필요로 하는 혈액량은 늘어나게 되고 인간을 무작정 흡혈하는 것은 항상 위험을 부른다.

친테트라 아낙스계의 뱀파이어들은 의료용 수혈 팩에 의존하지만 그렇지 않은 이들은 거리에서 인간을 무차별로 습격해 화근을 만들고 뱀파이어 헌터들의 대상이 되었다. 그런데 그런 뱀파이어들에게 통하는 비약이라니, 뭐지?

"어떤 효과가 있는데? 청방이라면 혹시 북두성군의 계파인가?"

청방은 중국계 마피아 연합이지만 자신들이 의화단 시절부터, 더 거슬러 올라가 오두미교 시절부터 유래했다고 하는 조직이다. 대부분 흑사회의 정점이지만 그 조직 계파의 보스 중 한 명은 바로 뱀파이어 진마 중 하나인 북두성군. 그 외에도 라이칸스로프로 이뤄진 사영회라든가 각종 하부 조직이 혼재되어 있는 단체다.

밤파이어들에게 관련된 소문이 청방에서 나왔다고 하면 아무래도 그냥 지나칠 수는 없지만… 수상하기도 하다. 마치 정수기 파는 외판원이 나사(NASA)를 들먹거리는 걸 보는 기분이라고 할까?

“자세히는 잘 모르지만 하여튼 그렇다고요. 하하하.”

한세건보다 분명히 나이가 더 들어 보이는 헌터가 존댓말을 쓰며 자세한 설명을 회피한다. 한세건은 그의 태도를 보고 내심 코웃음 쳤다.

“비약이라.”

하지만 세건과 달리 서현은 그들의 말을 진지하게 듣고 있었다. 그를 습격했던 암살자들은 테트라 아낙스의 시대가 끝난다고 말했었다. 하지만 테트라 아낙스의 시대가 끝난다니? 그런 게 가능키나 한 일인가?

테트라 아낙스가 가진 정보 지배의 힘, 텔레파시 능력과 예지력은 이미 월야의 세계 그 자체를 지탱하는 힘이었다. 이것이 사라진다는 건 월야의 파멸을 의미한다. 그래서 다들 서린이 새로운 테트라 아낙스로 뜬금없이 등극했을 때도 그의 지배를 인정해 주었다. 부와 권력을 위해 그 자리에 도전한 것이 아니다. 왜냐면 테트라 아낙스라는 이름은 단지 지위와 부, 권력과 무력만으로는 얻을 수 없는 것이기 때문이다.

이 월야를 유지할 수 있는 능력을 가진 자만이… 테트라 아낙스라는 이름에 적합하다.

즉, 테트라 아낙스의 시대는 월야 그 자체. 그 시대가 끝난다고 호언장담한 암살자들은 자신들이 뭐라고 지껄인 것인지 알고는 있는 걸까?

그러나 뱀파이어들 사이에서 도는 비약이라니? 그리고 그 암살자들이 꽤 많은 태양광 아래에서 별다른 고통 없이 움직였던 것도 떠올랐다.

그런데…….

"…뭐냐?"

한세건이 팔짱을 끼고 테이블에 앉은 채 서현을 바라보았다. 깜짝 놀란 서현이 양옆을 바라보니 다른 헌터들은 자리를 피했다. 그리고 어느새 그가 앞치마를 두른 채 한세건의 앞에 앉아 있는 게 아닌가?

'이런. 생각이 너무 과했나.'

어느새 그들의 말에 이끌려 자리를 이탈한 서현은 쓴웃음을 지으며 주위를 둘러보았다. 한세건이야 괜히 거물이 아닌지 그냥 그 자리에 가만히 있지만 다른 뱀파이어 헌터들은 서현이 갑자기 무슨 발작이라도 일으킬까 봐 그러는 건지 멀찍이 떨어져 있었다.

예전부터 전장에서 뛰어난 용병으로 많은 사람들의 동경과 공포, 경외를 한 몸에 샀던 서현이었다. 그를 두려워해서 사람들이 물러나는 것쯤은 흔히 볼 수 있는 일, 신경 쓸 가치도 없다.

하지만 그때 그는 이사카 베르게네프였고 지금은 서현이다. 모처럼 깔끔하게 신분 세탁을 했는데 과거처럼 경외시당하는 건 좋지 않다. 뱀파이어 헌터가 인간 막장들이긴 하지만 그렇다고 그들과 척을 질 수는 없는 일 아닌가? 여기서는 어떻게든 좋게 좋게 이야기를 해야겠다만…….

서현은 한세건을 다시금 놀란 눈으로 바라보았다. 국도를 지나가다가 갑자기 하늘에서 내려온 UFO와 조우해도 이 정도로 놀라기는 쉽지 않을 것이다.

왜냐면 그는 지금 한세건의 몸 전체를 휘감고 있는 검은 일렁임을 보고 있기 때문이었다.

이 남자의 몸을 사로잡고 있는 저 검은 일렁임을 서현은 기억하고 있었다. 고참 뱀파이어 헌터들에게서 흔히 나타나는 혼티드(Haunted)라는 저주받은 상태……. 하지만 저것은 그 이상이다. 서현이 알고 있는 바로는 저것과 비슷한 일렁임, 어둠을 보여주던 존재가 딱 하나 있었다.

'릴리쓰?!'

서현과 서린의 어머니이자… 시원의 마를 잉태한 어둠의 마녀 릴리쓰.

한세건의 몸을 휘감고 있는 어둠은 어느새 릴리쓰의 그것과 비슷하게 변해 있었다.

서현에게는 어머니에 대한 기억이 그다지 많지 않았다.

그녀는 본래 평범한 젊은 여성이었으나 지구를 배회하는 이 끔찍한 악령, 릴리쓰가 그녀의 몸을 차지하고 어둠의 주민들을 낳기 위한 도구로 바꾸어 버렸다. 그 변이는 살아 있는 인간의 육신이 버틸 수 있는 정도가 아니다. 강렬한 시스템 쇼크가 심신 양면으로 작용해 그녀의 존재를 텅 빈 것으로 탈바꿈시킨다.

그렇지만 그녀는 흐릿한 이성과 맥동하는 광기 사이에서도 서현을 사랑했다.

당시는 이해하지 못했지만 그녀는 어떻게든 자신에게 찾아오는 비전을, 강력한 환영과 예지, 그리고 영지를 서현에게 전달하기 위해 애썼다.

미친 여자의 망상처럼 들리는, 아니, 실제로 그중 8할은 그녀의 망상이나 광기에 불과한 그 이야기 속에는 릴리쓰의 이야기… 뱀파이어와 라이칸스로프, 그리고 어쩌면 인간의 기원에 대한 비밀이 담겨 있었다.

—태초에 그들이 있었다. 정신생명체, 의지와 영성만으로 이뤄진 고대의 영(靈)들……. 릴리쓰를 포함한 그들이 인류보다 먼저 이 지상에 내려왔다.

—그들은 지상에 번성하는 생물에게 자신들의 의사를 반영시켜 현생인류를 만들었다. 높은 지성과 어느 정도의 언어, 의사소통 능력을 가진 생물은 많지만 그중 인간이 특이하게 문명을 일굴 수 있었던 것은 그 때문이다.

—그녀와 다른 존재들의 불화가 있었고 그녀는 그들에 대항하기 위해서 어둠의 종족들을 만들었다. 라이칸스로프와 뱀파이어는 그로 인해서 만들어졌으나 고대의 크나큰 전쟁으로 유실되었다. 이후

인간의 주술사나 그녀가 간헐적으로 출몰해서, 혹은 인류 안에 포함되어 있는 그들의 인자가 계속해서 어둠의 종족을 늘려왔다.

—그녀는 동족들에게 저주받아 이 대지에 속박당했다.

진실인지, 미쳐 버린 여인의 푸념인지 모르나 그녀는 진심으로 그렇게 믿고 있었다. 인간과 뱀파이어, 라이칸스로프 등 높은 지성을 가지고 있는 지상의 종족들, 그들의 영성에는 모두가 '시원의 존재', 신이라 불러도 무방한 그들의 파편이 들어있다.

인간은 신의 자식. 그들의 정신에 이미 신들의 영지가 들어있으니 영성과 지혜를 드높인다면 모두 신들의 영역에 들어선다. 영지주의 신비주의자들, 마법사들이 품고 있는 그 믿음은, 서현의 어머니의 말에 의하면 사실이다.

하지만 당시 서현은 그녀의 말을 귀담아듣지 않았다. 요약하니 이렇게 짧게 줄어든 것이지, 릴리쓰에 오염되어 있던 그녀의 말은 장황하고 공허했다.

그런데 지금, 그의 눈앞에는…….

그녀의 말이 옳았다는 증거가 있지 않은가?

"……."

뱀파이어 헌터들 사이에서, 심지어 흡혈귀들이나 라이칸스로프 사이에서도 한세건은 두려움 없는 광전사, 분노의 정령이 인간의 육신을 입고 태어난 마물 이상의 마물로 평가받고 있었다.

물론 한세건은 두려움을 모르지 않는다. 아니, 오히려 항상 두려움을 느끼고 있다고 해야겠지.

세건은 여전히 젊고 여전히 인간이었다. 그렇지 않고서는 아무리 뛰어난 재능과 힘을 가지고 있다고 해도 지금까지 살아남을 수 없었다.

다만 그는 공포를 느낄 때 그보다 더한 의지의 힘으로 공포에 대항했을 뿐이다. 물론 그게 보통 인간에게 가능한 일은 아니나… 세건은 그로 인해서 공포에 짓눌리는 일 없이 지금까지 생존할 수 있었다. 공포감을 느끼되 그 공포마저 지배하는 강력한 의지의 힘. 그것이 한세건을 다른 이들과 구별해 주었다.

그렇지만 지금 이 순간…….

서현이 자신을 바라보는 눈길은 공포스럽다.

무엇보다 왜 공포를 느끼는지 모르기 때문에 의지를 끌어 올려 대항하기도 쉽지 않다. 살기를 띠고 있었다면 그렇게 두려워할 이유가 없었다. 탐욕이 뒤섞인 눈빛도 두렵지 않다. 하지만 지금 이 눈빛은 무엇인가?

왜 이 녀석이 날 이렇게 쳐다보는 거지? 애정과 증오, 회한이 뒤섞인 복잡한 눈길을 갑자기 생판 남이나 다름없던 놈에게 받게 되니 심히 불쾌하면서 두렵다.

"왜……."

왜 놀란 눈으로 날 쳐다보느냐? 그렇게 물어보려던 한세건은 입을 굳게 다물었다. 자신의 입 밖으로 그 말을 꺼내고 싶지 않다.

"아… 맙소사."

서현은 고개를 절레절레 저었다. 그의 눈은, 그리고 날카로운 통찰력은 즉시 왜 한세건이 이런 존재가 되었는지 알아챌 수 있었다. 왜 서린이, 현세대의 테트라 아낙스가 그를 지켜달라고 부탁했는지 역시 이해했다.

"어머니가… 맞았어. 롯시니, 이런 짓을 저질렀나."

"어머니?"

한세건은 뜬금없이 어머니 이야기를 하는 서현을 보고 의아해했다.

"아무래도 너무 오래 있었던 것 같군."

세건은 이 이상 서현과 같이 있기 불쾌했는지 자리에서 일어났다. 그러자 서현이 깜짝 놀랐다.

"벌써 가게? 아니, 잠깐 당신! 내 이야기 좀 들어봐."

"미안하지만 사양한다. 라이칸스로프, 내가 대체 왜 네놈 때문에 귀를 더럽혀야 하지?"

"당신은 지금 자신이 어떤 존재인지 모르나?"

"그런 소리로 남을 현혹하려면 수원역 앞에서 연습 좀 하고 와야 할 거다."

한세건은 그리 중얼거리며 헬멧을 썼다. 다른 뱀파이어 헌터들이 한세건의 말을 듣고 키득거렸다. 수원역 앞에서 기승을 부리는 사이비 종교 권유자들에 빗대어 말하고 있다는 걸 알아챘기 때문이다.

서현이 미처 말리기도 전에 한세건은 아르쥬나를 떠나 버렸다.

새벽이 다가올수록 밤은 더욱 깊어지게 마련이다. 아르쥬나를 둘러싼 공원 옆길로 새벽이 다가오고 있었다. 밤의 어둠은 너무나 농밀해져 중량감마저 느껴졌다.

서현은 언제나 이 어둠에 익숙해져 있었다. 그의 태생이 부여한 운명은 언제나 어둠을 벗하며 살게 했다. 그가 마음을 줄 수 있는 상대는 오직 그에게 굴종할 수밖에 없는 갱의 일부, 그의 혈통이 만들어낸 강력한 주종 관계뿐이었다. 그리고 그것은 진정한 타자와의 관계는 아니다. 하지만 그런 상황에서 고독조차 느낄 수 없었다. 항상 목숨을 노리고 다가오는 암살자들, 그리고 그 자신의 운명 때문에 그는 자신이 서 있는 자리를 돌아볼 잠시간의 여유도 없었다.

그래서일까?

이제 와 돌아보니, 그 어둠은 늘 보아온 어둠보다 깊고 특별했다.

"당신은 알고 있었나요?"

서현은 가게를 정리하며 물어보았다. 가게에 있던 뱀파이어 헌터들은 떠나고 이제 정적만이 남아 있었다.

김성희는 뱀파이어 사냥꾼들에게 의뢰받은 마법 물품들, 그리고 사이키델릭 문을 저울에 재면서 어깨를 으쓱해 보였다.

"서린의 솜씨 같지?"

한세건이 뱀파이어가 되지 않도록 그의 몸 안에 인젝터를 삽입하는 대수술을 강행한 것이 바로 그녀였다. 하지만 그녀가 한

시술, 그녀가 건 마법은 어디까지나 임시방편이었을 뿐. 세건의 파멸을 약간 늦추는 게 전부였지 그걸 막을 수는 없었다.

그런데 한세건이 멀쩡해졌다.

테트라 아낙스가 된 서린에게 패퇴한 이후 한세건의 몸을 좀먹던 저주의 성질이 변해 버린 것이다.

한세건을 괴롭히던 혼팅은 뱀파이어의 영성을 정제하여 만든 사이키델릭 문의 부작용이었다. 인간의 육신으로 뱀파이어를 상대하기 위해 만들어진 비약, 사이키델릭 문은 뱀파이어의 영성을 부여하여 인간을 변이시킨다. 신체 능력이 강화되고 그보다 정보처리 능력이 더 상승한다.

하지만 부작용으로 몸 안에 남의 영성이, 남의 영혼 영역에 저장된 데이터가 잔뜩 쌓여서 귀신 들린 상태로 만든다. 영혼의 파멸을 담보로 얻은 힘, 그 힘을 쓰면 쓸수록 저주가 그를 좀먹고 언젠가는 반드시, 죽는 것보다 더 비참한 꼴로 만들어주리라.

한세건의 혼팅은 그 정도가 극심해서 가장 끔찍한 파멸을 맞이하리라고 모두 단언할 수 있었다. 그러나 이변이 일어났다. 서린이 한세건을 구원한 것이다. 그 결과 혼팅은 이제 그의 의지의 일부분이 되었고 그의 자아에 따라 움직이는 도구가 되었다. 이전부터 그런 조짐이 있었지만 이제 한세건은 완전히 혼팅을 지배하고 그 저주를 극복해 버렸다.

'저주를 극복했다.'

그런 간단한 이야기가 아니다. 아무리 테트라 아낙스라고 해도 이런 엄청난 기적을 아무런 대가 없이 달성할 수 있을 리 없었다.

'그리 오래 살 수 없다.'

서린은 서현에게 그렇게 말했다.

테트라 아낙스가 짊어진 십자가의 무게는 너무 커서 영생불사의 존재인 뱀파이어의 입에서 그런 말이 나오게 했다. 하지만 어쩌면 테트라 아낙스의 십자가만이 아니지 않을까? 한세건을 살리기 위해서, 그의 저주를 지우기 위해서 서린이 치른 대가가 그 파멸을 더 앞당기는 게 아닐까?

"그 아이는 대체……."

"서린이가 세건을 많이 따랐지."

김성희는 마치 서현의 마음을 읽기라도 한 것처럼 그렇게 말했다.

"…이해가 안 가는군요. 그렇게 정감 있어 보이는 성격은 아니던데."

서현은 한세건의 태도를 떠올리고 혀를 내둘렀다. 당장 그와 치고받지 않은 자신을 칭찬해 주고 싶은 심정이다. 그런 작자에 뭐 예쁜 구석이 있다고 서린은 그렇게까지, 친형인 그보다 더 챙겨준단 말인가? 자신의 파멸까지 담보하면서?

'나에게는 카드나 동결시키고 말이지. 최저 시급이 뭐냐, 최저 시급이. 친형보다 저런 정신 파탄, 인격 파탄자를 더 챙겨주다니. 아무리 나와 가족으로서의 인연이 희박하다 하더라도 이건 너무하잖아?'

왠지 화가 났다. 질투… 라고 하면 짜증 나지만 딱히 부정할 수 없을 것 같다.

"그래서 말인데… 좀 더 빨리 신용을 얻을 방법은 없나요?"

"왜 그렇게 서두르지? 오늘 봐서 알겠지만 이대로 쭉 몇 년간 지내기만 해도 충분히 신용을 얻을 거야."

몇 년… 그렇지. 그게 문제다. 뱀파이어나 라이칸스로프에게 몇 년 따윈 별로 길지 않은 시간일지도 모르지만… 그건 어디까지나 세상이 그들을 그냥 내버려 두었을 때의 이야기다. 테트라 아낙스의 지배에 반대하는 뱀파이어들이 움직이고, 한세건을 노리는 자들이 움직일 것이다.

"한세건이라는 작자는 이미 리림 따위와는 비교할 수도 없을 정도의 비싼 물건으로 변했습니다. 그건 마법사인 당신이 더 잘 알겠지요?"

"…그렇긴 하지."

그리고 만약 그를 위해서 서린이 자신의 영성을 대가로 지불했다면 테트라 아낙스의, 서린의 자리를 빼앗으려 하는 자에게는 굉장히 군침 흘리게 만드는 도구일 것이다. 그게 아니더라도 비술을 연구하는 자들이라면 욕심내지 않을 수 없을 것이다. 당장 서현이 그런 미친놈들을 피해 다녀야 했으니 말이다.

"이런 아르바이트로 내 성실함을 증명해야 한다는 취지는 알겠어요. 하지만 시간이 그렇게 넉넉하진 않을 것 같군요."

"으음, 그게……."

김성희는 현금 계수기에 지폐를 던져 넣어 돈을 세는 걸 보면서 말꼬리를 흐렸다. 서현이 하는 말은 일리가 있다. 그러나 그건 서현 생각이지, 사실 김성희 자신이 그의 신원보증을 하지 않았다면 뱀파이어 헌터들이나 마법사들, 당장 한세건만 해도 그를 눈앞에 두고 이성을 유지할 수 있을 리 없다.

"신뢰라는 게 절대 그렇게 급작스럽게 쌓일 수가 없는데 말이야. 상식적으로 생각해 봐. 이 일은 적어도 1년 이상 꾸준히 해야 해. 그래도 될까 말까 할 정도 아니겠니?"

맞는 말이다. 1년간 근속했다고 성실하다고 여겨주는 사람이 어디 있는가? 서현 입장에서는 헛되이 보내기 아까운 시간이지만 다른 뱀파이어 헌터들 입장에서는 1년도 짧은 시간이다.

"정말 방법이 없나요?"

"아예 방법이 없는 건 아니지."

김성희가 뭔가 생각난 듯 손뼉을 딱 쳤다.

"역시 그렇군요. 괜히 다들 마스터를 높게 평가하는 게 아닐 거라고 생각했습니다."

서현은 아르쥬나에서 잠깐 일하면서, 김성희가 헌터들 사이에서 말도 안 되게 높은 평가를 받고 있다는 걸 알아챘다. 그녀의 가호하에 있다는 것만으로도 저 미친개 같은 한세건조차 별말을 안 한다. 아, 물론 말로는 성질을 많이 긁긴 했지만 한세건이나 다른 뱀파이어 헌터들이 그를 대함에 있어 악담 몇 마디만 하고 만다면 그게 더 대단한 일이다.

처음에는 그녀가 자신을 가지고 놀리고 있는 게 아닌가 생각하고, 심지어는 능멸하려는 게 아닌가 하고 그녀에게 손을 올리기도 했지만 이 잠깐 사이에 완전히 그녀를 신뢰하게 되었다.

그 정도로 높은 평가를 받는 여성이라면 당연히, 단기간 안에 신용을 올릴 방도도 알고 있으리라.

서현은 그렇게 생각했다.

단기간 안에 신용을 쌓는다는 말이 얼마나 어폐가 있는 말인지는 미처 생각지도 못한 채.

第3夜

포스트 함무라비

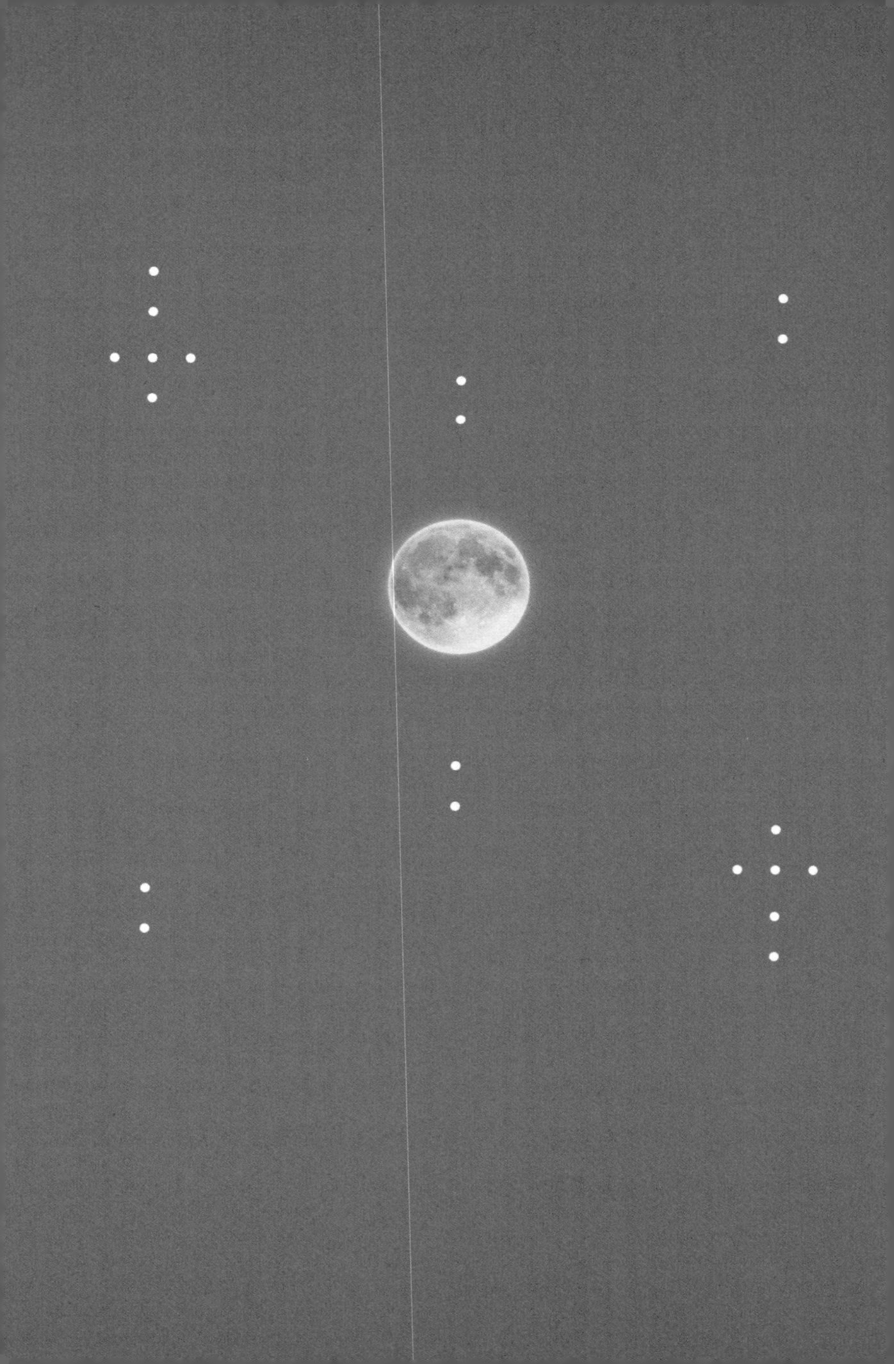

1

서울 교외, 커다란 비닐하우스 단지를 옆에 끼고 있는 널찍한 창고에서 포크리프트 한 대가 분주하게 돌아다니며 물건들을 적재하고 있었다. 창고의 입구에 도착한 한 대의 자전거에서 회색 머리칼의 청년이 내려섰다.

"음, 실례합니다. 여기가 혹시……."

"아, 어서 오게. 잠시만 기다려 주겠나? 곧 끝나니까."

포크리프트를 직접 몰고 있던 남자가 청년을 보고 손을 흔들며 환영했다.

"흠. 그럼……."

청년은 자전거를 세워두고 창고를 둘러보았다. 상당히 큰 크기다. 그리고 주위에는 꽃이나 야채류를 키우고 있는 비닐하우스 농가들이 밀집해 있다. 인구밀도는 얼마 되지 않지만 조금만 넘어가면 차들이 쌩쌩 달리는 외곽 국도가 나온다.

평범한 농업용, 혹은 근교 공업용 창고로 보인다. 대도시 인근에서 도시의 수요를 빠르게 충족시켜 주는 공간. 그렇지만 소문에 의하면 이곳은 각종 무기나 총화기, 심지어 인간이나 뱀파이어의 혈육을 거래하는 곳이라고 한다.

회색 머리칼의 청년이 주위를 둘러보고 있는 동안 포크리프트에서 내린 남자가 수건으로 손을 닦으며 다가왔다.

"어서 오게. 자네가 아르쥬나에서 보낸 그 친구겠군. 서현인가?"

"어."

"케네스 양이라고 불러주게."

남자는 청년 서현에게 그리 말하고 싱긋 웃어 보였다. 눈썹에 박은 은색 피어스가 눈에 띈다.

"이렇게 날 도와주러 와서 고맙네. 김성희 씨가 적극 추천하더군. 흠흠."

남자는 친밀한 웃음을 지으며 말한다. 붙임성 좋은 성격이라고 할 수 있겠지만 서현에게는 이런 사람이 오히려 까다롭다.

"아, 뭐. 사정이 있으니까 많이 고마워할 필요는 없어. 그러나저러나 블랙 네트워크라는 조직은 뱀파이어 놈들의 하부 조직이라던데 사실인가?"

서현은 케네스 양에게 대뜸 단도직입적으로 물어보았다. 초면의 사람에게 물어볼 내용은 아닌 것 같다. 무례하다면 무례하다 할 수 있는 그 질문에 케네스 양은 눈썹을 잠시 치켜떴다.

"아, 전혀 아니야. 청방 간부 중에 북두성군이 있을 뿐이지. 이쪽은 그녀와 계파도 다르고, 블랙 네트워크가 청방에서 시작하긴 했지만 청방이랑은 또 다른 조직이라."

진마 북두성군. 중국계 뱀파이어로 오두미교, 의화단 등 민중종교 조직이나 차이니즈 마피아 조직에 묻혀서 지내온 뱀파이어 군주 중 한 명이다. 케네스 양은 그녀가 청방에 있다는 사실을 부인하지는 않았지만 자신과 블랙 네트워크가 그녀의 영향을 받고 있다는 사실은 완강히 부인했다.

"블랙 네트워크는 청방이나 흑사회, 야쿠자, 적군파, 버마의 군부나 마약상을 가리지 않고 공평하게 서비스를 제공하는 박애주의자 집단이지. 인류애를 실현한다고 할까?"

"……."

인류애라는 용어가 그런 업무에 어울리는가? 밀수나 밀입국에? 서현은 진심으로 궁금해졌다. 하지만 그보다 더 궁금한, 반드시 물어봐야 할 게 있었다.

왜 블랙 네트워크는 그 창립자나 뱀파이어들로부터 독립적일 수 있는가?

"그런 게 가능한가? 조직을 만드는 데 돈과 인력이 많이 들었을 텐데? 훌륭한 밀수나 밀입국 루트라는 건 분명히 검은돈의 금맥이라고 할 수 있는 것 아닌가? 그렇게 공들여 개발한 금광을 만인과 나눌 이유가 없잖아?"

밀수 루트를 놓고 범죄 조직끼리 항쟁을 벌이거나, 때로는 남에게 주느니 아예 그 루트를 공권력에 신고해 버리는 일도 비일비재했다. 그런데 어째서 블랙 네트워크가 가진 유통망은 살아 있는가? 왜 뱀파이어를 상부 조직의 간부로 두고 있으면서도 그 영향력에서 자유롭다고 주장할 수 있는 것일까?

"아 그… 말 못 할 정치적인 관계가 있어서 말이지. 알다시피 동북아시아의 정세는 냉전 시절, 그리고 냉전이 끝난 직후에도 상당히 어려웠어. 누군가는 이걸 계파나 이념, 그리고 금액에 관계없이 유지해 줘야 할 필요가 있었다니까."

냉전이 끝나기 전, 이념의 대립이 극심하던 무렵 많은 사람이 자신이 태어난 고향을 떠나야 했다. 그런 시절에, 계파와 이념을 초월해서 돈만 받고 사람들을 탈출시켜 주던 게 바로 블랙 네트워크다.

"모국의 인터넷 검열에 걸리는 사건에 관여해서, 엄청나게 많은 사람이 국외로 탈출할 때 블랙 네트워크가 활약했지. 그런 관록 있는 조직이라 이거야. 어설픈 밀수꾼이나 마약상들이 우리 루트를 손댈 수 없는 게 당연하지."

"그렇단 말이지. 음, 그래서인가?"

김성희는 서현이 만약 블랙 네트워크의 한국 지부 지배인인 케네스 양을 도와줄 경우, 뱀파이어 헌터들 사이에서 높은 신뢰를 단기간에 구축할 수 있을 거라고 말해주었다.

"그래, 당신이 내게 시킬 일이 있다고 하던데? 내가 뭘 도와주면 되지?"

서현은 상자를 두들겨 보고 그 위에 걸터앉았다. 그러자 케네스 양이 어깨를 으쓱해 보였다.

"정말 날 도와줄 건가?"

"아, 그야. 당신이 이 어둠의 사회에 영향력이 꽤 있다면서? 당신을 도와서 내 신용이 올라간다면 당연히 해야지. 물론 합당한 보수도 받을 거야."

"음. 보수 말이지. 확실히 필요하긴 하겠군."

케네스 양은 서현이 타고 온 교통수단에 시선을 던졌다. 케네스 양의 창고 입구에 웬 낡은 자전거 한 대가 서 있었다. 물론 서현의 신체 능력을 감안하면 자전거는 매우 훌륭한 교통수단이 될 것이다. 튼튼하기만 하다면 교통신호에 막히는 일반적인 차량에 비해 훨씬 빠르게 도심을 주파할 수 있을 것이다. 하지만 그건 어디까지나 자전거가 그 속도를 감당할 수 있을 때였다. 저 자전거는 아무리 봐도 거의 길거리에 방치된, 버리는 자전거를 주워 온 것이었다.

"그래서 어떤 일이지? 당신이 속한 블랙 네트워크라는 건 어지간한 놈들이 아니면 손을 안 댈 것 같은데 혹시 경찰이나 군인을 죽여야 하는 일인가?"

"설마 그런 걸 요청할 리가 없지. 내 요청은 별거 아닐세. 매우 건전한 거지."

"응?"

케네스 양의 요청을 듣기 전에, 서현은 어디선가 들은 익숙한 소리를 들었다. 둔중한 모터사이클 엔진음과 함께 무언가가 창고 입구로 들어오고 있었다.

"……."

서현이 타고 온 낡은 자전거 옆에 매끈한 로드 바이크 한 대가 섰다. 녹색의 로드 바이크 위에서 내려선 이는 헬멧을 벗고 불쾌한 표정을 지어 보였다.

"농담이겠지."

바이크를 타고 온 이는 서현을 보고 불쾌감을 감추려 하지 않았다. 반쯤은 일부러 짓는 표정이겠지만 정말 보기만 해도 기분이 나쁘다.

"그러게?"

서현도 불쾌한 표정을 지어 보일 수밖에 없었다. 사상 두 번째 진마사냥꾼, 인간의 몸으로 뱀파이어 군주 진마를 살해한 최강의 뱀파이어 헌터, 한세건이 이 자리에 모습을 드러낸 것이다.

라이칸스로프인 서현과 한세건의 사이는 지금 당장 서로서로 총질을 하더라도 이상하지 않을 것이다. 하지만 한세건은 월야 전체의 파멸을 원하고 그런 입장에서는 서현과 격돌할 이유가 없었다. 서현 역시 동생 서린의 요청이 있었으니, 그와 맞서 싸울 이유가 없다.

그렇다고 사이좋게 지낼 이유는 더더욱 없다.

"대체 무슨 생각으로 한국에서 얼쩡거리는지 모르겠군, 늑대개. 네놈이 평소 하던 대로 소년병들이나 학살하면서 쓰레기 같은 삶을 살아가지그래? 왜 굳이 아르쥬나에서 집적거리고 여기에도 출몰하나?"

한세건은 서현에게 폭언을 퍼부었다. 물론 서현 역시 으르렁거리며 받아쳤다.

"뭐 내가 쓰레기 같은 삶을 살았다 치자. 그러는 당신은 참 깔끔하게 살아서 인터폴에 수배당했나 보군?"

그때, 보다 못한 케네스 양이 둘 사이에 끼어들어 세건을 환영했다.

"오. 어서 와, 세건. 그렇지 않아도 기다리고 있었네."

"뭐?"

한세건과 서현 둘 다 케네스 양의 말에 깜짝 놀랐다. 기다리고 있었다니. 그렇다면 이번 일은 정말 둘 다 필요로 한단 말인가?

"이번 일은 아무래도 한 사람에게만 맡기기는 힘들 것 같아서 말이지."

"잠깐만. 지금 그럼 나보고 저 인간이랑 함께 일하라는 건가?"

서현은 확인차 그렇게 물어보았다. 케네스 양은 고개를 끄덕였다.

"어. 그렇게 되겠지."

그럴 수가? 대체 무슨 엄청난 일을 꾸미고 있길래 서현과 한세건을 둘 다 필요로 한단 말인가? 이런 말을 하면 건방지게 들릴 수 있겠지만 서현은 자신이 굉장한 특급 용병이라고 믿어 의심치 않고 있었다. 어지간한 PMC, 사설 용병 회사 하나 고용하는 것과 비슷한 효과를 낼 수 있다.

그런 그 혼자서 부족한 일이라니? 그런 게 이리 치안도 좋은 한국에 있단 말인가? 역시 뱀파이어들 사회에 일어나고 있는 일들, 서현을 찾아왔던 암살자들에 관련된 일일까?

"농담이겠지."

한세건도 어깨를 으쓱해 보였다.

"저 개코가 유능하다는 걸 부인하진 않겠어. 그렇지만 나 혼자 처리할 수 없는 일에 저놈이 도움이 될 것 같지는 않군."

세건이 라이칸스로프에게 적개심을 품는 것과 별개로 서현의 유능함은 인정하지 않을 수 없었다. 그렇지만 세건 혼자 부족해서 저런 놈을 불렀다는 건 매우 자존심 상하고 화가 나는 일이다.

"내가 할 말이야. 대체 무슨 일인데 그래?"

"아, 그게 말이지. 하하. 내가 누군가에게 은혜를 좀 입은 일이 있는데. 그걸 너희 둘이 좀 도와줬으면 좋겠는데?"

"…은혜를 입어?"

블랙 네트워크의 간부인 케네스 양은 한국에 뱀파이어들이 들끓을 때 견디지 못하고 철수를 결정한 적이 있었다. 블랙 네트워크의 조직력이나 무력 동원력이 딸려서라기보다는 당시 한국이 뱀파이어들의 지옥이라고 해도 과언이 아닐 만큼 들끓었기 때문이다.

진마 적요와 진마 창운, 그리고 진마 진야, 세 명의 진마가 한국에서 죽었다. 그들의 유산을 노리고 많은 뱀파이어가 세계 각지에서 몰려들어 와 한국을 지옥으로 탈바꿈시켰다. 그 시절에 케네스 양은 도저히 버티지 못하고 철수했지만 그때까지 블랙 네트워크는 많은 뱀파이어 헌터를 지워내 왔다. 그런 그가 누군가에게 은혜를 입었다고 한다면 틀림없이 이 뱀파이어 헌터 사회에 상당한 영향력을 가진 인물일 것이다.

'그래서 나와 한세건을 부른 건가? 음. 확실히 도울 만한 일인가 보군. 이걸 해내면 내 신용도가 가파르게 상승하겠지.'

아르쥬나에서 아르바이트를 하며 사는 것도 그렇게 나쁘지는 않았다. 각종 진상 손님에게 시달리긴 했지만 그 반면 재미있는 손님도 많이 만날 수 있었다. 무엇보다 성실하게 일을 한다는 경험 자체가 서현에게는 생경한 일이었다. 지금까지 산전수전 공중전 다 겪어왔다고 자부하고 있었는데 정작 남들이 늘 해온 일들, 단순하지만 성실하고 남에게 자랑할 수 있을 만한 일들은 이번이 처음이었다.

그렇지만 그런 성실한 자기 자신에게 취하는 것도 나중 일이다. 테트라 아낙스에게 도전하는 의문의 뱀파이어의 손길이, 그리고 한세건의 몸에 종속된 저주가 일종의 릴리쓰와 유사한 정신생명체로 변이하고 있는 이 와중에 일상적이고 성실한 삶을 즐긴다는 것은 어불성설이다.

우선 빠르게 뱀파이어 헌터들의 신용을 얻고 그들 사이에서 발언권을 가질 필요가 있었다.

"그래서 말인데……."

서현과 한세건, 이 바닥에서 내로라하는 두 사람을 불러놓은 케네스 양은 의미심장한 표정을 지어 보였다.

2

연성은 쌀쌀한 밤바람을 맞으며 긴 한숨을 내쉬었다. 사방이 조용했다. 그가 바라보고 있는 맞은편 아파트에는 사람들이 활동하고 있다는 걸 증명하는 불빛이 밝혀져 있었지만 그들의 삶의 소리는 연성에게 너무나 아득한 저 세상의 소리처럼 들려왔다.

고개를 숙여서 아래를 바라본다. 창틀에 배가 억눌리고 핏기가 얼굴로 쏠렸다. 어지럽다. 속이 메슥거린다. 하지만 이 어지러움과 메슥거림이 오히려 기분 좋다. 보통 때라면 괴롭겠지만 이건 마치 술 취한 사람이 계속 고개를 까딱까딱 흔드는 것과 같다. 이 고통, 이 압박이 그에게 적절한 자극을 주어서 그의 의식을 유지시키고 있었다.

"높군."

연성이 혼자 중얼거렸다. 분명히 이 반경 100미터 내에는 수백 명의, 어쩌면 수천 명도 넘는 사람이 살고 있을 테지만 그는 온전히 혼자 이 어둠 속에 매달려 있었다. 아무도 그에게 관심을 보이지 않는다. 아마 이제 저 아래로, 창문턱 수십여 미터 밑에 펼쳐져 있는 콘크리트 바닥으로 투신한다 해도 누구도 못 알아보겠지.

그리 생각하자 겁이 더럭 났다. 하지만 그것도 잠시뿐이고, 계속 매달린 채로 아래를 바라보고 있다 보니 감각이 흐트러진다. 처음에는 떨어질까 봐 두렵고, 떨어졌을 때의 죽음이, 혹은 죽음에 이르는 동안 간신히 숨통이 유지된 채 몇 분이나 살아 있게 될까, 그것이 두려워 견딜 수가 없었다.

그런데 시간이 지나자 두려움이 사라졌다. 어느 순간 갑자기 저 눈앞에 보이는 콘크리트 바닥이 현실감을 잃게 되는 것이다. 생각을 많이 하면 점점 두려움이 사라지고, 계속 바라보고 있으면 높이가 가져오는 공포감이 사라져 버린다. 어느새 자신의 목숨을 던질까 말까 하는 이 상황조차 남의 이야기가 되어버린다.

연성은 이런 상황을 잘 알고 있었다.

'괴롭힘당할 때 그랬지.'

너무 괴롭힘을 많이 당하다 보면… 자신을 타자화하고 객관화하지 않으면 견딜 수가 없다. 압도적인 스트레스 상황을 견디기 위해 연성은 자신에게서 감정이입을 끊었다. 자신의 감정을 지금 자신이 처한 상황에서 분리시켰다.

무감각해지고 무감동해져야 했다. 그렇게 하지 않았다면 자신이 너무 비참해서 견딜 수 없었을 것이다.

'그렇구나. 자살자들에게 죽을 용기가 있으면 뭘 못 하냐는 건 정말 잘못된 소리야.'

연성은 그 사실을 깨닫고 실소를 머금었다. 여기서 죽음은 용기나 그런 걸 필요로 하지 않는다. 이미 연성은 압도적인 스트레스에 취해서 이래도 저래도 좋을 충동적인 상태로 변해 있었다. 술을 잔뜩 마셔서 취한 것과 별반 다를 바 없다.

이런 상황에서 죽는 걸 '용기를 내서' 죽는다고 생각하는 사람들은 얼마나 무지한가? 그들은 고통받는 사람의 심리에 전혀 관심 없는 것이다. 압도적인 스트레스하에서 고통받는 사람이 어떻게 자신을 지키기 위해 정상적인 사고 기능을 스스로 마비시켜 가는지 안다면 그들의 자살이 용기나 결단으로 내려지는 게 아니라는 걸 모를 리 없다.

'가능하다면 이런 아파트가 아니라 학교에서 죽는 게 좋았을 텐데.'

학교에서 자살한다면 그동안 연성이 아무리 아이들에게 따돌림당하고 괴롭힘당해도 모르는 체하던 교사와 학생들에게 싫어도 책임이 돌려지겠지. 설령 이게 아무 일 없었던 것처럼 무마된다 하더라도 학교 현관 앞에 연성의 피를 뿌려놓을 수만 있다면, 피와 살점을 쏟아놓고 그래서 다음 날 아침 일찍 등교하는 아이들에게 희미한 악취나마 느끼게 할 수 있다면 그것도 좋으리라.

자신의 목숨을 이렇게 악취미적으로 버리려 하는 것 자체가 이미 제정신이 아니지만 연성은 아무래도 좋았다. 사실은 그 작자들에게 자신이 당한 것 그대로, 아니, 그 이상 되갚아주고 싶은 마음이 굴뚝같았다. 마음속에서 연성은 그들을 죽이고, 죽이고 또 죽이고, 처참하게 고문해서 형태도 남기지 않게 만든 뒤 쓰레기통에 던져 넣고 있었다.

상상 속에서는 그렇게 끔찍하게 복수를 거듭하지만 그것을 실제로 하라고 한다면 자신이 없다.

그 정도로 남을 증오하고 실천하는 것도 보통 일이 아니니까.

그런데… 그때 연성의 눈에 뭔가가 아파트 단지 안으로 빠르게 밀려드는 게 보였다. 헤드라이트 하나, 오토바이인가? 그런데 엄청나게 빠르다. 아파트 입구에는 과속방지턱이 설치되어 있어서, 어지간한 차가 그 위를 저 속도로 지나면 아예 모터 서커스에서 쓰는 점프대처럼 하늘 높이 날아오를 거다.

그런데 어찌 된 일인지 저 헤드라이트는 그 과속방지턱조차 매우 수월하게 넘었다.

끼이이익!

주차된 차량들, 과속방지턱과 각종 기물들이 놓여 있어서 절대로 저렇게 빨리 주파할 수 없는 곳에서… 그것은 믿을 수 없는 속도로 들어와 연성의 집 앞에 섰다. 정확히는 연성의 집이 위치한 아파트 통로에 섰다.

"거기 가만히 있어!"

날카로운 청년의 목소리가 연성의 귓가에 울려 퍼졌다. 응? 설마 그에게 말을 걸어온 건가? 하지만 그게 가당키나 한 일인가? 현재 연성은 아파트 18층의 창문 밖으로 상반신을 내밀고 있었다. 그런데… 18층이나 되는 높이에 이렇게 선명하게 들리는 목소리라니? 무엇보다 보통 사람은 저 아래에서 여기를 그렇게 쉽게 찾을 수 없다. 어지간한 상점들은 3층만 되어도 사람의 의식에서 멀어지게 된다. 그런데 18층에 있는 까마득한 점 하나를 알아보다니?

깜짝 놀란 연성은 반사적으로 몸을 일으켜 창문에서 벗어나려 했다. 그러나 오랜 시간 상반신을 내놓아서일까? 갑자기 핑하고 머리가 돌았다. 머리로 피가 몰려서 고개를 드는 순간 현기중이 엄습해 온 것이다. 벽을 짚고 상반신을 들어 올리려 했던 팔이 미끄러지면서 외려 덜컥 하고 몸이 밑으로 떨어졌다.

'아? 안 돼! 이렇게 바보같이 죽을 수는 없어!'

자살을 할 생각으로 유서도 쓰고 몸을 내놓고 있었지만… 죽음의 순간, 그 방아쇠를 당기는 것은 자신이어야 했다. 아무리 총에 총알을 장전해 놓고 쏠 마음까지 먹었다 해도 오발로 총탄을 날리고 싶지는 않다. 하물며 그 총탄이 자신의 목숨이라면 더 말할 것도 없지.

"허우적거리지 마!"

연성이 흔들리는 모습을 본 청년이 고함을 질렀다. 고층 아파트의 창문은 일반적으로는 절대 투신할 수 없도록 만들어져 있다. 연성은 억지로 프레임을 비틀어 열고 상반신을 걸치고 있었지만 그것 역시 가만히만 있다면 절대 떨어지는 법이 없다. 하지만 배를 창틀에 대고 오래 널려 있어서일까? 연성은 고통과 당혹감에 허우적거리다 그만 앞으로 떨어져 버렸다.

'이렇게 바보같이 죽다니?!'

연성은 죽음이 다가오는 순간 한탄했다. 이제 곧 싸늘한 콘크리트 바닥이 그의 몸을 무시무시한 힘으로 으깨 버리겠지? 그렇게 된다면 어떤 의사도 그를 살릴 수 없으리라. 그저 단번에 숨통을 끊어서 고통이 길어지지 않기를 바랄 뿐이다.

연성은 눈을 감고 자신의 몸을 엄습하는 중력가속도와 차디찬 콘크리트의 감촉을 기다렸다. 하지만 아무런 일도 일어나지 않았다. 얼마의 시간이 지났을까?

연성은 조심스럽게 눈을 떴다. 주마등이라고 하기엔 너무 긴 시간인데 어째서 그는 떨어지지 않는가?

그 답은 곧 알 수 있었다.

"휴……."

또 다른 청년이 연성의 허리띠를 한 손으로 잡고 가볍게 들어 올리고 있었다. 연성은 약간 비만이라 절대 사람이 한 팔로 들 수 있는 무게가 아니다. 게다가 현재 이 청년이 서 있는 곳은 어딘가?

그는 놀랍게도 아파트 외벽의 모서리에 두 발을 펼쳐서 지탱하고 그 상태로 연성의 허리띠를 붙잡은 것이다.

"바둥거리지 마."

청년을 돌아보고, 주위 상황을 보기 위해 연성이 시선을 돌리자 청년은 짧은 어조로 말했다. 사람을 두고 말하는 게 아니라 흡사 명령어를 발하는 것 같아서 연성은 자신에게 하는 말인 줄 모르고 계속해서 각도가 나오지 않는 뒤를 보기 위해 몸을 비틀고 있었다.

방금 전 창문틀에 몸을 기댈 때와는 비교할 수도 없는 현기증을 느끼며 연성은 눈을 감았다. 의식이 자연히 연성의 몸을 떠나갔다.

한세건은 혀를 차고 있었다.

표적이라고 해야 할까. 케네스 양이 지적한 소년을 서현이 한 손으로 마치 장바구니처럼 가볍게 집어 들고 아파트를 내려오고 있었다. 아마도 투신한 것 같은데 서현이 없었다면 과연 그를 구할 수 있었을까?

회의적이다. 물론 한세건도 이미 사이키델릭 문과 뱀파이어화의 저주로 인해 막강한 신체 능력을 갖추고 있었지만 그런 신체 능력과 저 소년을 받아내는 건 별개의 일이다.

만약 이미 많이 떨어져 가속도가 붙은 상태에서 저 소년을 받아냈다면? 저 소년은 자신의 허리띠를 기준으로 두 동강 나버렸을 거다.

그렇지만 서현이 이 자리에 있어서 다행이라는 생각은 전혀 들지 않았다. 되레 그가 보여준 압도적인 능력에 위기감을 느꼈다.

'기분 나쁘군.'

서현이 가진 힘은 분명히 위험하다. 만약 그와 적이 된다면 지금 한세건이 가진 장비로 그를 상대할 수 있을까? 힘들다. 아니, 어렵다고 봐야겠지.

한세건은 과거, 서현이 이사카 베르게네프라는 이름으로 활약할 때를 떠올렸다. 그때 서현은 자신의 육신을 빼앗아 리림의 비밀을 얻고자 하는 이들, 혹은 테트라 아낙스처럼 육신 그 자체를 빼앗아 새로운 삶을 살려고 하는 뱀파이어들에게 쫓기느라 지쳐서 아예 세계의 패권을 홀로 장악하려고 준비하고 있었다.

서류상 폐기된 ICBM을 획득하고, 러시아 군부 쿠데타 정보를 미리 입수해 그 쿠데타 조직의 핵심을 장악하려 했었다. 그리고 그것은 인류에 대한 반역 행위라고 할 수 있었다. 아무리 그의 목숨이 위협받고 있다 하더라도 용납될 수 있는 일과 될 수 없는 일들이 있었고 서현이 벌인 일은 그중 후자에 해당하는 것이었다.

그런 짓을 벌인 놈을 왜 김성희가, 그리고 다른 이들이 받아들여 주었는지 의문이다.

'만약의 사태에 대비해야겠군.'

세건은 서현에게 경계심을 품었다. 그때 서현이 그의 앞으로 다가왔다.

"휴. 젠장. 내가 와서 망정이지 아니었으면 바로 죽었을 뻔했군."

서현은 투덜거리며 손에 들고 있던 연성을 내려놓았다. 갑자기 추락하면서 몸 전체의 하중을 허리띠에 걸친 탓에 기절한 이 소년은 이제 중학생쯤 되어 보이는 어린아이였다.

"케네스 양이라는 놈이 무슨 일을 하길래 이런 어린애에게 은혜를 입었다는 거지?"

"어쩌면 은인의 자식이나 친척일지도 모르지."

한세건은 그렇게 대꾸했다가 입을 다물었다. 가급적 서현과는 말을 섞지 않으려 했는데 방금 전 서현이 이 소년을 구해내는 것을 보고 긴장이 풀렸나 보다.

"아, 젠장. 바지 다 해졌네."

서현은 자리에 웅크려 앉아서 바짓단을 살펴보았다. 튼튼한 청바지의 바짓단이 다 해져 있었다. 한세건은 제로백 3초대의 무시무시한 로드 바이크를 타고 달려왔지만 서현은 무려 달려서 그를 쫓아왔다. 그 결과 옷이 다 해져 버린 것이다.

'과거의 유다보다 더 뛰어난 신체 능력이군.'

물론 한세건은 길을 따라와야 했고, 그러다 보니 차도 막히고 신호에도 걸리고 그랬던 것에 비해 서현은 프리러닝—야마카시, 파쿠르라고 불리는—을 펼치며 장애물과 지형지물을 뛰어넘었다. 단순히 직선 주파 속도에서는 역시 내연기관을 능가할 수는 없다.

"거지꼴이 되었군."

"당신이 날 태워주기만 했어도 이런 꼴은 안 당했잖아?"

서현은 분한지 한세건을 보고 으르렁거렸다. 바짓단이 다 해져서 의류 재활용 상자에 넣어도 안 가져갈 모양으로 변했다. 세건이 그에게 곱게 협력할 거라고 생각한 것은 아니지만 이런 별거 아닌 것까지 비협조적으로 나오는 건 이해가 가지 않는다. 카풀이라고 생판 남도 함께 타고 갈 수 있지 않은가?

"이 바이크는 1인승이고 난 식인귀와 탠덤을 하는 멍청한 짓은 안 해."

그것도 그렇다. 인육을 쿠키 먹듯 먹어대는 라이칸스로프에게 자신의 등을 맡기다니 그런 어리석은 짓을 하는 놈이 있을까? 하지만 식인귀 취급 당하는 서현 입장에서는 복장 터질 소리다.

사실 라이칸스로프라고 해서 모두가 다 피가 뚝뚝 떨어지는 날고기를 좋아한다고 생각하면 큰 오산이다. 인간뿐만 아니라 다른 모든 동물이… 화식을 생식보다 더 선호한다. 사자가 날고기 잘 먹는다고 구운 고기를 안 먹을 것 같은가?

'아니, 그런 문제가 아니라… 내가 왜 다른 놈도 아니라 이놈에게 이런 비난을 들어야 하지?'

일반인들이 서현을 라이칸스로프라고 비난한다면 그러려니 하겠다. 하지만 한세건은 이미 라이칸스로프나 뱀파이어와 별반 다를 바 없는, 아니, 그들보다 훨씬 더 유니크한 괴물로 변해 있다. 본인 스스로 자신이 괴물이라는 걸 잘 알고 있을 텐데 그런 건 싹 빼놓고 남만 괴물이라고 비난하다니. 라이칸스로프니 뱀파이어니 하는 것에 대해서 필요 이상으로 적개심을 품는 것도 짜증 난다. 마치 유색인종 차별하는 화이트 트래시 계층을 보는 것 같다. 자신이 인간이라는 걸 자각하기 위해서 그만큼 더 괴물들을 비난하는 것이다.

"어쨌거나 그 인간을 넘겨. 네놈 손에 맡겨두긴 그러니."

"왜? 내가 도시락처럼 들고 다니며 이놈을 먹어치울 것 같아서?"

서현이 짜증을 냈지만 한세건은 냉랭한 태도로 고개를 가로저었다.

"복강 내 출혈이 있는지 검사해 봐야지, 멍청한 놈아. 어쩌면 탈장을 일으켰을 수도 있고. 그런 데 생각이 안 미치냐?"

"……."

짜증 나는데 맞는 소리다. 일반인이 추락하는 걸 허리띠를 잡고 당긴다는 건 그의 체중을 모두 배 한 지점으로 걸어버리는 것이나 다름이 없다. 복강 내 출혈이나 탈장, 허리 추간판 탈출이 일어나도 이상하지 않다.

"뭐 당신이 의사라도 된다고 그런……."

서현은 손에 쥔 소년을 넘겨주며 빈정거렸지만 한세건은 능숙한 솜씨로 소년을 붙잡고 동공반사와 신경 반사를 체크하며 신경계와 혈관계에 문제가 있는지 파악해 보았다.

"정밀 검사를 해야겠지만 일단 허리 추간판이 이탈되거나 척추가 부러지진 않은 것 같군."

"……."

왠지 할 말이 없다.

연성이 눈을 뜨니 익숙한 천장이 그를 맞이했다. 모 온라인 게임의 게임쇼 행사장에서 준 포스터가 천장과 창문에 비스듬하게 붙어서 여름의 햇살을 막아주게 되어 있었다.

"꿈이었나?"

하긴 생각해 보면 이상한 꿈이다. 갑자기 수십 층 건물을 평지처럼 달려와 추락 직전의 사람을 구하는 자라니, 무슨 초인물 영화에서나 나올 법한 이야기다.

그런데 허리가 욱신거리고 배가 아프다. 깜짝 놀라서 일어나려고 하던 연성은 엄청난 근육통에 까무러쳤다. 몸 전체가 근육통을 호소하고 있다.

아니, 왜지?

"아, 일어났나?"

그때 침대 옆에서 처음 듣는 남자의 목소리가 들렸다. 깜짝 놀란 연성이 고개를 옆으로 돌리려 하자 목이 삐걱거린다.

목도 문제가 있나?

"아, 무리하지 않아도 된다."

"……."

연성은 그 순간 자신이 아까 전 보았던 것이 꿈이 아니라는 걸 알아챘다.

지금 그의 곁에는 회색 머리칼의 청년이 그의 책장에서 멋대로 책을 빼서 보고 있었다. 그리고 다른 청년은 분명히 암호가 걸려 있는 그의 컴퓨터를 켜고 멋대로 뭔가를 실행하고 있었다.

아니, 대체 어떻게 암호를 푼 거람? 그보다 당신들 둘은 누구지? 그런 말이 목 안을 맴돌았다. 생판 남에게 그렇게 하고 싶은 말을 당당하게, 자신 있게 할 수 있다면 연성은 지금 이 상황까지 몰리지 않았을지도 모른다.

"네가 송연성인가?"

컴퓨터 화면을 바라보고 있던 청년이 고개도 돌리지 않고 물어보았다. 싸늘한 한기가 배어 나오는 목소리다. 액체질소라도 한 통 다 쏟아부은 게 아닐까 싶을 만큼 싸늘한 목소리에 송연성은 뭐라고 대답해야 할지 말문이 막혀 버렸다.

"그, 그보다 당신들은 누구예요?"

"혹시 케이 양이라는 사람을 알고 있나?"

"아, 케이 양이요?"

연성은 깜짝 놀라서 회색 머리칼의 청년을 바라보았다. 케이 양이라면 그가 최근 온라인 게임에서 만난 여성 유저로 꽤 많은 게임 아이템을 지원해 주며 그녀가 온라인 게임에 정착할 수 있도록 도와준 적이 있었다. 온라인 꽃뱀이 아닌가 의심하기도 했었지만 그녀가 먼저 뭔가를 요구한 적이 없어서 그냥 어디까지나 호의로 이것저것 챙겨주었다. 게다가… 연성은 자살을 생각하고 있었으니 온라인 게임상에서 축재한 재산 따윈 아무런 의미가 없었다.

그런데 왜 이자들이 케이 양을 언급하지?

“다, 당신들 뭐예요? 설마 케이 양의 남자친구?”

“남자친구?”

회색 머리칼의 청년은 어깨를 으쓱해 보였다. 전혀 예상치 못했던 말을 들었다는 듯한 태도다.

서현은 난처한 표정으로 한세건을 돌아보았다.

“뭔가 착오가 있는 것 같은데?”

컴퓨터 앞에 앉아서 이 연성이라는 아이의 컴퓨터 사용 내역을 뽑고 있던 한세건은 어깨를 으쓱해 보였다.

“아니, 흔하게 있는 일이야. 케네스 양은 양씨 성을 쓰는 남자지만, 한국어에서 양이란 호칭은 미혼 여성에게 붙거든. 그 녀석 아이디가 ‘K. 양’이었나 보지.”

“아아. 패밀리 네임과 호칭의 혼동인가?”

서현은 그제야 상황을 이해하고 손뼉을 쳤다. 서현 자신도 머리 굴러가는 것에는 남들 못지않다고 자부하고 있었지만 역시 현지인들만이 가질 수 있는 감각적인 면에서, 그리고 컴퓨터 관련의 테크니컬한 면에서는 한세건을 따라가기 힘들었다.

그런데 잠깐만. 케이 양의 남자친구냐고 묻다니?

"…그럼 그 은혜라는 게 온라인 게임에서 도움받은 걸 말하는 거야? 그것도 이 애는 그 작자가 여자인 줄 오해하고 호의를 베풀었고?"

케네스 양, 블랙 네트워크의 한국 지부장이 은혜를 입었으니 갚아달라고 부탁한 게 고작 온라인 게임에서 도움받은 것인가? 그것 때문에 최고의 뱀파이어 헌터와 자신을 불러들였다고 생각하니 어이가 없다. 그러나 정작 사소한 일로도 짜증을 내고 시비를 걸던 한세건이 잠잠하다.

"그것도 이유겠지만 그것만은 아닐 거야."

한세건은 연성의 컴퓨터 안에 들어 있던 한 사진에서 시선을 떼지 못하고 있었다.

그때 침대에서 일어나지도 못하는 연성이 신음하면서 말했다.

"…다, 당신. 남의 컴퓨터를 함부로 뒤지면 안 되지!"

"여기 이 사람들은 너와 무슨 관계지?"

세건은 모니터를 가리키며 물어보았다. 하지만 침대에 누워 있던 연성에게는 보이지 않았다. 세건은 모니터를 가볍게 한 손으로 집어서 연성의 눈에 보이도록 높이 들었다.

"숙부랑… 누나야."

"그래, 넌 그의 조카군, 그럼."

서현이 보니 모니터 안에는 예쁘장한 여자 선수와 그녀의 코치로 보이는 중년 남성이 트로피를 세워놓고 자세를 잡고 있었다. 무에타이나 킥복싱으로 보이는 자세다.

"친척이 남아 있을 줄이야."

한세건은 그 사진에 다시금 못 박혀 버렸다. 서현은 그런 세건의 태도를 보고 조심스럽게 물어보았다.

"아는 사람인가?"

"네놈은 몰라도 돼."

세건은 자신의 추억에 서현이 진흙 발로 들어오는 걸 완강하게 거부했다.

"어쨌든 좋아. 나는 이 일 하겠어."

한세건은 대뜸 그렇게 결정지었다.

서현은 그런 한세건을 보고 깜짝 놀랐다.

사실 방금 전까지 한세건은 이 일을 하지 않겠다고 케네스 양에게 온갖 싫은 소리를 다 했던 것이다. 그래도 케네스 양은 사람 좋게 웃으면서 자신의 얼굴을 봐서, 일단 가서 만나보기나 하라고 억지를 부렸었다.

그런데 과연, 만나자마자 세건은 언제 짜증을 냈냐는 듯 손바닥 뒤집듯 태도를 뒤집어 버렸다.

"그 아이를 구한 건 난데?"

"그거 고맙군. 그럼 꺼져."

"…당신 진짜 정떨어지는 거 알고 있지?"

"네놈이랑 나랑 정붙여서 뭐 하게?"

"……."

한세건 이 녀석은 서현과 함께 일하는 경우를 절대 용납하지 않을 것 같고, 서현 역시 그런 한세건의 짜증 나는 태도를 참아줄 자신이 없었다.

하지만 이번 일은 아르쥬나의 마스터 김성희와 케네스 양이 부탁한 일이다.

뱀파이어 헌터들 사이에서 강한 영향력을 행사할 두 사람의 부탁을, 뱀파이어 헌터들에게 동경의 대상이 되고 있는 한세건과 함께 해낸다면 높은 평가를 얻을 수 있을 텐데 여기서 그냥 포기하고 돌아가긴 싫다. 무엇보다도 지금 서현의 꼴이 말이 아니다. 자전거는 망가졌지, 프리러닝으로 옷도 망가졌지, 돈은 없지, 집에서 거리도 꽤 떨어져 있지… 이 상황에서 그냥 돌아가기도 애매하지 않은가.

"하아. 내 성질 다 죽었군."

서현은 한숨을 내쉬고 연성의 옷장을 뒤져 입을 만한 옷을 꺼냈다. 중학생이긴 하지만 애가 비만기가 있어서 그런지 옷이 크다. 서현이 입으니 팔다리 기장도 맞는다. 서현의 근육질 팔다리는 겉보기와 달리 꽤 굵어서 소매가 터질 것 같지만 그래도 일단 팔다리를 찔러 넣자 옷이 적당하게 늘어나 몸에 맞춰졌다.

연성은 자신의 방을 자기 것처럼 뒤지고 있는 두 사람을 보며 기가 막혔지만 거동도 힘든 그로서는 어찌 저항할 방도가 없었다.

"다, 당신 왜 내 옷을 입고 있어? 아니, 그보다 당신들 대체 누구야?"

"…나는 그, 음, 케이 양의 부탁으로 너를 도우러 왔어."

"도우러 와선 왜 집을 약탈하고 컴퓨터를 뜯어보는데? 암호 걸어놨는데 대체 어떻게 뚫은 거야? 그리고 세상에 도우러 오니 뭐니 그런 놈들치고 제대로 된 놈이 없잖아!"

연성은 기겁하고 외쳤다.

"확실히, 부정할 수 없는 말이군."

서현도 부정하지 못하고 고개를 끄덕였다. 슬프게도 연성이 말하는 건 하나같이 옳다. 아무리 곧 자살하는 사람이라고 해도 그를 돕겠다며 무단으로 집에 침입하고, 옷장을 약탈하는 자를 믿어서는 안 될 것이다.

"믿기 힘든 말이긴 하겠지. 저놈은 모르지만 나는 확실히 널 도우려고 한다. 네 숙부의… 음, 후배… 아니, 제자라고 하는 게 이해하기 쉽겠군."

세건은 진중한 어조로 말했다. 그러자 연성은 고개를 가로저었다.

"아니 그, 그렇게 말해도 믿을 수가……."

말꼬리를 흐리는 걸 보니 세건의 말에는 납득을 한 모양이다. 그의 숙부 송덕연은 군대 제대 후 킥복싱 체육관을 열고 선수를 배출했었다. 사회체육 지도자였으니 당연히 그의 제자라 할 사람들도 사회 곳곳에 있을 법하다.

"그래서. 왜 자살하려고 했지?"

"……."

한세건의 싸늘한 어조에 연성은 말문이 막혔다. 그가 도우려

한다는 건 알겠지만 이렇게 냉랭한 말투로 말을 걸어오는 사람에게 자신의 고통을 토로할 수 있는 사람은 없을 것이다.

차라리 길거리의 켄터키 할아버지를 끌어안고 하소연을 하고 말지…….

연성의 아버지는 송덕중 원사라고 불리며 군인과 군무원, 군 관련 업체가 많이 밀집되어 있는 U시에서 존중받고 있던 인물이었다. 하지만 문제가 발생했다.

군납 비리에 대해서 정보를 제공한 게 화근이었다. 당시 야당의 국회의원은 국정감사에서 이슈를 일으키기 위해 연성의 아버지가 제공한 자료를 제시하면서 정보원을 전혀 감추지 않았다. 결국 정체가 노출된 송덕중 원사는 군복을 벗을 수밖에 없었고 그들 가족은 불가촉천민이 되어버렸다.

그리되자 당장 이 지역 유지의 아들들이 연성을 지분거리기 시작했다.

고위 군인의 아들들, 지역 유지들의 아이들이 리더로 있는 아이들 간의 그룹에서 연성을 배신자의 자식으로 규정했다. 특히 이들 그룹을 이끌고 있는 네 명의 아이는 정말 집요하고 창의적이었다.

그들은 연성을 장난감으로 삼았다. 하지만 절대 심각하게 대하진 않았다. 이런 식이었다.

찬주는 곧 장성 진입을 앞에 둔 박규진 대령의 아들이었다. 군인 가족이나 군 관련 가족이 많은 이 지역에서 대령 아들은 그다지 눈에 띄지 않을지도 모르지만 박규진 대령은 육군사관학교 출신이며 정계에도 라인이 있는 인물, 향후 반드시 군의 중추에 오를 인물이었다. 게다가 찬주는 훤칠하고 남자답게 생겨서 남자나 여자들 사이에서 인기가 있었다. 그런 찬주는 항상 연성에게 다가와 어깨동무를 하며 웃는 낯으로 말했다.

"야, 배신자 아들. 밥 먹었냐? 학교 숙제는 했고?"

마치 친구들끼리 지분거리는 정도로 대한다. 물론 이 정도로 끝나면 연성이 자살을 생각하진 않았을 것이다. 박찬주는 언제나 창의적인 방식으로 연성을 괴롭혀 왔다.

"오늘 내가 밀가루랑 계란을 가져왔는데 네게 튀김옷을 입혀주고 싶어. 너희 아버지 잘려서 새 옷 사 입기도 힘들지? 아, 친구 좋다는 게 뭐냐? 우리가 너에게 졸라 멋진 새 옷을 선물해 준다니까."

그렇게 말한 찬주는 패거리와 함께 낄낄 웃으며 연성을 붙잡고 옷을 벗겼다.

연성은 저항하려 했지만 순식간에 옷이 찢기고 알몸이 되어버렸다.

그들은 청테이프로 연성을 여중 앞 전봇대에 묶어버리고 전신에 밀가루와 계란을 발라서 정말 끔찍한 모습으로 만들었다. 특히 중요한 부위에 아주 골고루 튀김옷을 만들어 입히고 사진까지 찍으며 낄낄대었다.

연성은 풀어달라고 애원했지만 비웃기만 할 뿐 아무도 연성의 말을 듣지 않았다. 특히 그를 묶은 찬주는 정말 진심으로 신나서 이렇게 말하는 것이었다.

"자, 발기해 봐. 오줌을 싸보라고. 그래도 튀김옷이 벗겨지나 안 벗겨지나 봐야겠어. 아니, 이럴 게 아니지. 야, 설사약 있냐?"

"아, 찬주 이 새끼 이거 아주 창의적인 새끼라니까. 기다려 봐. 설사약 사 올게."

"하제라고 되어 있을 거야."

그들은 연성을 여중 앞에 묶어두고 약국에서 설사약을 사 와서 강제로 연성에게 먹였다. 그동안 몇몇 행인이 지나갔지만 아무도 연성을 구해주지 않았다. 울고불고 애원해도 그들은 킬킬 웃으면서 연성에게 폭력을 휘둘렀다.

"자, 입 벌려. 어서 먹으라고. 어허. 너 진짜 이럴래? 나 상처받는다. 너 먹으라고 포카리스웨트에 타 왔단 말이야. 나를 빵셔틀로 쓸 기회가 흔한 줄 알아?"

"빵도 사 왔어. 뭐 먹은 게 있어야 호쾌하게 나올 것 같아서."

"오올, 센스 있는데? 자자. 배고프지, 연성아? 찌찌 먹자."

"카카칵. 아놔, 웃겨. 미쳐 돌아가시겠네."

그들은 강제로 연성에게 음식과 설사약을 먹이고 낄낄거리며 떠나갔다.

연성의 손이 떨리고 있었다. 애써서 그때의 일을 잊어버리려 했는데 다시 떠올리니 견딜 수가 없었다.

닭똥 같은 눈물이 뚝뚝 떨어진다.

"어… 음."

서현은 그런 연성의 울음을 보고 한숨을 쉬었다.

"중학생이지?"

"응……. 전부 다 한통속이야. 이 근처는 다들 군납 회사나 군인, 군무원들 가족이 많으니까. 학교에 가면 쓰레기 배신자 놈이 왔냐면서 내 자리에 쓰레기가 가득하고 녀석들이 날 두들겨 패고 혁대로 목을 조르면서 자살하라고 종용하고 있어. 그런데 그런 일이 있었는데도 경찰이나 그런 사람들은 이걸 애들 장난으로 치부하는 거야! 어린애들의 장난이라고……. 그날 경찰들이 날 구했는데 그 자식들이 뭐라고 했는 줄 알아? 생일빵이래. 그러니까 경찰들도 웃더라고."

차라리 켄터키 할아버지를 붙잡고 하소연하겠다고 했지만 일단 말문을 열자 술술 나온다. 그동안 얼마나 억울하고 괴로웠는지, 누군가 자신의 이야기를 들어주기만을 바라고 있었던 것도 있다. 실제로 온라인 게임에서 만난 사람에게도 허물없이 자기 사정을 이야기했을 정도니까. 이들처럼 집까지 쳐들어온 작자라면 말하지 않을 이유가 없다.

"그 녀석들에게 당하지 않기 위해서 용돈을 모아서 직접 권투 도장도 끊었어. 하지만 그놈들이 권투 도장에 찾아와서 스파링을 하자고 하더니만… 난 진짜 아무 손도 못 썼어. 뭘 해도 안 되더라고. 할 만큼 노력해도 도무지 안 돼! 그런데 대체 나보고 어쩌란 말이야?"

연성이 울먹이며 외치자 서현이 어깨를 으쓱해 보였다.

"너보고 어쩌라긴. 우리가 어째줄 거다. 그렇지?"

"왜 우리야?"

한세건은 짜증 나는 듯 서현을 흘겨보았다. 하지만 이야기를 들어보니 확실히 이건 애들끼리의 장난이 아니다. 애들끼리의 장난이라고 해도 연성이 송덕연의 조카인 이상 그를 편들어줄 마음이 가득한데 이건 뭐 애들의 형상을 한 악귀가 아닐까 의심될 정도다.

"당신들이 대체 뭘 해줄 수 있는데? 인터넷에 글 올리고 도움이라도 받게?"

서현과 세건이 도와주겠다고 했지만 연성은 자조적이었다. 비록 중학생이지만 연성은 자신 같은 상황에 처한 사람이 남의 도움으로 구제받는 꼴을 못 봤다. 참고 살거나 못 참고 죽거나, 이미 양자택일할 수밖에 없는 상황이라는 걸 잘 알고 있었다.

"설마."

하지만 한세건이 코웃음 쳤다.

"넌 우리가 누군지 모르지?"

서현은 연성의 말을 듣고 고개를 저었다. 다른 이들이라면 인터넷에 글 올리고 도움이라도 받겠지만 한세건과 서현은 그런 정상적인 사람이 아니다.

"대한민국은 어린애들이 저질렀다고 하면 뭐든지 다 용서해주는 것 같지만 사실 그것도 어디까지나 주도적인 세력일 때지. 왜냐면 그들은 말하자면 권위주의자야. 높으신 분들이라는 관점에서 어린애들끼리 투닥거리면 자기가 피해자도 아니면서 으쓱으쓱, 관대하게 자기가 뭐라도 된 것처럼 용서를 베풀지. 그래서 학대하는 아이들은 쉽게 용서받아."

한세건이 말을 꺼내자 그걸 듣고 있던 연성이 깜짝 놀랐다. 이 사람은 지금 무슨 소릴 하고 있는 거지? 확실히 보통 사람들이랑은 좀 감성이 다른 것 같다.

"반면 너처럼 괴롭힘당하던 애가 스트레스를 이기지 못하고 확 눈이 뒤집혀서 칼로 그 녀석들을 찌르기라도 하면 어떻게 될까? 물론 소년원행이지. 이것만 해도 사실 성인 범죄자보다는 선처받는 거지만 정말 그런가? 창창한 인생에 범죄자 낙인이 찍히는데?"

"내… 내 말이."

연성은 한세건을 바라보고 고개를 끄덕였다.

그렇다. 애초에 피해자인 그가 법에 의해서 구제를 기대할 수 없는데 법 외적인 수단에 의존한다면 어떻게 될까?

그럼 법과 사회의 린치가 시작될 것이다. 중학생의 린치도 견딜 수 없이 괴로웠는데 법과 사회, 대한민국 전체가 그를 린치할 것이 아닌가?

"이런 상황에 처하면 약자는 초법적인 수단으로 자신을 구제할 수밖에 없는데 권위주의자 입장에서 보면 그건 법과 사회에 대한 도전이거든. 사회의 강자들이 룰에 직접 도전하지 않고 슬쩍슬쩍 피하면서 요령껏 남을 학대하는 건 관대하게 용서해 줄 수 있지만, 사회의 약자인데 자신들의 권위에 정면 도전하는 놈은 용서할 수 없는 거야. 아주 쓰레기 같은 놈들이지."

한세건은 그리 말하고 주먹을 꽉 쥐었다. 굉장히 반사회적인 발상이지만 지금 이 자리에는 반사회적인 인물들밖에 없다. 서현도 고개를 끄덕였다.

“자, 그럼 우선 그놈들 가족을 죽이자. 녀석들 가족 명단 좀 뽑아줄래?”

“네?!”

연성은 서현의 말을 듣고 퍼뜩 놀라서 정신을 차렸다. 놈들을 죽이자고 하면 굉장히 반사회적인 발언이지만 심정적으로는 이해가 간다. 하지만 가족을 죽이자니?

“가족을 죽이자니?”

연성은 당황해서 세건을 돌아보았지만 세건도 별다른 반응 없이 고개를 갸우뚱할 뿐이었다.

“아, 역시 단번에 죽이는 건 좀 그렇지? 고통이 그리 길게 가지 않으니까. 하지만 나도 여기에 시간을 많이 할애하긴 힘든데.”

서현이 손뼉을 치자 한세건이 한숨을 내쉬었다.

“그냥 내가 알아서 할 테니 그놈들 신상 정보를 좀 뽑아줄래?”

어째 농담 같지 않다.

“잠깐. 놈들 가족은 왜? 무고하잖아?”

“…….”

“무고?”

서현과 한세건이 동시에 서로를 바라보더니 한숨을 내쉬었다.

“방금 전에 자살하려고 한 애가 어째서 이렇게 무른 거지?”

"착한 거야."

한세건이 연성을 옹호해 주자 서현이 키득키득 웃으며 한세건을 바라보았다.

"뭔가 사연이 있나 봐? 엄청 챙겨주는데?"

"그런 너는 왜? 뭐 얻어먹을 거 있냐?"

한세건이 이죽거리자 서현은 실제로 일어나서 멋대로 거실의 냉장고를 열었다. 연성이 미처 말리기도 전에 그는 콜라를 꺼내 마개를 땄다. 뭐 얻어먹을 거 있냐니까 실제로 냉장고를 털어버리다니, 노리고 한 건가?

"나야 불타오르는 정의감 때문이지."

"너 같은 놈이 정의감? 개가 웃겠다."

"난 그 관용구가 도무지 이해가 안 가는데? 개가 얼마나 자주 웃는데."

서현은 그리 대답하며 연성을 바라보았다. 연성은 멍한 표정으로 이 둘을 바라보았다. 두 사람의 대화를 들어보면 뭔가 정상인의 센스에서 많이 벗어나 있었다. 자살까지 내몰렸던 연성도 이미 정상인은 아니라 할 수 있겠지만 이들 둘은 진짜 이상하다.

"내가 말하면 죽일 수는 있는 거야? 사람 목숨을 그렇게 쉽게……."

"뭐, 재밌는 걸 보여주지."

그 순간 서현이 주방을 향해 손을 벌렸다. 주방 찬장에 걸려 있던 프라이팬이 허공을 격하고 날아와 서현의 손에 쥐어졌다.

"어?!"

연성은 자신의 눈앞에서 벌어진 일에 깜짝 놀랐다. 뭐지? 특수 효과? 하지만 여긴 영화 세트장이 아니라 그의 집이다. 그의 집 안에서 프라이팬이 마치 줄이라도 매단 것처럼 저자의 손에 빨려들었다. 아니, 줄을 매달아서 당긴다고 땅에 끌리지도 않고 저렇게 날아올 수 있는 걸까?

"그렇게 안 비싼 거지? 음, 좀 그을렸네. 코팅도 벗겨졌고. 이 기회에 새로 사라."

서현은 그리 말하고 프라이팬을 잡더니 좌우로 잡아당겼다. 찌지직 하고 프라이팬이 찢어진다. 스트롱맨들이 프라이팬을 구겨 버리는 건 연성도 영상으로 본 일이 있지만 그때 스트롱맨들은 어디까지나 레버리지를 최대한 활용하기 위해 무릎을 지지대로 놓고 그 위에 올린 채 위에서 아래로 찍어 누르며 프라이팬을 말아갔다.

저렇게 무슨 종잇장 찢듯 찢어버리는 건 이해가 안 간다. 어떻게 이런 게 가능하지? 만약 무슨 마술사 공연이라면 저건 프라이팬 같아 보이는 소품이라고 생각할 수도 있겠지만 여긴 연성의 집이고 저 프라이팬은 그가 아침까지 그냥 쓰던 도구다. 아무런 하자 없는 튼튼한 프라이팬이 좌우로 당기니 A4 복사지처럼 쫙 찢어진다는 건 이해하기 힘든 장면이다.

"우린… 음, 초능력자들이거든."

한세건이 궁색하나마 이 이상 할 필요도 없는 설명을 들고 왔다. 그러자 서현도 고개를 끄덕였다.

"말하자면 수저 구부리기라고 할 수 있지. 짜잔."

찢어진 프라이팬을 들어 보인 서현이 입으로 직접 효과음을 냈다. 연성은 그 모습을 보고 깜짝 놀랐다. 초능력자? 제정신으로 하는 소리인가?

하지만 방금 저들이 보여준 것은 그 외에 달리 설명할 방법이 없다. 마술은 어디까지나 준비된 무대, 준비된 소품으로 할 수 있는 일이지만 여긴 그의 집이고 저 프라이팬은 그의 도구였다.

방금 전까지는 이들이 자신에게 공감해 주어서 고마웠지만, 갑자기 겁이 더럭 났다. 정말 그래서 그들을 죽여 버리면 어쩌지?

"아니, 무엇보다 가족을 왜?"

"하아. 여기 또 그 빌어먹을 함무라비 놈의 폐해가……."

서현이 질린다는 듯 고개를 절레절레 저었다.

"빌어먹을 함무라비? 그 눈에는 눈 이에는 이?"

함무라비라면 굉장히 잔혹한 원시 법률을 이야기할 때 주로 나오는 이름이 아닌가? 그런데 그게 왜?

"원래 함무라비 이전에 인류는 말이야, 누가 내 애를 다치게 하면 일족들 다 끌고 가서 상대 일족을 도륙하고 시체를 쌓아두고 생존자는 노예로 붙잡고 가축은 끌고 오면서 시체의 산에서 지그춤(Jig:아일랜드의 경쾌한 민속 댄스)을 추고 돌아왔다고. 그게 바로 인지상정이야."

서현이 설명을 시작했다. 연성은 정말 듣는 것만으로도 정신이 쪼개지는 것 같은 기분이 들었다.

"……"

고대 인류가 그렇게 살았다는 건 구약성경만 봐도 알 수 있는 내용이긴 하다. 그렇지만 그걸 미개함이라고 부르는 건 들어봤어도 '인지상정'이라니?

"그걸 엿 같은 함무라비 대왕이라는 작자가 이렇게 생각한 거야. '아, 세금 왕창 걷고 싶은데 저렇게 애들끼리 서로서로 죽이면 곤란한데?' 그래서 눈에는 눈만, 이에는 이만 치라고 세운 게 현대 국가의 기본법이지. 말하자면 정의 실현에는 관심 없고 그냥 지저분한 인류나 펑펑 싸지르고 싶다는 소리지. 사람이 많아야 아방궁이든 피라미드든 지을 거 아냐? 위정자들 입장에선 머릿수가 최고지. 개개인의 품성 따윈 알 게 뭐람?"

"……"

연성은 그런 서현의 말을 듣고 기가 막혔다. 그야 당연히 자신을 괴롭힌 놈들을 죽여도 시원찮다. 그 녀석들의 가족들에게 분노하고 원망하는 마음도 있다. 하지만 그렇다고 죽여 버리자는 건 좀…….

'그런데 방금 그 프라이팬은…….'

무슨 트릭을 썼을까? 그렇다면 다행이지만 만약 저게 트릭이 아니라 진짜 초능력이라면?

저자가 초능력자라면 진짜 연성이 명단만 작성해 주면 그 명단의 사람들을 다 죽여 버릴지도 모른다.

그리 생각하니 겁이 더럭 났다. 물론 초능력으로 사람을 죽인다면 현대 수사 기법과 법의학으로 범인을 특정 지을 수 없을 테니 살인을 저지르더라도 벌받지 않을 것이다. 그래도 겁이 난다. 연성이 처벌받을까 두렵다는 감정 정도가 아니다. 사람의 생명은 무겁다는 가치관을 평생의 신조로 삼아왔다. 그런데 그게 갑자기 붕괴하는 것이다. 자신이 알던 세계관이 통째로 갈아엎어지고 거기에 피 칠갑을 한다는 게 두렵지 않으면 그게 더 이상하리라.

"네놈이 그딴 소리를 하다니 얼마나 뻔뻔한지 보는 내가 역겹군."

한세건은 서현의 과거를 알고 있기에 그의 뻔뻔함을 비난했다. 하지만 서현은 코웃음 쳤다.

"함무라비도 역겨운데 함무라비보다 훨씬 더 말랑말랑한 현대 법은 더더욱 역겨워. 정말 정의를 실현할 생각 따윈 요만큼도 없다고. 자기네 권위나 체제 유지에만 혈안이 되어 있지. 생각해 봐. 네가 괴롭힘당해서 너 자신을 지키기 위해 반격했더니 그게 불법이래, 공정하다고 생각되냐?"

그건 그렇지만 여기서 동의했다가는 줄초상 나는 걸 볼 것 같아서 두렵다. 그때 한세건이 그들 사이에서 한 가지 결론을 내렸다.

"일단 선택은 송연성 네게 있다. 네가 하고 싶은 걸 말해. 그럼 지원해 주지. '우리' 가."

한세건은 그리 말하고 서현을 흘겨보았다. 라이칸스로프인 서현과 한세건이 공동으로 작업한다는 건 한세건이 서현을 뱀파이어 헌터의 일원으로 인정한다는 인상을 줄 수 있었다. 아마도 그걸 노리고 김성희나 케네스 양이 그들을 여기로 보낸 것이리라. 물론 한세건은 서현을 인정할 생각 따위 없었지만…….

이번 일에 한해서는 이 이상 가는 조력자도 없을 것이다.

"미리 말하지만 놈들이 진심으로 참회하게 해달라는 소리만은 들어줄 수 없어. 진심으로 후회하게는 해줄 수 있는데……."

서현은 여전히 죽이지 않고 해결 봐야 한다는 사실에 불만을 표시했다.

연성은 그런 서현의 으르렁거림을 들으며 한숨을 내쉬었다. 이들이 그를 도와주려 하는 건 고맙지만… 솔직히 이들이 와서 방금 전까지 자살을 생각할 정도로 내몰리던 마음이 환기되었지만 그것과는 별개로 까탈스럽다. 마치 조금만 잘못 건드리면 폭발해 버리는 니트로글리세린 같다. 취급에 주의해야지… 잘못했다간 돌이킬 수 없는 일이 벌어질 것 같다.

"그런데 늦은 시간인데 부모님이 안 계시군. 가족들은?"

"타향에 돈 벌러 가신다고 가셨어. 뭐, 사실상 도주지. 다행히 연금은 나오고 있으니까 생활에는 지장이 없는데."

과부 삼 년에 은이 서 말, 홀아비 삼 년에 이가 서 말이라는 속담이 있듯 혼자 사는 남자의 집안 꼴이란 보통 이루 말할 수 없이 망가지게 마련이다. 물론 일반화할 수 없는 이야기긴 하지만 중학생 남자애가 혼자 사는 집안 꼴은 확실히 말이 아니었다. 홀아비는 하다못해 살림 경험이 약간이나마 있게 마련인데 중학생 아이는 그런 것도 없으니…….

"힘들겠군."

한세건이 중얼거렸다.

"그래서 본격적으로 뭘 원하는데? 당사자들만 깔끔하게 죽여? 아니면 고문할까? 신장하고 각막을 떼는 건 어때? 어린애들이라 돈이 꽤 될 텐데."

서현이 연성을 재촉했다. 그러자 연성은 고개를 도리도리 저었다.

"내가 그놈들에게 절대 무시당할 수 없을 정도의 실력을 갖췄으면 좋겠어."

"뭐? 격투전에서 이길 수 있게?"

"응. 액션 영화 주인공처럼 녀석들을 다 때려눕힐 수 있다면 그 결과로 경찰에게 잡혀가든 말든 좋아. 앞으로도 어깨 펴고 살 수 있을 것 같아."

"으음……. 주먹다짐에서 이기면 멘탈이 회복된다 이건가? 하아, 마초들이란 하여튼."

서현이 난색을 표했다. 보고 있던 한세건 입장에선 어이가 없다. 살인을 종용하던 녀석이 이런 소리를 하다니 정말 짜증이 난다.

"아니, 난 이게 옳다고 봐. 내가 말한 대로 애들끼리 주먹다짐하는 건 법과 사회에 대한 정면 도전으로 치지 않는 경향이 강하거든. 무엇보다 연성이 앞으로 살아가는 데 있어서 자신감을 회복할 수 있을 거야. 남이 어느 날 갑자기 나타나서 관련자들을 싸그리 죽여주는 것보다는 스스로의 힘으로 해결할 수 있는 게 좋지. 고기를 잡아주는 것보다 고기 잡는 방법을 가르쳐 주는 게 삶의 지혜 아니겠나?"

무엇보다도 연성은 한세건에게 있어서 무시할 수 있는 남이 아니다. 비록 연성이야 전혀 관계없겠지만 연성의 삼촌인 송덕연이 한세건을 뱀파이어 헌터로 훈련시켜 주었다. 한세건은 이미 끔찍한 월야의 세계를 걸으며 황폐해질 대로 황폐해진 상태지만, 그렇기 때문에 더더욱 송덕연의 조카인 연성을 돌봐줄 수밖에 없다. 적어도 그가 자살하지 않을 정도는 해줘야겠다.

"하긴 남이 고기를 잡아줘 봐야 자괴감만 더 커질 뿐이지. 좋아, 그럼 훈련을 해볼까?"

서현이 그리 말하자 한세건은 코웃음 쳤다. 라이칸스로프라서 선천적으로 강력한 힘을 가진 놈이 중학생에게 가르쳐 줄 게 뭐가 있다고? 그 옛날 교육 방송에서 그림을 그리면서 '참 쉽죠?' 하는 '밥 아저씨(밥 로스)' 처럼 프라이팬을 맨손으로 백지장처럼 찢으며, '상대가 까불면 잡고 당겨주세요. 그럼 팔이 쭉 찢어져요. 참 쉽죠?' 이러게?

그나마 총화기를 다루는 법이라면 가르쳐 줄 게 있겠지만 중학생 싸움에 그런 도구를 쥐여줄 수는 없다.

"자, 저 자식 말은 깨끗하게 무시하고, 음… 개 짖는 소리라고 생각하렴."

"늑대거든?"

"늑대가 발정 나서 낑낑거리는 소리라고 생각해라."

"……."

"한동안 학교 쉴 수 있냐?"

"어……."

쉰다기보다는 그 꼴을 당하고 제대로 학교를 다닐 수 있을 리 만무하다. 연성이 고개를 끄덕이자 한세건은 어깨를 으쓱해 보였다.

"그럼 나와 함께 갈 곳이 있어."

3

상권이 완전히 망해 버려서 거의 폐옥으로 변해 버린 상가 앞에 묵직한 오토바이가 멈춰 섰다. 한세건은 오토바이에서 내리고 자신의 뒤에 매달려 오느라 파김치가 된 연성을 바라보았다. 연성은 오토바이에서 내려서자마자 웩 하고 토하더니 바닥에 엎어졌다.

"으으윽……. 뭐예요, 그건?"

연성은 왜 한세건이 과속방지턱에서도 속도를 줄이지 않을 수 있었는지 그제야 이해할 수 있었다. 한세건은 과속방지턱이 보이면 살짝 점프해서 아예 속도를 거의 줄이지 않은 채 넘었다. 별다른 점프대가 없는데도 서스펜션의 반동만으로 과속방지턱을 살짝 타 넘는 건 오프로드용 바이크면 모를까, 온로드 바이크로 하기엔 거의 불가능한 일이다. 그렇지만 한세건은 어렵지 않게 그런 짓을 해냈다. 그것도 뒤에 연성을 태우고!

하지만 그보다 연성을 더 힘들게 한 것은 코너링이다. 일반적인 차량에서 코너링은 그냥 몸이 좀 쏠리고 마는 느낌인데 한세건은 어찌나 빠르게 달리는지 관성이 극심해서 피가 아주 쏠린다. 몸 안에서 핏기가 싹 빠지는 느낌을 몇 차례나 겪으니 없던 멀미가 생기고 빈혈기가 몰려왔다.

"자, 그 늑대 새끼 찾아오기 전에 빨리 시작해 볼까?"

"네? 벌써 시작한다고요?"

"뭐, 시간 길게 끌어봐야 좋을 거 없잖아? 지금 너는 마음이 병들어 있고 치료가 필요하지?"

"……."

'마음이 병들어 있으니 치료가 필요해요~' 라는 말에 무작정 동의하기란 쉽지 않은 일이다. 그런 연성의 마음을 알기 때문일까? 한세건이 피식 웃었다.

"복수는 언제나 최고의 처방전이지."

한세건은 그리 말하고 상가 건물로 걸어 들어갔다. 망해 버린 백반집과 대폿집의 을씨년스러운 유리창들 사이에 2층으로 올라가는 현관이 있는데 디지털 도어록으로 막혀 있었다. 한세건은 그 디지털 도어록을 열고 위층으로 걸어 올라갔다. 겉의 을씨년스러운 모습과 달리 안은 깔끔하게 청소가 되어 있었다.

"흠. 용역 회사를 써서 청소를 시켜놨는데… 너무 대충 했군."

한세건은 그렇게 평가하면서 전원 박스를 찾아 스위치를 넣었다. 그러자 낡은 형광등들이 고주파음을 내며 일제히 켜졌다. 2층에는 방금 물 뿌려서 청소한 것 같은, 아직도 물기에 젖어 있는 체육관이 하나 있었다. '무에타이, 킥복싱, 생활 호신술,

다이어트' 라고 간판이 붙어 있는 그 체육관은 오랫동안 안 쓰인 것 같았다. 그래도 각종 기자재는 쓸 만한 상태를 유지하고 있었다. 한세건은 샌드백을 만져보면서 쓴웃음을 지었다.

"여기는……."

"네 삼촌의 체육관이지."

"그, 그래요? 정말 그래서 절 도와주려고 하는 거군요?"

"뭐, 그것도 네가 하는 거 봐서지. 자, 권투 도장을 다녔다고 했었지? 어느 정도 했냐?"

"서, 석 달 정도요."

"석 달이라. 별로 많이 기대할 수는 없겠군. 우선 좀 해볼까. 글러브 끼고 와봐."

한세건은 그리 말하고 미트를 집어 들었다. 연성은 한세건이 시키는 대로 글러브를 끼고 와서 섰다.

"자, 쳐봐."

"아, 네."

연성은 아무 생각 없이 주먹을 날려 한세건이 들고 있는 미트를 쳤다. 그러자 한세건의 표정이 구겨졌다.

"네?"

"아, 아니. 아냐. 야, 미트는 크로스로 쳐야지. 왼손으로 내 왼손, 네 쪽에서는 오른쪽을 치고, 오른손으로는 왼쪽을 쳐야 해. 혹시 미트 처음 쳐보냐?"

"아… 네."

"…그럼 석 달 동안 뭐 한 거야?"

"원투 자세를 잡았어요."

"……."

한세건의 표정이 구겨졌다.

"하아. 뭐, 어쩔 수 없지."

"안 좋은 건가요? 권투는 원래 그렇게 자세가 중요하다고."

"골프도 아니고 그럴 리가 있냐. 무엇보다 너 자신도 뭐가 좋은 자세인지 감도 못 잡고 있는데 혼자 허공에서 최적의 폼을 찾겠다고 시간 들여봐야 삽질이지. 말하자면 바둑을 둘 줄도 모르면서 우선 바둑돌을 멋지게 착점하는 법부터 배우는 거랑 같아. 배드민턴 쳐봤지?"

"네."

"배드민턴 칠 때 라켓 그립이랑 스윙 폼부터 잡겠다고 줄창 거울 보고 삽질시키지 않는 거랑 같아. 일단 전체적인 플레이 감각을 알아야 내가 이 자세가 이게 잘못되었구나, 향후 이런 플레이로 유도하기 위해서 이걸 고쳐야겠구나. 이렇게 문제를 인식하지. 아무것도 모르는데 막연히 허공에 자세 잡아봐야……."

"……."

"뭐, 괜찮아. 원래 맞으면서 배우면 빨리 느는 법이니까."

한세건이 해맑게 웃으면서 그렇게 말했다. 응? 뭐라고? 맞으면서 배워? 연성이 기겁했지만 이미 늦었다.

"헉… 헉……. 대체… 이 인간 성질머리는 진짜……."

서현은 이번에도 한세건에게 버림받았다. 물론 버림받았다는 표현은 어울리지 않을지도 모른다. 한세건은 뱀파이어들을 극도로 혐오하지만 그렇다고 라이칸스로프를 인정한다는 것도 아니다. 사실 그는 이 세계의 모두를 다 싫어한다. 다만 현재 월야의 세계를 유지하는 기득권층이 뱀파이어이니 뱀파이어가 척살 1순위일 뿐. 라이칸스로프도, 심지어 헌터도 별로 좋아하지 않는다.

"역시 개과라 그런지 용하게도 찾아왔군. 냄새 추적인가? 경찰견 자리로 취직할 수도 있겠군."

냄새로 찾은 것처럼 말한다. 사실 서현은 한세건이 이 건물 청소를 용역에 맡길 때 이미 대충 정보를 파악했고 자세한 지역만 냄새로 추적해 온 것인데 저렇게 말하니까 무슨 군견이나 경찰견 취급 당하는 기분이다.

"거 말버릇하고는……. 휴… 내가 힘든 것도 간만이네."

땀을 뻘뻘 흘리며 찾아온 서현을 보고 한세건은 내심 감탄했다. 보통은 찾아올 수 없을 텐데 이 녀석은 어떻게 찾아온 걸까? 이번엔 옷이 너덜너덜하지 않는 걸 보면 달려서 온 것도 아닌 것 같은데?

"헉……. 거리마다 고물 자전거들이 버려져 있더라. 그걸 수리하고 타고 오다 부서지면 새로 조달하고, 새로 조달하는 식으로 왔어."

"시외버스라는 문명의 이기가 있단다. 야만스러운 것."

"……."

서현은 대답 대신 돈이 없다는 제스처를 취해 보였다. 농담이 아니라 정말 버스비마저 없었다.

"흠. 뭐 아르쥬나의 마스터는 원래 좀 해괴한 구석이 없잖아 있지."

한세건은 그리 말하며 체육관 용구를 정리했다. 체육관 링에는 연성이 정신을 잃고 잠들어 있어서 그가 직접 용구를 정리해야 했다.

서현도 주위를 둘러보았다. 낡은 체육관이다. 킥복싱이나 무에타이 같은데……. 샌드백이 눈앞에 들어오니 왠지 쳐보고 싶다는 생각이 고개를 들었지만…….

"미리 말하지만 여기 기물 하나라도 부수면 네놈을 살려두지 않을 거다."

"하……."

감히 날 협박해? 서현은 자신을 협박하는 한세건을 보고 기가 막혔다. 한세건이 뱀파이어 헌터들 사이에서 먹어주는지 모르지만 그는 지금까지 누군가에게 협박을 듣고 살진 않았다. 하지만 한세건과 감정적으로 충돌한다면 그 결과가 어찌 되든 서현의 삶은 끝이다.

무서워서가 아니라 더러워서 참는다.

"당신들 모두 다 한통속이 되어서 날 괴롭히는 걸 즐기는 것 같아."

"자의식과잉이야. 남들이 라이칸스로프의 왕자라고 부르니까 정말 왕자병이라도 걸렸나?"

지금 이건 또 짜증 난다. 서현을 라이칸스로프의 왕자라고 부르는 건 일종의 세대 구분이며 관용어다. 하지만 아픈 데를 찔린 것도 사실이라 짜증 났다.

“서린이…….”

“뭐?”

서린, 제2대 테트라 아낙스의 이름을 거론하자 한세건이 깜짝 놀랐다.

“나에게 반하지 말라고 말하면 즉효약이라고…….”

“닥쳐.”

“…….”

확실히 즉효약이네.

그때 연성이 일어났다.

“으… 으으…….”

사람이 일어났다기보다는 좀비가 일어난 것 같은데? 서현은 쓴웃음을 지었다. 연성에게서 느껴지는 피로의 냄새가 그의 후각을 자극한다.

“뭘 시켰길래 애가 초주검이야?”

“그냥 스파링?”

“하……. 이제 와서 차곡차곡 훈련시켜 때려잡게? 한 오백 년 걸리겠다. 보아하니까 킥복싱을 가르치는 것 같은데. 이런 게 입식 타격기에서 먹어주긴 하지만 그게 퍽이나 복수에 도움이 되겠다. 응?”

서현은 코웃음 쳤다.

"뭐, 달리 좋은 수라도? 아… 아니다. 계속 앞에서 알짱거리니까 신경 쓰이는데 그냥 집에 가라. 차비 줄까?"

"차… 차비?"

"……."

이 녀석 진짜 돈이 없구나. 이런 데서 혹하다니. 한세건은 어이없어하면서 연성에게 다가가 그를 일으켰다.

"괜찮냐?"

"그, 근육통이……."

연성은 완전히 초주검이 되어 있었다. 몸 여기저기가 부서질 것 같다. 근육통이라는 건 운동을 한 직후보다 하룻밤 지나고 나서 제대로 오게 마련인데 벌써부터 이렇게 전신이 부서질 것 같은 통증이 온다는 건…….

"뭐, 안 하던 운동 하니까 그런 거지. 그래서 말인데……."

한세건의 손에 스팀팩이 나타났다. 마치 마술사가 팜(Palm:손바닥에 감추는 마술 테크닉) 해둔 동전을 잽싸게 꺼내는 것처럼 빠르게 나타난 것이다.

"이거라도 맞을래?"

"힉……."

연성은 그걸 보고 깜짝 놀랐다.

"스, 스테로이드 아니에요?"

"비슷한 거긴 하지."

한세건이 꺼낸 건 뱀파이어의 혈액이다. 혈관에 주사하면 재생력을 부여하는 비약이니 근육통을 빠르게 치료할 수 있을 뿐만 아니라 훈련 기간을 단축시킬 수 있을 것이다. 보통 훈련이라는 건 근육과 신경 시스템이 파괴 후 재생되는 과정에서 점점 더 강화해 나가는 것이다. 평상시 인간의 완전 회복은 최하 48시간은 걸리고, 그렇기 때문에 웨이트트레이닝을 하는 사람들은 3분할이니 4분할이니 몸의 근육들을 분할해서, 피로가 한곳에 집중되지 않도록 재생력을 관리하면서 운동한다.

뱀파이어의 혈액을 투입해서 상처를 빨리 재생시킨다면 훈련시간을 비약적으로 단축시킬 수 있다. 다만 뱀파이어의 혈액은 불안정하다. 뱀파이어를 뱀파이어이게 하는 인자, VT인자는 바이러스나 박테리아가 아니라 일종의 주술이다. 입을 통해서 먹는다는 의식을 취하지 않으면 인간을 뱀파이어로 바꾸진 않지만 대신 자칫 잘못하면 커럽티드라 하는, 폭주하는 존재가 되어버릴 수 있었다.

물론 한세건이 사용하는 뱀파이어의 혈액은 사이키델릭 문을 만들 때 사용하는 안정 인자를 아주 극미량 넣어서 성분 조정을 한 상태다. 그럼에도 불구하고 위험하다. 커럽티드 사고는 0%라고 말할 수 없는 성질의 것이다. 이런 걸 애에게 주사할 셈인가?

서현은 그걸 보고 말리기로 결심했다. 어린 시절부터 암살자들에게 쫓겨 다니고 분쟁 지역에서 살며 사람 목숨을 파리 목숨처럼 여기는 삶을 살아온 서현이지만 한세건보다는 조금 더 일반 상식이라는 걸 가지고 있었다.

“잠깐, 당신. 지금 애에게 무슨 짓이야?”

“네놈이 말한 대로 시간을 무한정 들일 수는 없잖아?”

“아무리 그래도…….”

“아, 이거 말고 스테로이드를 쓸까? 그거라면 괜찮겠지? 효율은 더 떨어지지만.”

한세건은 더 이상 서현과의 대화를 무시하고 연성에게 몸을 돌려 물어보았다. 스테로이드라는 말을 듣자마자 연성은 고개를 도리도리 저었다. 아무리 중학생이지만 그게 안 좋다는 건 귀에 못이 박히게 들어서 알고 있었다.

하지만 그걸 본 한세건의 냉락한 얼굴에 약간 섭섭한 표정이 아주 잠시 떠올랐다.

“복수를 하겠다는 놈이 장기적인 건강을 걱정하다니.”

복수자 한세건의 입장에서는 이해할 수 없는 일이다. 원래 복수라는 건 뒷일 생각하지 않고 저질러야 하는 것 아닌가?

“아니 그, 아무리 그래도 스테로이드는 좀. 그걸 맞으면 성 기능도 잃는다면서요?”

연성이 항변했다.

“그거야 과하게 맞을 때고. 어차피 성 기능 있어봤자 쓸 일도 없을 텐데?”

“…….”

굉장한 폭언이다. 거시기 달고 있어 봐야 평생 쓸 일도 없다니. 사람을 무시해도 유분수지. 하지만 한세건은 아무런 악의도 없이 무표정하게 저런 말을 해댄다.

‘진짜 상처받겠는걸?’

한국에서 살지 않아 왠지 한국인들의 감성과 동떨어져 있는 서현이 보기에도 저 중학생이 상처받은 게 보였다. 괴롭힘당하는 애를 도와주겠다고 와서 자기가 괴롭히면 어쩌자는 거냐?

"지금 넌 몇 시간 전까지 죽겠다고 하지 않았냐?"

"……."

그때는 그때고 지금은 지금이지. 아주 확인 사살을 하는구나. 서현은 한숨을 내쉬었다.

"개구리가 올챙이 적 생각 못 한다더니 인간 놈이 더해요."

한세건의 훈련을 곁에서 지켜본 서현의 평가였다.

확실히 한세건은 분류하자면 천재과(天才科)에 속하는 인물이다. 애초에 머리가 좋지 않았으면 뱀파이어 헌터로 이렇게 살아남을 수 없었을 테고 폭탄을 주력 무기로 쓸 수도 없었을 것이다. 군부대에서 병과에 따라 폭발물 취급을 가르치긴 하지만 그건 어디까지나 전쟁 시 쓰라고 가르치는 것이다. 전쟁 시 폭발물 사용과 필요한 부분만 부수는 정밀 파괴와는 그 난이도에 있어서 천지 차이가 난다.

한세건이 뱀파이어 사냥에 폭발물을 아낌없이 쓰고도 민간인 피해를 잘 내지 않는다는 것은 그가 굉장히 뛰어난 파괴 공학자라는 걸 의미한다.

사이키델릭 문의 약발이 한세건에게 잘 먹혀들어 가는 것도 그의 '정보 분석 능력'이 비정상적으로 뛰어나다는 뜻이다. 지능이 높고 정보 분석 능력도 뛰어나고 '커맨드', 그러니까 어떤 상황을 선행 입력 하는 능력도 뛰어나다. 예를 들어서 청기 백기 게임을 한다 치자. 청기 대신 청바지, 백기 대신 고래, 뭐 이런 식으로 치환해도 한세건은 전혀 아무런 어려움 없이 그것에 바로 적응할 것이다.

이런 타입의 녀석은 남들이 왜 고전하는지 모른다. 게다가 그 자신은 이미 삶과 정신이 파괴되어 황폐하다. 중학생 아이가 주위의 린치에 내몰려 자살을 택했다고 그 아이가 자기 목숨을 아까워하지 않는다고 생각하는 것 자체가 마음이 황폐하단 증거다.

'내가 남의 마음을 황폐하니 마니 하는 것도 웃기지만.'

그렇지만 한세건과의 이런 좋지 못한 교류를 통해서 서현도 얻는 게 있었다.

'왠지 내가 용병도 하고 전장의 쓰레기 청소부 짓도 하며 살았지만 이 인간보다는 좀 정상인 것 같아.'

그런 근거 없는 자부심?

"후우……. 이 정도인가?"

한세건은 결국 스테로이드도 뱀파이어 혈액도 포기하고 연성을 재웠다. 회복 속도를 높이는 약물 투입을 할 수 없다면 자연휴식으로 재생하길 기다릴 수밖에 없다.

"당신 진짜로 저 애를 가르쳐서 무슨 액션 영화처럼 혼자 다 때려눕히게 할 거야? 농담이겠지?"

서현도 저 아이의 정신 건강을 위해서는 액션 영화 같은 결말이 필요하다는 건 인정한다. 브루스 리로 대변되는 무술 액션 영화는 관객의 통쾌함을 극대화하기 위한 장치의 향연이다. 정의로운 폭력으로 자신을 억압하는 것을 혈혈단신으로 돌파하는 것은 남자라면 누구나, 아니, 여자라도 인간인 이상 누구나 동경을 품을 수밖에 없는 일이다.

그러나 그런 만큼 현실적으론 힘들다. 한세건이 뱀파이어의 피를 써서 그를 훈련시킨다면 빠르게 성장하겠지만 애초에 이 아이가 처한 환경은 중학생 하나둘 때려눕혀서 끝날 일이 아니다.

"물론 지금 이건 이 아이의 멘탈 케어를 위한 일종의 쇼지."

한세건은 글러브를 벗어서 그 안에 습기 제거를 위해 신문지를 넣으며 말했다.

"슬픈 일이지만 나도 네놈이 말한 대로… 가족들에게도 책임이 크다는 건 공감해."

"허?"

"함무라비를 포함해 그 아래가 다 개새끼들이라는 것도 공감하지."

한세건은 복수자다. 비록 그가 스스로는 자신의 가족에게 크나큰 애정을 느끼지 못했고, 그래서 더욱더 절망하고 좌절했다 하나 그건 본인만이 알고 있는 복잡한 사정일 뿐, 주위에서는 그가 가족을 잃고 뱀파이어 헌터가 되었다고 생각하고 있었다.

어느 쪽이든 한세건은 스스로가 복수자임을 부정하지는 않는다. 그런 복수자가 말하는 정의는 현대의 성문법이 이루고자 하는 정의보다, 고대의 함무라비 법전보다 더 오래된 피비린내가 나는 것이다.

“그렇지만 네놈도 웃기는 놈이군. 너 역시 네놈의 잣대로 널 재야 할 날이 올 거다. 네게서 풍겨나는 피 냄새가 진하다 못해 역겨울 정도라는 건 알고 있나, 전쟁범죄자?”

세건은 서현의 존재를 역겨워했다. 서현은 자신을 노리는 테트라 아낙스에게 엿을 먹이겠다는 일념으로 ICBM 사일로를 탈취하려는 짓도 벌였다. 이미 도덕의 잣대를 부러뜨린 자, 인간의 도덕을 벗어난 괴물이라고 해도 과언이 아닌 서현의 잣대가 이다지도 엄정하다니. 그 자로 자신을 잰다면 당장 자기부터 처단해야 할 텐데?

“그럼 됐어. 나를 내 자로 잴 날이 오는 건 나 역시 바라고 있는 일이야. 자, 그럼 이 소년을 위해 밑 작업 준비를 하지. 땀을 흘려서 그런데 샤워장 써도 되지? 옷은 있나?”

서현은 그렇게 물어보면서 걸어 나갔다. 한세건은 그의 뒷모습을 보고 한숨을 내쉬었다.

“이놈의 형제들은…….”

4

뱀파이어 헌터들 간에 동지 의식 따위는 전혀 없다. 애초에 제정신 박힌 사람들이라면 이런 미치광이 짓거리는 하지 않는 법이다.

하지만 상당수의 사람은 뱀파이어에 의해서 영혼의 상처를 입었다. 그들은 가족을 잃거나 스스로 죽다 살아나면서 이 미친 달의 세계에 뛰어들 수밖에 없었다. 강대한 뱀파이어 군주가 지배하는 어둠과 광기의 세계, 그 안에서 살아가는 자들은 황폐해지고 결국에는 스스로 파멸하고 만다.

뱀파이어의 흡혈인자를 안정화시켜서 만드는 마약 사이키델릭 문, 그것을 사용하지 않으면 일반 인간은 도저히 뱀파이어를 상대할 수 없다. 가장 하급의 뱀파이어도 올림픽 메달리스트들을 웃도는 신체 능력을 가진다. 놀라운 신체 능력을 갖춘 뱀파이어를 상대하기 위해서 그들은 비약에 중독될 수밖에 없고, 일단 중독되면 인간의 정신력이라는 게 얼마나 나약한 것인지 알게 된다. 처음엔 복수심이 그를 장악할지 몰라도 이윽고 마약을 갈구하는 중독자가 되어 생을 끝마친다.

그런 이들에게 있어서 이번 사건은 매우 재미있는 일이라 할 수 있었다.

"이야기 들었나? 송덕연 씨 조카가 있다는데."

재개업한 케네스 양의 창고 앞에서 전열 포트가 물을 끓이고 있었다. 컵라면을 뜯고 대기 중인 뱀파이어 헌터들은 할 짓도 없겠다, 그 이야기를 듣고 있었다.

한국은 원래 뱀파이어들에게는 미지의 땅이었다. 인구 4천만 이상, 교역 규모도 크지만 마약의 경유지 정도로나 쓰였을 뿐 뱀파이어들이 직접 관심을 보이지 않았다. 그러나 적요와 창운, 두 명의 진마가 한국 땅에서 소멸하면서 막대한 양의 흡혈인자가 섞인 진마의 피가 사방팔방 흩어져 버렸다.

그것들은 강한 구속력을 가진 뱀파이어들이 수거해 갔으나… 아직도 많은 뱀파이어가 심심치 않게 나타난다. 한때는 테트라 아낙스가 집중 관리를 선언하면서 뱀파이어 헌터들이 수그러들었지만 한세건이 테트라 아낙스의 한국 지사를 폭파시켜 버리면서 뱀파이어 헌터들은 다시금 명맥을 이어가고 있었다.

아니, 어떤 의미에서는 예전보다 더 호황을 누리고 있다고 해도 과언이 아니다. 해외에서 유입되는 뱀파이어는 그리 많지 않지만 적요의 죽음 이후 이 땅에서 뱀파이어의 자연발생율이 극도로 높아진 것이다.

지금도 케네스 양은 현금 계수기 다섯 대를 설치하고 구권들을 세느라 정신이 없었다.

"송덕연 씨면 엄청 초창기 뱀파이어 헌터 아냐? 그 아저씨 조카는 죽었잖아?"

"또 다른 조카가 있다는데?"

"아, 또 다른 조카? 그래서 그게 뭐? 뭔데 이야길 꺼내나?"

뱀파이어 헌터들은 심드렁했다. 어린아이가 얽힌 이야기면 아무런 돈도 되지 않는다.

"그 조카를 한세건이 돌봐준다나 봐."

그러자 모두가 깜짝 놀랐다.

"허… 한세건 그거 인간도 아닌 줄 알았는데 의리 있는 타입이었군."

"스승에 대한 은혜 갚기인가? 거 사람 됐네."

"그런데 잠깐. 그게 뭐 심장병 어린이 돕기도 아닐 거 아냐? 대체 어떻게 돌봐준다는 거야?"

대부분의 뱀파이어 헌터는 그동안 한세건이 다른 헌터들을 소가 닭 보듯 했던 걸 잘 알고 있었다. 뭐 필요할 때는 작전을 세우고 지휘하기도 하지만 그런 공적인 일 외에 사적으로는 누구와도 친해지지 않으려고 했다. 그런데 한세건이 뱀파이어 헌터의 가족마저 돌봐준다는 사실에 놀랐다.

"뭐, 여러 가지 문제가 있나 봐. 잘은 모르지만."

"그래?"

"그리고 그 리림이… 테트라 아낙스의 형이 함께한다는데?"

"허, 어린애 돌보기에 그런 괴물이 둘이나……?"

한세건과 서현, 뱀파이어 헌터들이라면 이들 둘의 움직임에 이목을 집중시키지 않을 수 없다. 과거 한세건이 거두었던 소년, 서린이 지금의 테트라 아낙스가 되었다. 뱀파이어 헌터들 입장에서 말하자면 한세건 주위로 금맥이 오락가락한다고 해도 과언이 아니다. 아니, 어떤 의미에서는 금맥보다 훨씬 더 돈이 된다.

"한세건은 이번에도 리림을 미끼로 뱀파이어 낚시를 즐기는 건가? 테트라 아낙스도 리림인 이상 이번엔 리림이 있다고 해서 낚시가 될 것 같지 않은데."

"어쨌거나… 죽은 자의 자식도 아니라 조카를 관리해 준다니 거 의외네. 그렇게 서비스 범위가 넓다니 꽤 좋은 녀석이잖아?"

다른 뱀파이어 헌터들과 교분이 없는 한세건을 두고 뒤에서 이런저런 말이 많았지만 이번 사건으로 다들 우호적인 태도를 보인다. 게다가 그와 함께하는 서현도 인정하는 분위기다.

케네스 양은 그런 뱀파이어 헌터들의 반응을 보고 쓴웃음을 지었다.

이게 바로 그와 김성희의 노림수였지만 현재까지는 노린 대로 잘 굴러간다. 뱀파이어 헌터들 사이에서 그들의 입지가 올라가고, 이는 틀림없이 큰 자산이 될 것이다.

'하지만 그 친구들 성격이 해괴망측한데 일이 과연 그렇게 잘 굴러갈까?'

케네스 양은 한세건과 서현에게 우호적으로 형성되는 여론을 지켜보며 의문을 품었다.

5

한세건은 뱀파이어 사냥으로 막대한 검은돈을 벌어들이고 있었다.

그는 그 돈으로 송덕연이 옛날에 운영하다 망한 체육관이라든가, 기타 여러 가지 시설을 사들여서 아지트로 꾸몄다. 검은 돈을 세탁하기 위해서 여러 신분도 사둔 상태다.

이곳 체육관도 그렇다. 그런 아지트 중 하나를 잠재적인 적수인 서현에게 공개한 것은 마음에 들지 않는다만… 일단 현재 상황을 볼 때 서현은 한세건에게 필요한 인재이기도 했다.

"도와라."

한세건은 박스를 뜯고 엄청난 양의 폐휴대폰을 작업대에 쏟아부었다.

"하아. 나 참. 차비도 안 주고 내팽개칠 땐 언제고 지 필요할 땐……."

서현은 투덜거리면서도 작업대에 앉고 스탠드를 켰다. 유행이 많이 지난 스마트폰들이 빛을 받아 반짝였다.

"뭘 하는 거지?"

"카메라와 통신 모듈이 붙어 있는 가장 저렴한 장비가 이런 유행 지난 옛날 핸드폰이지. 케이싱을 제거하고 이 데이터 케이블에 연결해서 수동으로 소프트웨어를 설치하는 거다."

"별로 오래된 것도 아닌 것 같은데?"

"한국은 이거 유행이 빨리 변해서."

한세건은 멀티 데이터 케이블을 연결하고 각 핸드폰의 설정을 바꿔 강제로 해적 소프트웨어를 올렸다. 핸드폰은 이제 훌륭한 도촬용 감시 카메라가 되었다.

서현도 한세건이 하는 작업을 그대로 따라 했다.

"이쪽에 떼어둔 놈들은 미리 블루투스 도청기들이랑 페어링해 둬. 옛날엔 데이터 모듈을 사다 썼는데 세상 좋아졌단 말이야."

"와, 이거 완전 단순 반복 작업인데?"

서현은 블루투스 도청기들과의 페어링 작업을 시키면서 한세건이 뭘 하려는지 감 잡았다. 한세건은 이 핸드폰들을 이용해 여러 대의 도청 장치를 한 대의 핸드폰으로 제어, 관리하려는 것이다. 핸드폰 수를 보아하니 상당히 많은 곳에 카메라와 도청 장치를 설치할 것 같다.

뱀파이어 헌터로서 한세건은 소문이나 희생자가 발생하길 기다리는 대신 이렇게 도시 우범 지역에 직접 눈을 설치하는 방식으로 정보를 획득하는 것이리라. 국가 공권력도 아닌 자가 이 정도의 정보망을 이렇게 저렴한 수단으로 스스로 만들다니 놀랍다.

"자, 그럼……."

한세건은 그렇게 폐휴대폰을 재활용해서 만든 도청기, 감시 카메라들의 케이싱을 뜯고 플라스틱 위에 돌가루를 뿌려 벽돌처럼 만든 상자나, 한국 통신 마크가 붙어 있는 플라스틱 상자 등에 설치했다. 이걸 연성을 괴롭힌 놈들이 사는 지역 곳곳에 설치해서 그놈들의 일거수일투족을 감시할 생각인 것 같다.

"거참 상당히 대단한 일을 하는군. 그런데 이거 설치하다 걸리면 큰일 나지 않나?"

"뭐, 핸드폰 하나당 5W는 먹을까? 그 정도 도전(盜電)은 걸리지도 않아. 그리고 내가 설치한 지역에는 각 전선, 통신선 공사 일정을 체크하고 있지."

"다 좋은데 쓰레기 데이터가 많을걸. 분석은 어떻게 하게?"

"그건 네놈이 신경 쓸 바가 아니지. 걸리지 않게 설치할 수 있겠어?"

"부비트랩 매설이야 원래 내 전공이지. 그런데 차량이 있으면 좋겠는데? 언제까지 자전거를 타고 다닐 순 없잖아?"

서현이 그렇게 말하자 한세건은 한숨을 내쉬고 백팩의 열쇠 고리를 꺼냈다. 어마어마한 양의 열쇠가 빼곡하게 꽂혀 있는데 세건은 그중 하나를 빼서 서현에게 던져주었다.

"체육관 뒤쪽에 주차되어 있는 라보 트럭이다. '건영설비' 라고 도장되어 있는 차야. 말소 차니까 경찰에게 걸리지 않도록 안전 운행 해라. 하이패스 안 달려 있으니까 요금 꼬박꼬박 내고. 아니, 그 전에……."

한세건은 고무줄로 묶어둔 현금 다발을 풀어서 그 일부를 둘둘 만 뒤 고무줄로 감아 서현에게 던져주었다.

"돈 없어서 사고 치지 말고."

서현은 동그란 지폐 뭉치를 받아 들고 혀를 찼다.

'대단한 놈일세. 이렇게나 관리 능력이 뛰어나다니. 자기 관리, 조직 관리, 설비 관리, 뭐 하나 뒤떨어지는 게 없다.'

서현도 라이칸스로프 조직을 이끌어봤지만 한세건은 뭐랄까, 혼자서 이 많은 걸 해내는 게 놀랍다. 뱀파이어들이나 라이칸스로프 사이에서 한세건의 이미지는 고화력 무기를 아낌없이 써서 민간인 피해가 나든 말든 적을 죽이고 싶어 하는 광전사였지만 실제로 본 한세건은 달랐다.

'완전 범죄 종합선물세트네. 뭐, 나도 깨끗하진 않지만 이제 겨우 깨끗한 신분을 얻었는데 이 작자랑 얽히면 안 되는 거 아냐?'

도촬, 도청에 등록 말소 차량 보유… 온갖 범죄의 종합선물세트가 지금 그의 눈앞에 있다. 아니, 한세건은 이미 서울 한복판에서 빌딩도 폭파시켰지. 이제 와서 이런 건 매우 사소한 일일 것이다.

"왜? 부족한가?"

"아니. 동생이 애써 마련해 준 새 인생 살 기회를 당신이랑 얽혀서 망치는 게 아닐까 싶어서."

"그런 놈이 그래, 온 가족을 죽이자는 소리를 하나?"

"스탈린이 말했지. 죽음은 의외로 많은 문제를 해결한다고."

서현은 당당하게 스탈린의 말을 인용했다.

그런데 지금 고작 중학생 아이를 상대하는 데 그놈들 지역에 수백 개의 도청기를 뿌려둔단 말인가? 정상적인 사람이라면 그런 의문을 품겠지만 서현이나 한세건이나 정상인은 아니다.

6

"요새 그 자식 안 나오네?"

성태준은 연성을 괴롭히던 아이 중 한 명으로, 최근 그가 학교에 나오지 않는다는 사실을 깨닫고 투덜거렸다. 퇴역 군인으로 군수업체를 유지하는 아버지를 둔 그는 학교 성적도 뛰어나고 품행도 바르다고 해서 선생들에게 많은 편애를 받고 있었다.

"하. 설마 유서 쓰고 자살하는 거 아냐?"

김우식은 키득키득 웃었다. U시 시의원이자 변호사 집안 자제인 그는 놀기 좋아하는 성격이지만 학교에서 과학경진대회

대표로 뽑힐 정도의 수재다. 공부도 잘하고 잘 노니 아이들에게 인기가 많다.

"다행이네, 우리 중학생이라. 고교생만 되었어도 문제가 심각했겠지?"

박찬주는 곧 장성 진급을 눈앞에 둔 고위 군인의 아들이다. 학교에서 인기인이고 최근엔 권투부에 들었다.

"너야말로 권투부니까 문제 심각해지는 거 아냐?"

"뭐, 그거로 먹고살 것도 아니고 취미로 하는 거니까. 어차피 난 사관학교 지망이야. 적당히 상들 좀 타서 학교 원서 쓸 때 가산점이나 받아야지."

중학생이 벌써부터 그런 앞날에 대한 청사진을 가지고 있다. 이걸 통찰력이 있다고 해야 할까?

"그 녀석이 워낙 찐따 같아서 그런 것도 있으니까 선생님들이 알아서 커버해 주겠지, 뭐. 우리 다 모범생이잖아? 안 그래? 아, 그래도 불안하긴 하네. 그 쪼다 새끼 죽어버리는 거 아냐?"

그가 죽을까 봐 걱정한다기보다는 죽어서 자신들에게 폐를 끼칠까 봐 걱정한다. 하지만 이런 아이들이 학교에서는 우등생이고 주류다. 이 사회가 원하는 우수한 인재, 앞날이 창창한 청소년이다. 송연성의 아버지처럼 자신이 속한 조직의 비리를 고발하는 내부 고발자는 법적으로는 올바를지 모르지만 사람으로서는 정 없고 공명심에 눈이 먼, 인간 같지 않은 것 취급을 받는다.

"선생님에게 물어볼까?"

세 학생은 교무실로 직접 가서 물어보기로 결심했다. 보통 학교 폭력을 주도하는 애라면 학교 선생에게 이런 걸 물어볼 생각은 하지도 않을 텐데 이들은 달랐다. 자신들이 하는 짓에 전혀 부끄러움이 없고, 단지 현행법상 문제가 된다는 것을 껄끄럽게 여길 뿐이었다.

"어휴, 그 병신 새끼 자살했으면 어쩌지?"

"그놈이 자살할 용기나 있을까? 보나 마나 등교 거부 하면서 우리 반응이나 보고 있겠지. 불안해하면 지는 거야."

"설령 뒈지면 어때? 어차피 대가리도 나쁘고 생긴 것도 좆같은 놈 하나 뒈지는 거잖아? 집도 넉넉하지 않을 텐데 길게 살아봐야 그런 새끼에게 무슨 낙이 있겠냐? 보기 역겨운 새끼 하나 치운 거지, 뭐. 오히려 놈은 우리에게 고마워해야 할걸. 엿 같은 인생에서 빠른 탈출 눌러준 거잖아. 아, 이런 사람 없다, 진짜. 우리 아니었으면 앞으로 못해도 4~50년은 그 좆같은 면상을 들고 추잡한 하층민 인생을 살아야 했을 텐데."

"어우, 인생의 은인이네. 낄낄."

"아니, 농담 아니라 진심이라니까."

세 학생은 낄낄거리며 교무실을 향해 걸어갔다. 잠시 후 그들은 학교 선생으로부터 연성이 자살한 것은 아니고 한동안 등교 거부 상태라는 걸 확인받았다.

연성은 그 대화를 듣고 부들부들 떨었다. 자신은 자살을 생각할 정도로 내몰렸는데, 아니, 실제로 추락해서 죽을 뻔했는데 저들은 너무나도 가볍게 여긴다. 아무렇지도 않게 저런 소릴 하다니.

하지만 더 놀랍고 두려운 건 이 두 사람이다. 뭐지, 이 인간들은? 무슨 정부 요원, 국정원 같은 데라면 이해하겠다. 공권력의 옹호를 받으니까. 하지만 그런 것도 아닌데 어떻게 이런 건 녹음했을까? 이거 도청이잖아?

"하이라이트가 그거일 뿐이고 아직 자료는 많이 있어. 나머지 들을래?"

한세건은 노트북을 잡고 물어보았다. 이런 상황에서도 이 남자는 가라앉은 눈빛으로 차분하게 연성을 바라본다.

"아, 아니요. 됐어요."

그렇게 말하던 연성은 휘청거리다 주저앉았다. 최근 계속된 강훈련 때문에 전신이 근육통으로 비명을 지르고 있었다. 그런데 머리로 피가 몰리면서 쓰러진 모양이다.

"당돌한 녀석들이네. 하하."

반면 서현은 웃음을 터뜨렸다. 그게 왠지 빈정이 상해서 연성이 그를 흘겨보았다.

"이게 웃을 일인가요? 저 녀석들은 날 진짜로 죽이려 했단 말이에요."

"역으로 묻지. 저놈들이 죽일 각오가 되어 있지 않았는데 네가 자살했다면 용납할 수 있겠냐? 저 녀석들은 보나 마나 네가 죽고 난 뒤에 그 애가 그렇게 고통받을 줄은 몰랐어요, 하고 판사 앞에서 울며불며 연기할 텐데?"

"……."

"당연히 너는 분노해야 해. 그게 악의가 있었든 실수였든 간에 피해자인 너는 상대에게 분노할 권리가 있어. 이제 와서 새삼스럽게 충격을 받는다는 게 더 놀랍군."

"그, 그렇지만……."

연성은 말로 설명하지 못할 격한 감정을 느끼며 주저앉아 허우적댔다. 격렬한 근육통 때문에 몸이 제대로 말을 듣지 않는다. 하지만 근육통보다 더 아픈 건 마음의 상처다.

"혹시 네가 자살하거나 하면 저들이 마음의 상처라도 입고, 뭐 평생 후회하길 바란 건 아니지?"

"……."

왜 아니겠는가? 연성은 실제로 그런 생각을 해봤다. 물론 본인도 그런 상상이 얼마나 자위적이고 멍청한 짓인지 잘 알고 있었다. 그런데 그런 걸 까발리다니……. 이 작자도 성격이 나쁜 것 같다. 이건 마치 남자애 방에 찾아와서 자위행위의 흔적을 찾아 공론화하는 것과 같은 짓이 아닌가. 사생활은 좀 지켜주어야지.

"적의 양심에 기대는 것만큼 멍청한 짓도 없다. 그리고 인간의 마음이라는 건 너무나 쉽게 자신을 속일 수 있어. 당장 눈물을 뚝뚝 흘리든 후회하는 시늉을 하든 간에 그게 진짜인지 아닌지는 시간이 지나봐야 아는 거야. 많은 사람이 소시오패스, 공감 능력이 떨어지는 자가 너무나도 쉽게 범죄를 저지르는 걸 경계하지만 공감 능력이 뛰어난 자가 목적을 위해 자신의 감정을 얼마나 쉽게 휘두르는지 알면 놀랄걸?"

서현은 그런 인간들을 너무나 많이 보아왔다. 죽고 죽이는 상황, 감정의 극한을 몇 차례나 겪다 보면 낮에 그가 자비를 베풀어준 소년병들이 밤에 마을을 습격하고 아이의 앞에서 어머니를 간살하는 짓거리를 아무렇지도 않게 저지르는 걸 볼 수 있었다. 매 순간순간 그들의 감정은 진실되지만 그 너머에 존재하는 것은 결국 자신의 보전뿐.

그런 걸 본 마당에 '진실된 참회의 눈물'이라는 게 동전 한 닢 가치는 있는지 의심스럽다.

"오직 기나긴 시간 동안 일관성 있는 행동만이 그의 진심을 증명할 뿐이다. 때로는 10년도 짧을 수 있고……. 그런데 그 시간 동안 저놈들을 감시한 다음에 결판을 짓는 게 아니라 그보다 더 빨리, 선불로 용서를 요구하잖아?"

"그러면 어쩌지요? 제가… 솔직히 운동을 한다 한들 빠르게 이 상황을 어떻게 해결할 수 있을 것 같지도 않아요. 설령 저놈들을 때려눕힌다 해도……."

저 아이들은 집안이 좋고 배경이 좋다. 선생들도, 경찰들도, 사회의 구성원 모두가 한마음 한뜻이 되어 연성을 압박할 것이다.

어디 감히 천한 것이 귀한 집 자제들의 장래를 망치려 하느냐? 그런 소리를 들을 게 분명하다.

"나는 네가 원하기만 한다면 그놈들의 일가족을 죄다 죽여줄 수도 있어. 하지만 상처라는 건 그렇게 해소되는 게 아니야. 예를 들어서 지금 이 순간 그놈들이 갑자기 어디 오토바이 사고로 훌러덩 죽어버렸다 치자. 네 상처가 나을 것 같은가?"

"……."

연성은 그런 건 생각지도 못했다. 이제 와 생각해 보면 그건 뭐랄까. 시원섭섭한 정도로 그칠 것 같다. 그렇지만 사람의 죽음을 가지고 시원섭섭하다고 생각하면 저 녀석들이 하는 악담과 별반 차이가 없지 않나?

아니, 그러나 서현이 말하는 걸 보면 이런 뜻에서 하는 말은 아닐 것이다.

"네가 직접 그놈들을 죽인 게 아닌 한 너는 그놈들에게 모욕당하고 그놈들의 폭력에 불가피하게 굴복했다는 사실에 영원히 고통받을 거야. 앞으로 10년, 20년, 30년이 지나도 자다가 이날을 떠올리면 몸서리치면서 깨어날 거라고."

"……."

"그놈들에게 받았던 수치는, 폭력에 일순간 꺾여 버린 마음은, 저런 저열한 것들에게 네 인간성이 일순간이나마 굴복하고, 상대방의 사소한 쾌락을 위해서 네가 상처받았다는 사실은 저 놈들이 죽는다 해도 남는다. 강간당한 거나 마찬가지야. 결국 이건 폭력이 영혼에 상처를 남기는 메커니즘이니까. 이대로라면 틀림없어. 넌 평생 저놈들이 네게 드리운 그림자로 고통받을 거다."

"그, 그런."

"물론 법치국가니까 네가 저놈들을 죽이면 이번에는 또 언제 경찰에 발각될까 두려워서 견딜 수 없겠지. 그래서 적당한 선에서 설정한 게, 네가 무력으로 저놈들에게 최소한 자주권을 지킬 정도는 되어야 한다는 거야."

그 말에는 무심코 한세건도 고개를 끄덕였다가 서현이 자신을 보는 걸 보고 고개를 돌려 딴청을 피웠다. 한세건은 어떻게든 선을 그으려 노력하는데 과격한 서현은 그와 관점이 비슷했다. 대한민국 수도 서울 한복판에서 뱀파이어들에게 정면으로 도전해 건물을 폭파시켜 버린 뱀파이어 헌터와, 테트라 아낙스나 비술사들에게 노려지다가 핵미사일을 날리겠다고 군사정변에 가담한 늑대 인간. 이들의 관점이 비슷한 것은 필연이라 할 수 있겠다.

"슬프지만 저놈 말이 사실이야. 네 손으로 어떤 성과를 거두지 않으면 이 상처를 평생 안고 살아가야 할 거다. 물론 아물긴 하겠지. 때로는 이 상처의 경험이 너에게 깊이를 줄 수도 있다. 그러나 그렇다고 해서 눈앞에 온 복수의 기회를 저버려서는 안 된다."

"네가 저놈들과의 육박전에서 성과를 거둘 수 있다면 언젠가 이날을 떠올리더라도 그냥 그런 일이 있었지. 알고 보니 별거 아니었지 하면서 웃어넘길 일이 될 거다. 이게 바로 네 상처를 치유할 몇 안 되는 기회야. 하여튼 복수야말로 만병통치약이라니까."

서현이 그리 말하고 연성의 머리에 손을 얹었다.

"아……."

연성은 그런 서현에게 깜짝 놀랄 감동을 받았다. 처음에는… 그가 왠지 자신이 처한 상황을 희화화하진 않는가, 우습게 보지 않는가 생각했는데 그런 게 아니었다. 서현은 놀라운 통찰력으로 연성의 현재 심정, 그리고 앞으로의 전개까지 꿰뚫어 보고 법과 사회의 규범을 초월해 연성의 편에 서주었다. 이렇게 이해해 주고 도움을 주려 하다니 고맙기 그지없다.

그다음 말이 나오기 전까지는 그렇게 생각했다.

"아, 물론 시간을 무한정 줄 수는 없어. 네가 성과를 제대로 못 내면 그냥 그 녀석들 일가족 다 죽여 버리고 끝낼 거야. 잘됐네. 인구도 줄이고 환경도 살리고!"

서현은 해맑게 웃으며 그렇게 말했다.

연성은 터질 것 같은 심장, 불타오르는 것 같은 폐를 억누르면서 바닥에 드러누웠다. 왜 이렇게 고생을 해야 하는지 이해할 수가 없었다. 그가 이렇게 노력하지 않으면…….

그를 괴롭혔던 자식들이 살해당한다.

그러니까 왜 날 괴롭혔던 놈들을 살리기 위해서 내가 이 고생을 해야 하냐고?!

솔직한 심정으로는 자신의 손으로 저놈들을 죽여 버리고 싶었다. 생명의 소중함? 엿 먹으라고 해. 애초에 그놈들은 남의 목숨을 소중히 여기지 않는데 그놈들의 목숨을 소중히 여길 이유가 뭐람?

그렇지만 그를 가르치고 있는 이들은 정말 한 달의 시간이 지나면 가차 없이 죽여 버릴 것이다. 가족들까지 남김없이 다!

'왜 굳이 가족들까지 해쳐야 하죠? 죄진 놈들만 죽이면 안 되나요?'

연성이 다시금 항의해 보았을 때 서현과 한세건은 정말 그를 미친놈 보듯 했다. 지동설을 주장하던 갈릴레이가 이러했을까? 저들에게는 너무나 당연한 상식을 반박한 것 같다.

'폭탄엔 눈이 없다.'

세건은 그렇게 답했다. 아, 폭발로 다 폭사시킬 셈이구나.

'무고한 사람의 피를 흘리게 했으면 당연히 무고한 사람의 피로 갚아야지. 죄인 목숨은 아무런 가치도 없는데……. 내가 네 돈을 가져가고 먼지로 갚아주면 그게 정당한 거래라고 보냐?'

서현은 진심으로 죄인이 되는 순간 그 사람의 목숨은 아무런 가치가 없다고 믿고 있는 것 같았다. 그러자 세건이 어이가 없어서 그를 바라보았다.

'너도 무고하진 않지?'

'아, 그런데 또 살다 보니까 살아지는 게 질긴 목숨이라.'

'뭐, 하긴 내 목숨도 객관적으로 보면 아무 가치가 없긴 하지.'

아니, 뭐야, 이 두 사람. 죽일 수 있으면 죽여봐라 이거야? 연성은 기가 막혀서 그들을 바라보았다.

'…….'

반박할 여지는 굉장히 많지만 연성은 반박할 수가 없었다. 왜냐면 그 자신이 저들의 목숨을 정말 귀중하게 여긴다보다는 살육이 벌어질 경우의 책임을 두려워한다는 걸 얼핏 느끼고 있었으니까. 좋은 사람인 척, 자신을 괴롭힌 이들의 가족을 살리고자 변호하지만 연성 역시 저들을 증오한다. 저 애새끼들도 싫고, 저 애새끼들이 믿고 나대게 만든 배경들, 저런 악마 같은 자식들을 싸지른 작자들도 싫다.

그러나 살육, 살육이라니. 그런 짓을 하면 설령 연성 자신의 손을 더럽히지 않더라도 가해자들과 다를 게 뭔가?

아, '다를 게 뭔가' 라고 하면 오해의 소지가 있나?

그냥 피해자였던 그가 가해자에 하염없이 가까워진다는 게 두렵다고 하자. 자신과 저놈들 사이의 도덕적인 벽, 격차가 두꺼워야 안심할 수 있겠다. 그 벽이 얇아진다면 언젠가 이 미치광이들이 연성도 가차 없이 죽여 버리려 덤빌지 알 게 뭔가?

그래, 그게 두렵다. 왜 그동안 많은 영화나 소설, 만화 등에서 당연한 악당을 죽이려 할 때 '살인을 하면 저들과 같아져요!' 라는 머리통에 꽃핀 소리가 나올 수 있나 궁금했는데 정말 그런 입장이 되니 절실히 느껴진다.

도덕의 벽이란 한번 허물어지면 끝이다. 분명히 서현이 말한 대로 복수는 만병통치약이다. 복수하면 상처에서 회복되겠지만 대신 황폐해질 것이다.

도덕적 우위를 잃어버리리라.

그래서 연성은 죽을 각오로 열심히 했다.

그리고 마침내… 그날이 다가왔다.

7

찬주가 복싱을 시작하게 된 계기는 사실 연성 때문이다. 연성이 그들에게 두들겨 맞는 게 싫어서, 괴롭힘당하는 게 싫어서 근처 권투 체육관에 등록했다는 사실을 알았을 때, 찬주는 기가 막혀서 연성이 운동하는 체육관에 찾아갔다. 그리고 연성과 스파링을 하고 싶다고, 말도 안 되는 요구를 관장에게 했다.

사실 정상적인 체육관 관장이라면 당연히 자신의 관원을 보호해야 했다. 하지만 그 체육관에 붙어 있는 시합 포스터에는 대놓고 박찬주의 아버지, 박원호 씨가 대회 기획위원장이라는 이름으로 박혀 있었다. 지역 유지인 박원호 씨가 이 지역 권투 협회 등에 자금을 대서 시합을 개최할 수 있었던 것이다.

U시 권투 협회 이사라는 감투를 쓰고 있는 박원호, 그의 아들인 박찬주가 왔으니 그 요구를 들어주지 않을 수 없었다. 무엇보다 체육관 관장도 U시의 일원이었다.

그래서 권투를 시작한 지 고작 세 달밖에 안 된 연성이 찬주와 스파링을 하게 되었고, 결과는 찬주의 일방적인 승리였다. 석 달 동안 배운 거라고는 원투와 줄넘기가 전부인 것도 있었고, 찬주에게 워낙 맞고 살아 주눅이 들었던 것도 있다. 무엇보다 자신을 가르쳐 주던 체육관 관장이 이렇게나 쉽게 자신을 저 불한당 놈에게 내줄 줄은 몰라서 충격을 받았던 것도 있다.

그날 이후 친구들에게 으스대던 찬주는 권투를 시작했고 연성은 체육관을 그만뒀다.

그런데…….

연성이 돌아왔다.

장정 둘을 대동하고!

"무, 무슨 일이십니까?"

체육관 관장은 연성과 함께 온 두 청년에게서 왠지 모를 위압감을 느껴 말을 높였다. 본래 그는 초면이라도 자신보다 어려 보이면 말을 낮추는 사람이었지만 둘은 뭔가 이상하다. 마치 사자 우리에 아무것도 없이 맨몸으로 들어간 기분이다. 권투 선수로 뛰었던 시절도 있으니 깡다구가 있다고 자부하고 있었지만 이 둘은 뭔가 다르다.

"다른 게 아니라 저번에 우리 연성이가 여기서 아주 재밌는 시합을 했다고 하던데. 리벤지 매치를 하고 싶다네요."

"아… 그게……."

체육관 관장은 힐끔 연성을 바라보았다. 원래 군살이 많았고 3개월간 운동하면서도 별로 살이 안 빠졌던 아이인데 지금은 무슨 막 용광로에서 튀어나온 달궈진 쇠 같다. 불순물이 싹 빠진 정제된 몸에 움푹 들어간 눈두덩이를 보니 보통 고생을 한 게 아닌 것 같다.

'뭔가 상당히 훈련을 많이 한 모양이군. 아니, 근데 이 자식들이 대체 지금 어디 앞이라고 행패야?'

찬주가 연성이랑 스파링해 보고 싶다고 철부지가 조를 때는 들어줬다. 지역 유지이자 권투 협회 후원자인 박찬주의 아버지를 거스르고 싶지 않았고 그 자신도 연성을 보호할 생각이 전혀 없었기 때문이다. 그러나 찬주는 다르다. 그는 당연히 했어야 할 일, 체육관 관장으로서 자신의 관원을 보호하는 일을 이제야 하려고 한다.

"그런 사적인 이유의 시합은 거절하겠네. 허허. 젊은 친구들이… 법도 세상도 무서운 줄 모르는구만."

"……."

연성은 그런 체육관 관장의 태도 변화를 보고 기가 막혔다. 아니, 그런 식이면 애초에 찬주가 스파링하자고 할 때 던져준 건 뭔데? 역시 U시는 모두 한통속이다. 군인들이 많은 도시라서 이게 문제다. 비록 관비를 내고 등록해서 배운 거라지만 어쨌든 한때 스승과 제자라고 할 수 있는 사이였는데 자신을 이런 식으로 대했다니 혐오감이 들었다.

"무슨 일입니까, 관장님?"

거울을 보고 섀도복싱을 하고 있던 남자 세 명이 우르르 몰려와 두 청년과 연성을 에워쌌다.

"오, 김 중사. 아니, 별거 아냐. 하하하."

군인이 많은 지역이라 그런지 직업군인이 체력 단련을 위해서 오나 보다. 체육관 관장이 지역사회의 일원으로서 그들이 배척하는 연성을 함께 배척하는 것은 이런 이유에서였으리라.

짧은 스포츠머리에 햇빛에 그을린 가무잡잡한 피부를 가진, 단단해 보이는 남자들은 연성을 데려온 두 청년, 한세건과 서현을 위아래로 훑어보았다.

"지금 어디서 행패야, 당신들?"

"연성이 너 이 자식, 네 아버지가 그랬다고 지금 이게 말이 되냐?"

이 정도면 굉장히 우호적인 것이다. 군 내부에서 그나마 젊은 사람들은 군 비리를 까발리다 내부 고발자로 쳐내진 송덕중 원사를 옹호하는 이들이 있었다.

물론 대놓고 옹호하진 못하지만 심정적으로 이해는 해주었다. 그래서 이 정도다. 아니었다면 배신자의 자식이니 뭐니 온갖 원색적인 비난이 쏟아졌겠지.

"아니… 아버지는 관계없이 온 거예요. 그리고 지금 말하는 게 모순되잖아요? 제가 그 자식에게 당할 때는……."

연성은 너무나 억울해서 미칠 것 같았다. 찬주가 자신을 링 위로 불러낼 때는 실실 웃으며 방관하던 사람들이, 그 반대가 되자 무슨 대역죄라도 지은 것처럼 펄펄 뛰고 난리다. 이게 잘못된 일이라면 이전에는 왜 방관했나? 그때는 어린이들의 장난이었고 이제는 복수하러 온 게 확실하니까 싫어서?

물론 사람들 입장도 이해는 간다. 찬주와 그 패거리는 늘상 웃으면서 장난처럼, 실제로 장난으로 사람을 괴롭혀 죽음에 이르게 만든다. 피해자인 연성은 웃어넘기며 장난처럼 접근할 수 없었다. 그러니 정색하지. 당연하다. 그럼 피해자가 실실 웃을까?

그러나 웃으면서 장난을 펼칠 때는 방치하던 사람들이 정색하고 대응하는 피해자는 가만 내버려 두지 않는 법이다. U시와 경직된 군인 사회, 그 군인 사회의 영향을 받는 폐쇄적인 지역 사회의 분위기에, 웃으며 개구리에게 돌을 던지는 아이들의 잔혹함까지 더해져 연성은 완전히 구석에 내몰렸다. 세건과 서현이 편을 들어주지 않았다면 정말 이 지역에서 도망가지 않고서는 답이 없었을 것이다.

그렇게 도망간다 치더라도 이 지역에서 있던 일들, 저들에게 괴롭힘당하던 순간을 떠올릴 때마다 밤잠을 못 이루고 고통받았겠지. 그제야 연성은 자신이 입은 상처가 얼마나 오랫동안 자신을 괴롭힐 수 있는지 실감했다.

그러니까 승리해야 한다. 승리야말로 상처의 특효약. 그 승리의 기쁨만이 연성에게 앞으로 살아갈 힘을 주고 용기를 줄 것이다.

"그럼 당사자에게 물어보죠. 자, 거기?"

한세건은 손가락을 튕겼다. 그러자 남자 탈의실의 문이 저절로 열리며 안에서 옷을 갈아입던 찬주가 걸어 나왔다.

"아… 뭐예요, 당신들은? 하하. 야, 연성이 많이 컸네."

찬주는 황당함을 감추기 위해 억지웃음을 지어 보였다.

"연성이 네게 리벤지 매치를 하고 싶다고 해서 말인데."

"싫어요. 흥. 형들이 무슨 생각인지 모르겠지만 내가 왜 그걸 받아들여야 하나요?"

찬주는 본능적으로 인간을 열받게 하는 기술을 알고 있었다. 이건 남의 집 초인종 벨을 누르고 도망치는 놀이와 같다. 찬주는 지금 이 순간 저들이 원하는 것은 스파링을 해서 연성이 자신에게 승리하는 것임을 알아채고 절대로 그들이 원하는 걸 주지 않겠다고 결심했다.

국법이 지엄한데 저것들이 날 죽일 거야, 어쩔 거야?

"아, 친근하게 형들이라고 부르지 마라. 소름 돋으니까. 가족을 다 죽여서 네놈 주둥이에 처넣기 전에."

서현은 웃으면서 폭언을 퍼부었다. 표정과 말의 온도 차가 너무 심해서 다들 알아듣지 못할 지경이었다.

"뭐야? 당신들! 안 되겠군!"

보다 못한 체육관 관원이자 군인들이 서현과 한세건을 끌어내려 했다. 그러나 그때… 한세건의 발아래 작은 비닐백 하나가 떨어졌다. 지폐가 가득 들어 있는 비닐백이다.

"…3라운드가 지난 뒤 링을 네 두 다리로 내려오기만 하면 이걸 주지. 어때? 이 정도 조건이면 성의는 보인 것 같은데?"

"……."

"어……."

서현과 세건을 끌어내려던 군인들도 멈칫했다. 줄잡아도 천만 원은 들어 있을 것 같은 비닐백… 게다가 담겨 있는 폼은 흡사 무슨 미국 드라마에서 볼 법한 마약상들의 돈다발 같다.

'소품 비주얼하고는.'

서현이 그 모습을 보고 혀를 찼다. 이 상황에서 돈을 내밀다니 정말 악의적인 소품이다. 하지만 그 소품의 효과는 대단했다. 돈에 대한 욕심과, 갑자기 이 거금을 쾌척하는 자에 대한 호기심, 그리고 공포감이 자리를 지배했다.

"자, 잠깐만요."

"물론 이기면 더 줘야지."

한세건은 다시 돈이 담긴 비닐백 하나를 더 추가했다.

"……."

싸늘한 침묵이 감돈다. 꼴깍 하고 침 삼키는 소리가 적막 속에서 선명하게 들렸다. 2천만 원, 크다면 크고 작다면 작은 돈이지만 이 정도의 일에 이 거금을 쾌척하는 건 이상하다. 하지만 한세건은 정말 자신이 던진 돈에 눈길 한 번 주지 않았다.

"그리고 난 내가 내던진 돈을 다시 주워 올리는 성격이 아니라서 만약 연성이 이기면 이 돈은 체육관 관장님하고 여기 관원들, 구경하는 사람들에게 나눠주지요. 천만 원은 관장님이, 나머지 천만 원은 당신들이 나누는 거야. 어때요? 거절하겠습니까?"

"어……."

"하나……."

세건이 숫자를 세기 시작하자 서현이 칫 하면서 웅크려 앉아 돈이 담긴 비닐백을 줍는 시늉을 했다. 한세건은 자신이 흘린 돈을 다시 안 줍는다니 서현이 주울 수밖에 없다. 그렇게 서현이 돈을 회수하는 시늉을 하자 체육관 관장과 관원들에게서 소리 없는 비명이 터져 나왔다.

그러자 찬주가 손을 들었다.

"할게요. 하면 되잖아!"

링을 치우고 타이머를 세팅하면서 체육관 관원들은 어색한 표정을 짓고 있었다. 처음에는 연성을 앞세워 쳐들어온 저 청년들의 행패에 맞서려 했는데… 어쩌다 보니 연성이 이기길 내심 응원해야 하는 처지가 되었다.

"자. 당신들이 보관하고 있어요."

서현은 대뜸 그들에게 각각 천만 원이 든 비닐백 두 개를 맡겼다. 안을 살펴보니 과연 전부 다 현찰이다. 어디 신문지나 종이를 오려서 만든 영화 소품도 아니고 컬러복사기로 복사한 위조지폐도 아니다.

"그러니까 관장님이 천만 원, 우리가 한 명당 330만 원인가?"

"야, 333만 원이지. 왜 멋대로 뒤를 컷해?"

"김 중위님, 333만 3,333원이지 말입니다?"

"……."

공돈이 생겨서 좋긴 한데 불안하다. 군인들은 이거 큰일 터지는 거 아닌가 걱정하면서 몸을 풀고 있는 찬주를 바라보았다.

"저 때문에 그렇게 큰돈을 쓰시고 괜찮겠어요?"

"뭐가? 2천만 원? 그리 안 큰데?"

한세건은 시큰둥하게 받아쳤다. 연성은 그동안 많은 잡지에 나오는 '시크하다'는 표현을 이해하지 못했는데 세건을 보고 문득 '시크하다'고 생각해 버렸다.

'시큰둥해서 시크한 건가?'

"어쨌거나 저 녀석 굉장히 당돌한 놈이군. 이기든 지든 쓴맛을 보여줘야겠어."

서현은 찬주가 자신들을 상대로 밀고 당기기를 했다는 사실에 불쾌해하고 있었다. 법망을 넘어 다른 아이를 린치했으면서 그 자신은 법의 보호를, 사회통념의 보호를 적극적으로 활용한다. 사회통념을 씹어 먹고 사는 서현의 앞에서 배짱을 부렸으니 그의 속이 뒤틀리는 것은 당연했다.

"솔직히 말해서 아직 이길 자신이 없는데……."

"뭐, 괜찮아. 내가 시키는 대로 하면 돼. 너 자신을 믿어라."

"겁먹지 말고."

서현과 한세건은 링 코너에서 연성의 어깨를 주물러 긴장을 풀어주었다. 찬주 쪽에는 체육관 관장과 다른 관원들이 붙어서 세컨드를 봐주고 있지만 저들은 찬주가 져야 돈을 벌기 때문에 분위기가 어색하다.

곧 공이 울렸다.

연성은 왼손 리드를 많이 앞세우고 오른손은 얼굴에 바짝 붙인 자세로 천천히 거리를 좁혔다. 복서처럼 경쾌하게 뛰어다니는 게 아니라 슬금슬금 링을 걷는다.

'체력 안 되는데 굳이 히트앤드런으로 뛰어다닐 필요 없어. 뛰는 건 오히려 중후반 이후, 처음엔 걸어라.'

한세건의 조언을 떠올리며 연성은 조심조심 간격을 좁혔다. 그러자 찬주가 킥 하고 비웃었다.

연성은 그 비웃음만으로도 위축된다. 찬주는 항상 저렇게 연성을 비웃은 뒤 구타와 가혹 행위를 일삼았기 때문이다. 실제로도 지금 이 순간 연성의 몸이 잠시 경직되었다.

그 틈을 놓치지 않고 찬주는 잽을 날려왔다. 빠르고 정확하고 리치도 길다. 물론 찬주 역시 권투를 시작한 지 얼마 되지 않아서 그리 좋다고 할 수 있는 건 아니지만 연성이 보고 피하기엔 무리가 있는 속도긴 하다.

툭 하고 잽이 정확하게 연성의 얼굴을 후렸다. 그걸 확인한 찬주는 반사적으로 스트레이트를 날려 원투 스트레이트로 이으려 했지만…….

그 순간 퍽 하고 찬주의 눈앞이 번쩍였다.

'복싱 체육관 처음 등록한 놈들은 다들 고지식하게 원투만 한다고. 그러니 너는 원투 사이에 엇박자로 찔러 넣는다.'

"어……."

찬주는 순간 당황했다. 연성은 잽을 맞는 순간 그다음 스트레이트를 예측하고 얼굴에 붙어 있던 오른 주먹을 깎아내듯 안쪽으로 찔렀다. 찬주의 스트레이트보다 더 안쪽 궤도로 들어온 스트레이트가 완전히 카운터로 명중한 것이다.

'카운터로 맞혔는데도 못 쓰러뜨리다니 리치와 체격 차가 심각하네. 1개월 해서 메울 수 있는 기량 차가 아닌가?'

게다가 때린 연성도 너무나 그림같이 들어간 일격에 당황해서 어버버 하고 있었다. 한세건과의 연습은 많이 했지만 실전에서 자신의 의지로 남의 얼굴을 때린 것은 이번이 처음일 것이다.

당황하는 게 당연하겠지.

"인앤아웃!"

한세건이 당황하는 연성에게 명령하듯 외쳤다. 그러자 깜짝 놀란 연성이 반사적으로 움직였다. 왼손 잽, 아니, 오른손 스트레이트를 회수하면서 날리는 것이니 왼손 스트레이트라고 봐도 좋을 강타다. 그걸 날리자 찬주는 방어하면서 뒤로 물러났다. 그때 연성이 찬주가 방어하고 있는 팔에 몸을 붙이고 옆으로 돌아섰다.

"윽!"

찬주는 가까이 접근한 연성을 때리려 했지만 한쪽 팔이 연성의 몸에 밀착되어 잠겨 있다. 연성은 찬주를 때릴 각도가 나오는데 찬주는 연성을 칠 각도가 나오지 않는다. 그 상태에서 연성의 공격!

투닥투닥…….

펀치력이 너무 약하다. 시합용인 8온스 글러브를 끼고 보디를 치는데 연성이 자기 공격에 흥분해서 위력도 안 나온다. 저렇게 쳐봐야 체력만 쏟아붓겠다 싶어 한세건은 다시 명령을 내렸다.

"아웃!"

한세건이 다시 외치자 그제야 정신을 차린 연성은 더 이상 공격 욕심을 내지 않고 뒤로 빠졌다. 상대의 몸을 밀어서 잠근 상태, 완전히 유리한 상태를 과감히 버리고 빠지는 것이니 어리석은 짓일 수도 있지만 연성에 비해 찬주가 체중이 10킬로는 더 나간다. 밀어서 몸을 잠그고 있는 것만으로 연성의 체력이 빠지는 데다가 연성의 주먹으로 지금 당장 보디에 효과적인 공격을 하긴 힘들다.

‘사정권에서 빠지려 할 때 성질 급한 놈들이 추가타를 날리려고 오는 순간 머리통을 사냥하는 것이 정석이지만 네 기량으로는 좀 무리지.’

과연 약이 오를 대로 오른 찬주는 주먹을 마구 휘둘러 왔다. 권투보다는 길거리 싸움에서 주로 쓰는, 강하게 후려갈기는 주먹이 소나기처럼 쏟아진다. 한세건은 그 모습을 보고 아랫입술을 깨물었다.

무술에 조예가 있는 사람은 저런 막주먹을 전혀 염려하지 않겠지만 연성은 찬주에게 괴롭힘을 당하던 인물이다. 저렇게 공격적으로 나오기만 해도 겁을 집어먹을 가능성이 크다.

“인파이트!”

한세건은 연성에게 인파이트를 주문했다. 그러자 연성은 즉시 머리를 팍 숙이고 좌우로 흔들면서 찬주의 몸에 붙였다.

‘붕붕 펀치를 휘두르는 애들은 막무가내 롱 훅에 익숙해져 있지. 낮은 자세에 있는 놈을 때리는 법을 몰라. 낮은 자세로 붙으면 일단은 안전하다.’

한세건이 말한 대로 찬주는 자신의 배 높이로 머리를 낮춰오는 연성을 보고 화가 나서 어쩔 줄 몰랐다. 이게 권투가 아니면 니킥이나 발차기로 떨어낼 수 있겠지만 낮은 자세로 파고드니 주먹으로 때릴 방도가 없다. 일반 권투 도장에서 가르치는 스트레이트나 잽을 각도를 낮춰서 조준하자니 어색하고, 가깝다. 적당한 거리가 있을 때의 펀치만 연습했더니 가까운 상태에서는 때리기 곤란하다.

무엇보다 권투 체육관에선 인파이트를 시키는 법만 가르치지, 막는 방법을 가르치진 않는다. 적어도 1년 내에는…….

"아우! 썅!"

찬주는 몸통으로 차징해서 붙어 있던 연성을 코너로 밀고 갔다. 순식간에 연성을 링의 코너로 밀어붙인 찬주에게 연성은 보디블로를 먹였다.

"완전 물주먹이거든!"

분노한 찬주가 강타를 날렸다. 연성은 코너에서 방어를 하면서 그때그때 보디블로로 반격했지만 찬주는 몸통에 맞는 주먹은 아랑곳하지 않고 연성을 마구 가드 위로 후려갈겼다.

"코너워크!"

한세건이 외치자 연성은 보디블로에서 머리를 노리는 더블 훅 콤비네이션을 펼쳤다.

깜짝 놀란 찬주가 머리 쪽 훅을 방어하자… 연성은 방어시킨 팔을 그대로 찬주의 몸에 댄 채 그쪽으로 빠져나오며 찬주를 반대쪽으로 밀었다. 자신보다 체중이 많이 나가는 상대에게 하기 힘든 기술이지만 찬주도 워낙 초짜기 때문에 어렵지 않게 코너에서 탈출할 수 있었다.

"허……."

보고 있던 체육관 관장과 관원들도 내심 혀를 내둘렀다. 권투 시작한 지 이제 네 달, 실질적으로는 한 달 만에 저만큼 가르쳤다는 사실이 놀랍다.

"점프!"

한세건이 콜하자 연성은 이제 권투 선수 특유의 경쾌한 스텝을 밟기 시작한다. 링 코너에서 탈출해 중앙으로 돌아온 연성이 폴짝폴짝 뛰는 모습을 찬주가 따라가려 했지만 갑자기 발이 붙잡히기라도 한 것처럼 무겁다.

"윽……."

흥분해서 붕붕 펀치를 휘두르는 동안 꾸준히 맞은 보디블로가 이제야 효과를 나타낸 것이다. 비록 펀치 자체의 위력은 없더라도 몸통에 꽂히는 주먹을 방어하기 위해서는 복근에 힘을 줘야 한다.

복근에 힘을 주면서 호흡하는 건 아직 찬주가 할 수 있는 일이 아니다. 즉 보디를 맞을 때마다 무호흡 상태로 들어갔다는 건데 격렬하게 몸을 움직이는 와중에는 1~2초만 숨을 참는 것도 고역이다.

보디블로 자체는 별다른 위력이 없더라도 그걸 맞느라 숨을 1~2초 더 참는다는 건 결과적으로 체력을 격렬하게 소진시키는 것이었다.

1라운드를 30초 남겨둔 상태에서 체력이 소진된 찬주를 향해 이제 연성은 가볍게 폴짝폴짝 뛰면서 인앤아웃을 펼쳤다. 스텝인으로 들어가면서 빠르고 강렬한 원투를 먹이고, 반격하려고 할 때 뒤로 빠진다. 체력이 빠진 찬주는 그런 움직임을 쫓아가지 못하고 방어에 집중하는데…….

정면을 향해 가드하고 있던 찬주는 자신의 가드를 쉽게 열고 들어오는 연성의 주먹에 당황했다. 평소엔 막아지던 게 각도를 바꾸며 다양하게 들어오자 막기 힘들어진다. 그렇다고 방어를 단단히 굳히면 반격으로 전환하는 데 시간이 걸리게 되고, 그건 상대도 잘 안다. 그럼 그때부터 완전 샌드백 상태다. 물론 샌드백 상태가 되었다고 해도 체력은 유한하니 계속 공세로 나오진 못할 것이지만 연성을 상대로 이렇게 몰리다니…….

그때 인파이트로 연성이 들어와 좌우 보디에 훅을 넣는다. 연성의 주먹은 위력이 얼마 안 되니 방심하고 있던 찬주는 이전과 차원이 다른 고통에 무릎을 꿇었다.

"억……."

"체력이 떨어지면 아무리 물주먹이래도 아프지."

한세건은 로프에 몸을 기대고 시큰둥하게 말했다.

"다운인데 카운트 안 하나?"

서현이 피식 웃으며 체육관 관장을 바라보자 체육관 관장이 떨떠름한 표정으로 카운트를 했다. 연성이 이기면 돈을 받으니 좋긴 하지만 자신이 가르친 찬주가 연성에게 일방적으로 맞는 걸 보니 기분이 더럽다. 물론 저들은 시합 앞둔 선수처럼 공들여서 연성을 가르친 거고 이쪽은 그냥 일반 관원으로 훈련시킨 거지만……. 이런 승부는 본래 받아들여서는 안 되는 것이다.

'찬주 쟤가 두들겨 맞고 집에 가서 부모님에게 돈 때문에 이리 시합했다고 말하면 그것도 큰일인데.'

당장 눈앞에서 돈을 줬다가 빼앗는 퍼포먼스 때문에 성급하게 결정해 버렸지만… 이제 와 생각해 보니 뒤탈이 이만저만이 아닐 것이다.

그때 1라운드의 끝을 알리는 공이 울렸다. 약속은 3라운드, 아직 2라운드나 남아 있는데 찬주는 이미 한 번 다운에 체력도 바닥나 있었다. 보디블로를 축적해서 맞아 생긴 다운이니 다음 라운드 가봤자 신나게 두들겨 맞는 샌드백 신세다.

"아… 씨발! 안 해!"

찬주는 화딱지가 나서 견딜 수 없는지 욕설을 퍼부으며 헤드기어를 벗어 던졌다.

"당신들 미쳤어? 저 병신 같은 애새끼가 뭐라고 징징댔는지 모르지만… 날 두들겨 패서 웃음거리로 만들고 싶은 모양인데 내가 왜 이런 짓에 놀아나야 해? 응? 썅! 권투 안 해! 권투부도 그만둘 거고 체육관도 그만둘 거야! 이런 젠장! 야, 송연성! 너 씨발 권투에서 나 이겼다고 까불지 마라. 글러브 없이 길거리에서 싸우면……."

역시 찬주는 견딜 수 없었나 보다. 잠깐이라도 자신이 장난감처럼 갖고 놀던 이에게 두들겨 맞는 굴욕, 모두가 자신의 패배를 바라고 있는 이 편파적인 분위기가 참을 수 없는 것 같다. 그런 상황을 연성은 송덕중 원사가 내부 고발자라 지목된 그날 이후 계속 겪어왔는데 이놈은 단 하루, 그것도 찰나간 겪어보고 짜증을 폭발시킨 것이다.

"오, 잘됐네. 그럼 나가서 거리에서 글러브 없이 해보지."

서현이 빈정거리자 찬주는 흠칫 놀랐다.

"……."

"왜?"

"오, 오늘은……."

이미 두들겨 맞아서 만신창이에 체력이 바닥을 긴다. 평상시 깃털 같던 헤드기어와 글러브가 무슨 쇳덩이처럼 무거운데 이제 와서 길거리에서 싸우라니…….

게다가 이전까지는 밥이라고 생각했던 연성이 두렵다. 글러브 없이 거리 싸움에서 이길 수 있다고 한 건 그렇지 않으면 너무 비참해지니까 떨어대는 허세지, 실제로 이길 자신이 있다는 건 아니다.

"뭐, 너 좋을 때 하자고? 그것참. 연성아, 어찌 생각하냐?"

"전 오늘이 좋은데요? 하지만 상태가 안 좋으면 나중에 언제든지 해도 괜찮아요. 그리고 사실 제가 배운 건 권투가 아니라 무에타이잖아요? 권투는 곁가지고. 킥을 못 쓰니까 아깝네요. 그렇게 연습했는데."

타이밍 좋게 연성도 너스레를 떨었다. 아예 빈말도 아니다.

"그렇다는데?"

서현이 씨익 웃으면서 찬주에게 손을 뻗어왔다. 찬주는 그 손을 마치 바퀴벌레라도 보듯 소스라치게 놀라며 피했다. 이 미친 자식들, 진짜 싸움을 붙일 셈인가? 하긴 애들 싸움 붙이겠다고 2천만 원을 쾌척하는 놈들이다. 이 정도로 만족할 리가 없지.

"…당신들 미쳤어? 경찰에 신고할 거야!"

경찰 이야기가 나오자 관원들과 체육관 관장이 뜨끔한다. 어쨌든 연성이 패배를 자인한 이 순간 자신들 몫으로 2천만 원이 할당되었는데, 괜히 경찰들 불러서 일이 커지면 입안에 다 들어온 떡이 사라질지도 모른다.

"자자, 찬주야, 진정하고."

"그, 그래. 흥분하지 말고. 뭐 시합하다 보면 질 수도 있지."

"김 중사는 전에 시합 나가서 고등학생에게 맞고 들어왔다. 크크."

"아니, 그건 저……."

관원들은 억지로 웃어넘기며 찬주를 다독였다. 그사이 서현과 한세건은 연성에게 커다란 타월을 덮어주며 물어보았다.

"샤워하고 갈래?"

"아… 아니요. 그냥 여길 빨리 벗어나고 싶어요. 가서 씻어도 되니까."

"그래? 그럼 여기 설비를 더 이상 온존시킬 필요가 없군."

서현과 한세건은 동시에 시선을 나누었다. 말하지 않아도 일치하는 뭔가가 있나 보다.

"응?"

체육관 관장은 링에서 내려온 두 사람을 보고 깜짝 놀랐다. 갑자기 불길한 느낌이 든다.

"일단… 2천만 원은 그냥 주지만……."

쾅!

그 순간 한세건의 어퍼컷이 샌드백을 강타했다. 샌드백이 수직으로 솟구쳐 올라 천장에 충돌하면서 천장의 조명들이 일제히 와장창 깨졌다.

게다가 그 뒤를 이어서 한세건이 하이킥을 하자… 샌드백을 잇고 있던 쇠사슬이 끊어지며 마치 총탄처럼 날아가 체육관 한 면을 에워싼 거울에 충돌했다.

벽 전체가 출렁이며 거울이 산산조각 났다.

인간의 힘이 아니다, 이건……. 관원들도 놀라서 비명을 지르며 머리를 감쌌다. 전등이 전부 나가면서 실내가 어두워졌다.

"앞으로 처신 잘하시길 바랍니다, 여러분. 오늘은 호의로 왔지만 다음번에는 그러지 않을 테니까."

연성을 데려온 두 남자는 그 말을 남기고 어둠 속에서 사라졌다.

"아… 윽……. 제길, 뭐… 뭐야."

체육관 관장은 얼른 비상용 플래시를 찾아서 켜보았다. 그리고 깜짝 놀랐다.

"……."

샌드백, 거울이 파손된 거야 그렇다 치고… 강철로 만든 링포스트가 엿가락처럼 휘어져 있었다. 어둠 속에 휘어진 링포스트가 눈에 들어오자 이건 뭐 공포 영화 저리 가라였다. 갑자기 등골을 싸늘한 한기가 훑고 지나가는 것에 놀라서 체육관 관장은 제자리에 주저앉았다.

"맙소사."

천만 원 받았다고 좋아했는데 저거 수리하면 남는 게 없을 판이다. 하지만 어디에 하소연할 수도 없다. 무엇보다 그것들 인간이 맞긴 한가? 링포스트를 저렇게 휘어놓는 건 북극곰이라도 못 할 짓인데?

"으아아아아아!"

송연성은 가슴 안에서 솟구쳐 오르는 감정을 여과 없이 토해냈다. 전신을 짜릿하게 관통하는 이 감격을 뭐라 형언하기 힘들다.

"아오! 으아아아아!"

싸구려 액션 영화적인 감성인지도 모른다. 폭력에 의존하는 수컷의 단순함일지도 모른다. 이성적으로는 별일 아니라고 여겼다! 그러나 역시 직접 승부해서 승리를 쟁취했다는 건 정말 말로 다 할 수 없는 쾌감이었다.

"이겼어! 내가 이겼다고!"

"이기긴 했지. 하지만 네 실력이라고 생각하지 마라. 난 한세건이 조이스틱 들고 너 조종하는 줄 알았는데."

서현은 한세건이 거의 모든 케이스를 완전히 예측하고 그에 따라 훈련을 짜고 커맨드를 넣어준 것에 대해서 빈정거렸다. 그렇지만 그런 빈정거림도 연성의 기쁨을 막을 수는 없었다.

"신나네요! 너무 좋아요! 제기랄! 주체할 수가 없어! 아오!"

연성은 기쁨의 흥분을 아직도 주체하지 못하고 개구리처럼 폴짝폴짝 뛰어다녔다. 한세건은 어깨를 으쓱해 보였다.

"누가 가르쳤는데."

문득 한세건은 송덕연을 떠올렸다. 그에게 가르침받은 걸 조카에게 돌려주었다. 물론 함무라비 이전의 방식은 아니다. 받았던 것에 비하면 오히려 매우 열화시켜 갚아준 셈이지만……. 당사자가 저리 좋아하니 이 정도면 된 것 같다.

"여튼 고마웠습니다! 그럼 안녕히."

연성은 손을 흔들면서 멋대로 작별 인사를 나누었다. 그러자 서현이 웃으면서 양손으로 연성의 머리를 덥석 움켜쥐었다.

"하하. 이 자식 봐라. 지금 누구 멋대로 엔딩 내고 스태프롤 올리려고 그러냐?"

"아니, 제가 이기면 끝난 거 아닌가요. 정말 그 자식들 가족을 몰살시킬 거예요?"

"한 달 고생한 것치곤 너무 온건한 결말인데? 지금이라도 부모 없는 하늘 아래를 실감시키는 편이 좋을 것 같아. 찬주라는 놈 너무 건방졌어."

서현은 찬주라는 그 꼬맹이가 자신들에게 도발해 왔던 걸 떠올리며 치를 떨었다. 그러나 세건의 태도는 냉담했다.

"그 녀석들 부모를 죽지 않는 선에서 괴롭히도록 하지. 도청, 도촬로 갖가지 증거가 모였거든? 대령은 준장 승진 못 할 거고. 향토 기업은 탈세 횡령으로 고발 넣었고, 저 녀석들 부모의 불륜 증거를 녹화해서 직장과 가정에 보내주는 정도로 마무리 짓겠다."

"……."

연성은 무시무시한 소리를 아무렇지도 않게 하는 한세건을 보고 입을 다물었다. 한세건이 그를 도와주어서 다행이다. 만약 저런 놈이 적이라면 상상만 해도 끔찍하다.

"그래도 죽이진 않겠어. 네가 이겨서 저놈들의 목숨을 건져준 거다. 네 승리의 부상이야."

한세건은 그리 말하고 웃어 보였다. 평상시에는 영 웃지 않던 세건이 웃자 연성은 이 사람도 웃긴 웃는구나 하고 충격을 받았다. 서현도 연성을 칭찬하며 그의 머리에 손을 얹었다.

"그래, 넌 저놈들의 생명의 은인이다. 저놈들이 그걸 알아서 모셔줄 리는 없지만. 네가 힘들여서 저놈들 목숨을 구했어. 이제는 일대일에서 지지 않을 테니까 저놈들도 널 함부로 괴롭히지 못할 테고 뭐, 한동안은 가정의 불화로 고생 좀 하겠지."

연성은 그들을 보고 한숨을 내쉬었다. 비록 해괴한 인간이지만 이들이 없었다면 이런 좋은 기분을 만끽할 수는 없었겠지. 정말 이들은 연성의 상처를 치유하기 위해 최고의 처방전을 준비해 주었다.

"그런데 대체 삼촌에게 얼마나 은혜를 입었길래 절 이렇게 도와주신 거예요. 그런 거금도 쓰고."

"푼돈이야."

"그 푼돈 나나 주지."

서현이 투덜거리자 한세건이 그를 흘겨보았다. 어쨌거나 이로써 일단락은 지어진 것 같다. 뱀파이어 헌터의 세계로 들어와 늘 인연을 잃어버리기만 했다. 늘 죽음과 적만 늘려갔는데 간혹 이런 일이 있는 것도 나쁘진 않겠지.

"나중에 문제 생기면 케이 양에게 연락하도록. 그럼 가마."

한세건은 헬멧을 쓰고 바이크에 시동을 걸었다.

"그럼 저도 이만……. 저 자식들이 개과천선했을 리는 없지만 왠지 이젠 맞서서 잘 살아갈 자신이 생겼어요."

연성도 웃으면서 고개를 돌렸다. 앞으로도 삶은 험난하겠지만 오늘 겪은 승리의 경험이 그를 살아가게 해주리라. 한세건이 떠나고 연성도 떠나가자 서현은 혼자 남았다.

"음……. 예상외로 그럭저럭 재밌는 사람이군."

홀로 남은 서현은 그런 평가를 내렸다. 그의 몸을 휘감고 있는 독기가 위험하긴 하지만, 한세건이란 인간의 의지, 정신력, 그리고 성격은 황폐화되었을지언정 올곧다. 너무 올곧아서 종종 서현을 그 태생이나 행적으로 비난하지만 그거야 뭐 서현 자신도 변명의 여지가 없이 비난받아 마땅한 부분이고…….

그런데…….

"이번에도 혼자 가버렸어, 그 자식."

서현은 주머니를 뒤적거려 보았다. 역시 없다.

"내가 그 녀석에게 받았던 공작비를 그 차에 두고 온 것 같은데?"

차비도 없이 또 머나먼 길을 가야 하는 건가? 역시 그와 한세건은 뭔가 잘 맞지 않는다.

8

"그러나저러나… 예상보다 훨씬 일을 잘 처리해 줬군."

케네스 양은 게임에 간만에 모습을 드러낸 송연성의 캐릭터를 보며 흐뭇해했다.

사실 이번 일은 아르쥬나의 마스터 김성희에게 그간 헐값에 팔아넘겼던 장비들을 되찾는 조건으로 벌인 일이지만 진심으로 송연성이 잘되길 바란 것도 사실이다. 한세건이나 서현이나 코먼 센스가 없다고 해도 과언이 아닌 녀석들인데 이 정도로 잘 끝나다니 다행이다.

'내심 U시를 불바다로 만들면 어쩌나 하고 걱정했는데 말이야.'

케네스 양은 키득키득 웃으면서 송연성에게 말을 걸어보았다. 그러자 송연성이 답했다.

[아저씨였다면서요?]

[…왜? 나 양씨 성 맞아. 딱히 여자인 척 속인 적 없었는데?]

[으… 실망.]

어린놈이 벌써부터 밝히기는……. 어쨌거나 예전의 그늘은 없어져서 다행이다.

하지만 이게 올바른 일인지는 모르겠다. 만약 송연성이 아닌 다른 사람이었다면, 송덕연과의 인연이 없는 다른 사람이었다면 아무리 의로운 일에 나섰다 한들 구제받지 못했을 수도 있다. 한세건과 서현이 취한 행동 중에는 분명히 초법적인 행동들도 있었을 터…….

'뭐, 내가 걱정할 일은 아니지.'

케네스 양은 잔뜩 쌓여 있는 검은돈을 보며 혀를 찼다. 현재 그는 이 검은돈들을 강원랜드 카지노 등의 전당포를 통해 세탁하고 있었다. 마약과 무기, 국외 탈출 등을 알선하면서 벌어들인 돈을 세탁하는 그가 이런 상황에서 도의를 따지는 것 자체가 뭔가 우습지 않은가?

그때, 케네스는 갑자기 스산한 한기를 느꼈다.

"음?"

어느새 그의 가게 앞에는 사람이 서 있었다. 이상한 일이다. 케네스는 분명히 경호원들을 고용하고 있는데 그들에게는 반응이 없다.

게다가 저 앞에 서 있는 사람도 이상하다.

남성용 양복을 입은 여자다. 하지만 얼굴은 기이하게 하얗다. 마치 광대처럼 새하얗게 분칠을 하고 피처럼 붉은 입술을 가진 그 여성은 아직 태양이 떠 있음에도 불구하고 스산한 한기를 뿜으며 걸어왔다.

드르르르륵!

전동으로 여닫게 되어 있는 셔터가 자동으로 열리고 그녀가 들어왔다.

"저기… 사유지입니다만."

"비스트… 한세건의 정보가 필요하다."

"정확히 어떤 정보를 원하십니까. 전 정보 상인이기도 합니다만."

케네스 양은 코웃음 치며 물어보았다. 여자에게서 느껴지는 살의는 보통이 아니다. 게다가 이 여자, 틀림없이 인간이 아니다. 그렇지만 케네스 양은 본의 아니게 이런 상황을 많이 겪어 보았다.

블랙 네트워크의 매니저는 철두철미하게… 스스로를 도구로 만들 것을 강요받는다. 어둠의 세계에 필요한 도구, 없어지면 반드시 이용자 모두로부터 공적 취급을 받을 인프라로 남으면 그를 소유하려는 자들이나 제거하려는 자들이 준동해도 다른 이들이 알아서 그들을 막아준다. 물론 그게 언제까지나 자신의 목숨을 지켜줄 수 없다는 건 잘 안다.

하지만 이 순간에도 케네스 양은 자신이 저울의 중심이 되도록 주의하고 또 주의했다.

여자로부터 쏟아지는 혐오스러운 기운은 케네스 양의 피부를 찌르다가 이내 사라졌다.

여자는 작은 향수병을 하나 꺼내더니 그것을 열었다. 수정을 깎아 만든 보기 드문 귀중품이었다. 그런데…….

뚜드득!

그녀가 손을 움켜쥐자 손 틈새로 핏물이 흐른다. 그녀는 그 핏방울을 향수병에 담은 뒤 향수병을 잠갔다.

"으음……."

케네스 양은 그 모습을 보고 신음했다. 진마인가? 이 여자는 진마거나 그에 필적하는 존재인가? 그렇다면 저만큼의 피도 어마어마한 가격을 가진다. 마약으로 만들면 한 사람은 평생 쓸 정도의 양이 되겠지.

"이것의 정보와 교환하지."

"정보?"

"이제 곧, 거대한 저주, '아웃레이지'가 너희를 덮칠 것이다. 그리고 이 피에… 아웃레이지의 근원에 대한 정보가 담겨 있다."

"……."

뭐, 바로 돈이 된다는 건 아니로군. 케네스 양은 그렇게 이해했다. 그 이상 파고드는 건 좋은 저울이 해서는 안 될 짓이다.

"그래서 한세건은 왜 찾습… 아, 물어보면 안 되지요. 어느 정도의 정보를 원하십니까?"

"그의 거처."

여자는 마치 밴시처럼 흐느끼듯 말했다. 끔찍한 목소리다. 슬픔에 미쳐 영원히 울부짖는 악령처럼 들리는 데다가 두려움을 불러일으킨다.

케네스 양은 흠칫 놀라면서도… 조심스럽게 손을 뻗어 그녀에게서 향수병을 받아 들었다.

"그의 거처라면 꽤 비쌀 텐데요."

케네스 양은 저울. 필요하다면 한세건도, 서현도, 다른 누구도 팔아야 했다.

하지만 저울이 미움받지 않기 위해서는 그 나름대로, 부서지기 전까지는 균형 감각을 유지해야 했다.

한세건의 거처에 대한 정보를 팔아넘긴다면… 자칫 잘못하면 한세건이 죽거나… 그가 습격에서 살아난 뒤 케네스 양을 죽일 수도 있었다.

한세건은 분명히 포스트 함무라비 스타일의 인간이니까.

"……."

여자는 입을 열어서… 무엇인가를 말했다.

第4夜

헌팅 시즌

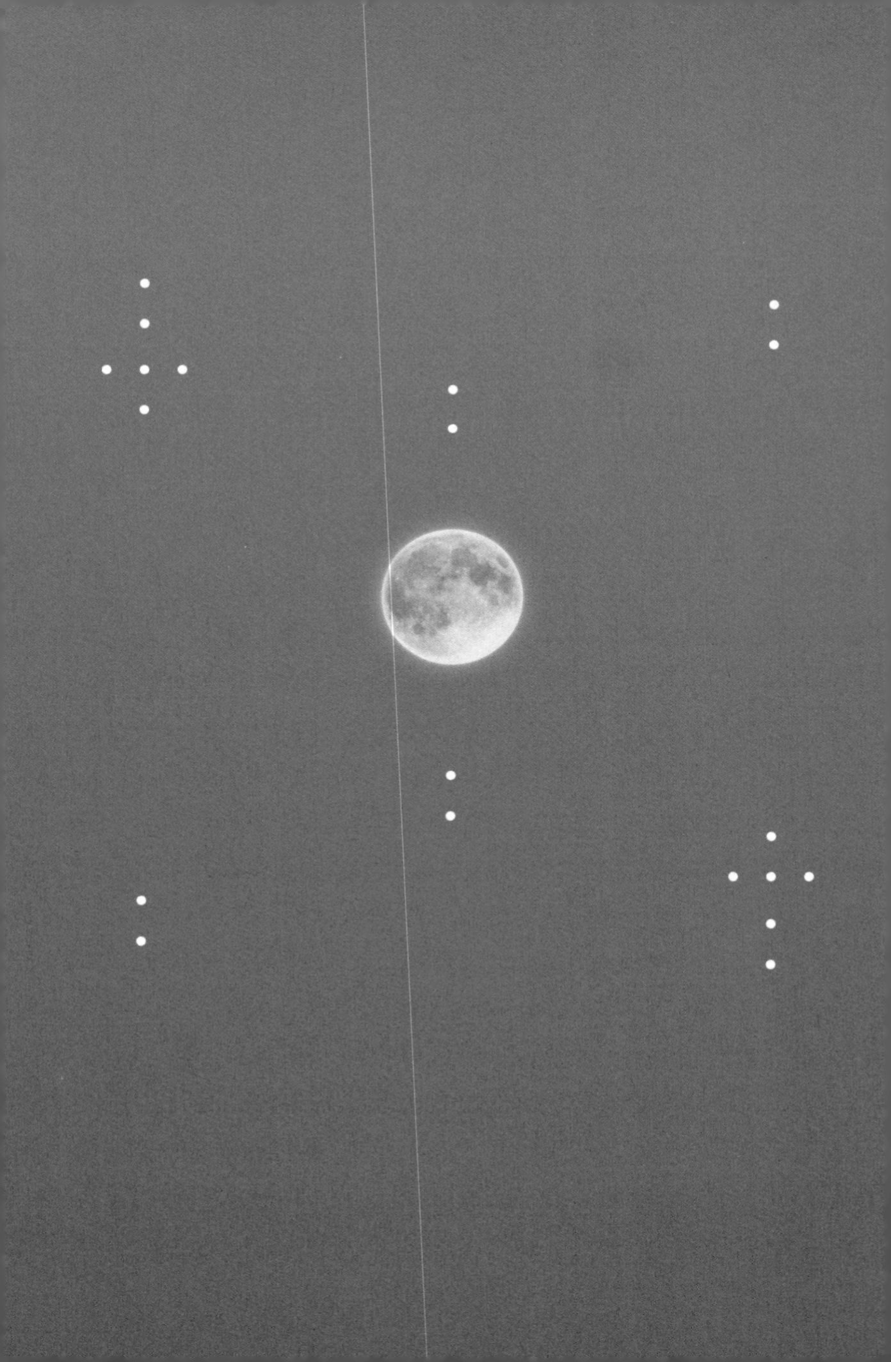

1

서현은 포격으로 무너져 내린 벽돌 건물의 잔해를 걸으며 주위를 둘러보았다. 핵전쟁 이후의 모습이 아닐까 싶을 만큼 황폐한 장면이지만 별다른 감흥은 없다. 용병 짓을 하면서 살려면 이렇게 포격으로 부서진 마을을 수색하는 일에 감흥을 느낄 수 없어야 했다.

다행히 건물들은 산산조각 났어도 죽은 사람은 없다.

미국계 PMC를 고용한 일본계 종합상사는 정치적으로 문제가 발생하자마자 빠르게 철수해 인명 피해는 없었던 것 같다.

'미국 애들은 늘 이런다니까.'

개인 사물을 다 챙겨 가지는 않았는지 부서지다 만 벽에는 컬러 프린터로 출력한 여성 사진들, 굳이 엄격한 이슬람 원리주의 국가가 아니더라도 문제시될 만한 사진들이 붙어 있었다. 사진 외에도 그들이 쓰던 사물 일부가 남아 있는데, 풍족한 미국의 삶을 반영하는지 총탄이 오가는 지역의 군인들이 가진 사물이 상당히 사치스럽다.

"떼 가야지."

서현의 부하 루스킨은 히죽히죽 웃으며 벽에 다가가 사진을 떼고 있었다. 컬러 프린터로 뽑은 매우 싸구려 사진이건만 무슨 신줏단지 모시듯 공들여 접어 품 안에 갈무리하는 모습을 보니 웃긴다. 하지만 서현 역시 남 말 할 처지가 아니다. 적들이 남기고 간 물건 상당수는 쓸 만하다. 미국인 병사들은 늘 좋은 걸 남기고 간다. 그게 포르노 사진이든 청바지든 치즈버거든 간에 물자가 부족한 쪽에서는 그야말로 천상의 재보가 아닐까 의심 가는 것들뿐이다. 이러니까 태평양의 원주민들이 화물 숭배를 하겠지.

눈을 떠보니 실베스테르의 펜트하우스다. 지나치게 무기질적인 공간. 사람이 생활하기 위한 장소라기보다는 사람을 진열하기 위한 장소가 아닐까? 그런 장소에서 눈을 뜬다. 한 개인이 쓰기엔 너무 넓은, 200평이 넘는 이 펜트하우스는 안에서 결혼식 피로연을 해도 될 정도다.

"으음. 간만에 옛날 꿈을 꿨군."

주위를 둘러보면 미국 용병들이 버리고 간 잡동사니에 집착하던 꿈속의 시절이 믿어지지 않는다. 비록 인테리어 등은 서현의 취향이 아니지만 이 집의, 이 공간의 고급스러움은 푼돈의 잡동사니를 줍던 시절에는 상상도 할 수 없을 정도다. 뭐, 남의 거긴 하다만.

'언젠간 나가야지. 돈을 좀 벌면… 반드시.'

서현은 자리에서 일어나 샤워 부스로 향해 아침 샤워를 끝마치고 옷을 갈아입었다.

"문자가 와 있네?"

머리의 물기를 털면서 서현은 휴대폰을 확인해 보았다. 블랙 네트워크의 한국 지배인 케네스 양으로부터의 호출이다. 부탁할 일이 있으니 가급적 빨리 와달라는 내용이지만 서현은 코웃음 쳤다.

"별로 안 바쁜가 보군."

정말 한시가 급한 일이었으면 전화를 했겠지. 그렇게 생각한 서현은 펜트하우스에서 직결된 엘리베이터 버튼을 누르고 싸구려 캔버스화를 신었다. 원래는 워커 계열을 좋아하는 서현이지만 아르쥬나에서는 워커를 신지 말라고 해서 부랴부랴 시장에서 만 원 주고 산 싸구려다.

뭐, 발바닥만 보호하면 됐지.

그리 생각하며 서현은 엘리베이터 표면에 비쳐지는 자신의 모습을 바라보고 발을 들어 올려 확인했다.

"잘 샀단 말이야. 아르쥬나에서 두 시간 시급이라……."

나쁘지 않다. 서현은 머리칼을 쓸어 올리다 문득 엘리베이터에 비쳐진 자신의 얼굴을 바라보았다. 오른쪽 눈이 붉게 빛난다.

"아차, 콘택트렌즈."

그제야 서현은 콘택트렌즈 끼는 걸 빼먹었다는 사실을 깨닫고 혀를 찼다. 안 끼던 걸 항상 껴야 한다니 귀찮다.

서현은 한세건을 도와 일한 덕분에 뱀파이어 헌터들 사이에서 어느 정도 인정받게 되었다. 물론 그들은 여전히 서현을 믿지 않는다. 일 좀 했다고 믿으면 그게 더 이상한 것이다.

하지만 서현은 그 일이 있고 나서도 아르쥬나에 출근했다.

"…왜 옷을 그렇게 거지꼴로 입고 왔어?"

아르쥬나의 마스터, 마녀 김성희는 서현의 모습을 보고 혀를 찼다. 철 지난 새파란 진청 진에 가짜티가 풀풀 나는 캔버스화라니, 90년대 미국 하이틴 영화에서 튀어나온 것 같은 복장이다. 게다가 입고 있는 티에는… '나 미국인 아님' 이라고 적혀 있다.

서현은 동생 서린과 달리 훨씬 혼혈아티가 극명하게 난다. 고대 소그드인의 혈통을 이어받아서일까? 덕분에 거리에서 미국인이냐고 묻는 사람이 많을 것 같긴 하지만 그렇다고 저런 티를 입고 다니다니. 웃기려는 걸까, 아니면 원래 패션 센스가 저 모양인 걸까?

"아니… 그, 그래요?"

나름 마음에 들었던 복장인데 혹평을 받자 서현은 당혹스러워했다.

"아, 아니, 그렇게 입고 다녀라. 원판이 좋으니 그 정도 페널

티는 달고 다녀야지."

"…그렇게 안 좋아요?"

"응. 막 군에서 제대한 복학생이 모처럼 큰마음 먹고 옷을 사러 갔다가 너무 비싸다고 짝퉁 시장에서 시즌 오프 할인 상품만 사다 모아서 조립한 것 같아."

"……."

아예 틀린 말은 아니다. 실제로 할인 상품만 사다 모아서 조립한 거 맞으니까.

"괜찮아, 아르쥬나는 유니폼이 있으니까. 그리고 벗고 다니는 것보다는 그런 거라도 입는 게 나으니까."

"아, 네."

서현은 왠지 입을 삐죽 내밀고 구연산을 타서 커피 머신 안을 청소하기 시작했다.

삐졌나 보다.

점심시간 이후 피크타임이 지나자 좀 한적해졌다. 이 일대 상업지구는 한국에서 가장 번화한 상업지구라는 걸 감안하면 아르쥬나의 인기는 심각하게 낮다고 할 수 있었다. 하긴 손님을 내쫓기 위해 만들어진 게 아닐까 의심 가는 구조긴 하다.

오컬트 카페라는 콘셉트로 되어 있지만 손님들에게 타로 점을 봐준다거나 그런 건 전혀 하지 않는다. 진열되어 있는 오컬트 관련 용품들은 진짜 마도구라서 가장 저렴한 것도 수백만 원은 한다. 내막을 모르는 일반 손님들에게는 어디서 호구 하나

낚겠다고 턱없는 가격을 써 붙인 가게로밖에 보이지 않는다. 음료나 메뉴에는 나름 신경을 썼지만 이 근처 다른 가게들도 다 잘한다. 체인점 카페들도 손님 회전율이 높아서 매일 볶은 신선한 원두를 쓰고 바리스타 자격을 딴 사람들도 최저 시급으로 부릴 수 있다.

그렇게 잘되는 가게들도 매번 높은 월세를 감당 못 하고 쫓겨나는 곳에서 망하지 않고 계속 남아 있다니……. 서현은 한숨을 내쉬고 고개를 돌렸다.

김성희는 카운터 휴식용 의자에 앉아서 책을 보고 있다. 우아하고 이지적인 미녀가 다리를 꼬고 앉아 책을 보는 모습은 정말 그림 속에서 튀어나온 것 같은 품위 있는 장면이지만 그녀가 보고 있는 책은 하이틴 로맨스 소설이다. 굉장히 고위 마법사로 알고 있는데 하는 짓을 보면 그냥 일반인 같기도 하다.

"왜? 심심해?"

서현의 시선을 느꼈는지 김성희가 물었다.

"…저도 뱀파이어를 사냥하면 안 될까요? 언제까지 최저 시급을……."

"흐음."

김성희는 듣는 둥 마는 둥 콧소리를 내며 책을 보고 있다. 건성건성 듣는군, 이 여자. 서현은 그리 생각하고 혀를 찼다.

"다른 아르바이트생들은 최저 시급보다 더 준다던데."

실제로 그렇다. 아르쥬나의 다른 아르바이트생들은 무조건 최저 시급보다 더 받고 시작한다. 서현만 어째 최저임금을 받고 있다.

"다른 애들이 말했구나."

김성희의 목소리에서 배신감이 배어 나왔다.

'아니, 배신감을 느끼면 내가 느껴야지.'

서현은 그리 생각했지만 참았다.

"뱀파이어 사냥은 아직 참아. 돈 될 일이지만 음… 네가 돈에 쪼들리지 않고 편하게 잘살면 다른 사람들이 납득을 못 하니까."

"이번 일로 평판이 좀 좋아지지 않았나요?"

"상당히 좋아졌지. 그래도 네가 사냥에 나서면 이야기가 달라져. 무슨 음주운전으로 사고 친 아이돌 가수도 아니고 그렇게 빨리 복귀하고 싶어?"

"그, 그럼 급료라도 좀……."

"……."

김성희는 말없이 책으로 시선을 던진다. 아, 무시했다. 무시했어.

"잘못을 저지른 사람이 사과한다는 거는 확실히 어려운 문제야. 엄밀히 따져서 자신의 책임이 아닐 때는 더 심하지."

딴소리하는군. 급료가 부족해서 뱀파이어 헌터가 되고 싶다는 거지, 딱히 현업 복귀하고 싶어서가 아니라니까.

"서현 네가 엄밀히 말해서 잘못한 게 아니라는 건 내가 잘 알아. 하지만 모두가 납득할 수 있는 게 아니잖아? 특히 네 동생이 테트라 아낙스가 되어버린 이후로는 더더욱. 네가 뱀파이어 헌터 일을 한다면 보나 마나 매우 잘할 테고 그러면 다들 자기 밥그릇 빼앗기는 느낌을 받을 거야. 그리되면 널 문제 삼지 않던 사람들도 문제 삼을, 그런 약점이 네겐 너무 많지."

"……."

"네가 가진 재능은 너무나 뛰어나지. 물론 네 입장에서 네 선천적인 힘은 단순히 축복만이 아니지만, 마약으로 몸을 망가뜨려 가면서 뱀파이어를 사냥하는 자들 입장에서 보면 넌 시기심을 불러일으키는 존재야. 유능한 사람일수록 남들의 시기심을 이해하고 다독여 주어야만 해. 그걸 못 하면 결국 파멸하지."

"아니, 굉장히 좋은 말씀 감사한데요. 그래서 왜 다른 애들은 저보다 시급이 천 원, 천오백 원씩 높죠?"

"아, 손님 온다. 일하자. 나는 그럼 가게 맡기고 간다. 조금 있으면 다른 아르바이트생들 올 테니까……."

"여보세요?"

서현이 투덜거렸지만 김성희는 무시하고 도망치듯 나가 버렸다.

아니, 도망쳤다.

"으음……."

저 아가씨만 한 후견인이 없긴 하지만 그렇다고 과연 저 아가씨에게 신변을 맡겨도 될 것인가? 서현은 심각하게 고민했다.

슬슬 서현의 근무시간이 끝나간다. 아까 전에 아르쥬나가 별로 장사가 안된다고 투덜거렸는데 역시 피크타임에는 눈 돌아가게 바쁘다.

겨우 피크타임을 넘겼나 싶었는데, 교복 입은 여학생 몇몇이 가게에 들어와 서성거리더니 다섯 명이 커피 세 잔 시키고 앉아서 힐끔힐끔 서현을 본다.

잠시 후 여자애들끼리 가위바위보를 하더니만… 진 여자애가 와서 서현에게 말을 걸어왔다.

"저기 혹시 외국인이세요?"

"……."

서현은 잠시 망설였다. 뭐라고 대답해야 하지?

"쿡."

옆의 여자 아르바이트생이 웃는다.

"아, 응. 혼혈이긴 하지만 한국 국적인데."

"학생이신가요?"

"아… 그게 좀. 배, 백수라고 할까?"

서현은 스스로 말하고도 부끄러웠다. 용병 짓 하고 다니며 사람 죽이는 것보다 아르바이트로 연명하는 백수인 게 분명히 낫다. 용병일 때는 안 부끄러운데 백수는 부끄럽다니 뭔가 단단히 잘못되었다.

"저기 괜찮으시면……."

그때 끼이익 하고 급정거하는 소리가 들렸다. 깜짝 놀란 모두가 아르쥬나의 입구를 보자니 문이 벌컥 열리고 바이크 슈트 차림의 청년이 걸어 들어왔다.

한세건이다.

"어?"

"멍청한 자식. 이거 흘리고 갔다."

한세건은 손에 들고 있던 종이봉투를 가차 없이 서현의 얼굴에 집어 던졌다. 물론 피하자면 못 피할 것도 없지만 여고생들의 정신 공격에 넋이 빠져 있던 서현은 그대로 얼굴로 종이봉투를 받았다.

"크… 아니, 이 자식이……."

처음엔 당황했고 그다음에는 화가 났다. 얌전히 새 출발 하겠다고 참아주니까 이것들이 감히 날 뭐로 보고 얼굴에 이런 걸 던진단 말인가? 분개한 서현은 얼른 종이봉투를 잡고 속을 살펴보았다.

돈다발이 들어 있다.

"이… 이 자식……. 매력 터지네… 음."

아마도 한세건에게 빌린 차에 놓고 내린 공작금을 가져다주러 온 모양이다. U시에서 송덕연의 조카 송연성을 돌봐줄 때 한세건은 서현에게 도청 장치, 도촬 장치의 설치를 맡기면서 공작금을 주었고 서현은 그걸 차 안에 놓고 내린 줄도 모르고 차째로 반납해 버렸다. 그런데 정말 한세건은 일단 한번 줘버린 돈은 절대로 다시 회수하지 않는 모양이다. 그 돈을 돌려주기 위해 직접 행차한 것부터 대단하고, 게다가 그런 거금을 쾌척하면서도 저런 시큰둥한 태도라니?

'시크는 시큰둥해서 시크인가!'

사람의 마음은 간사해서 돈 앞에 녹아내리는 법이고 라이칸스로프의 마음 역시 간사하긴 매한가지다.

2

"오 마이 갓……."

케네스 양은 자신의 창고 앞에 자전거를 타고 나타난 서현을 보고 혀를 찼다. 기껏 문자메시지 한 통에 달려와 준 사람을 보고 취할 태도는 아니다.

"빨리 오라고 했더니 자전거를 타고 왔어. 저번에도 그러더니만."

"차 타고 오는 것보다 이게 더 빠른걸."

서현은 그리 말하고 탈착형 자전거 속도계를 떼어서 보여주었다. 평균속도 시속 120킬로미터가 찍혀 있다.

"……."

확실히 이 정도라면 막히는 차보다 훨씬 빠르다. 오토바이로 이렇게 밟아도 과속으로 난리가 났을 터, 자전거에 대해서는 외려 관대한 사람들의 인식을 역이용하다니. 현명하다.

그런데 이 속도로 달리면 주위 사람들이 보고 놀라는 거 아냐?

"그러고 보니 어째 이전 것보다 더 좋은 자전거 같은데. 이전 건 줘도 안 가져갈 고철이었지만 이건 중고 티는 나도 확실히 비싼 물건이군. 대체 돈이 어디서 나서?"

"240만 원 주고 새로 한 대 뽑았지. 뭐, 덕분에 거지가 되었지만. 아, 근데 시세를 잘 몰라서 그런데 이거 정말 240만 원짜리야?"

살 때는 신나서 샀지만 생각해 보니 숍에서 바가지를 씌운 게 아닐까 걱정된다. 서현이 그렇게 물어보자 장사치인 케네스 양이 감정해 보았다.

"흠. 중고 프레임인 것 같지만 바가지 쓴 건 아니니니 염려 마. 이럴 수가. 자전거 체인이 아니라 오토바이용 체인이네? 해괴한 개조다. 이거 생각하면 외려 싸게 산 거긴 하다. 그런데 이런 개조 하면 중고가는 폭락이야. 나중에 다시 못 판다?"

케네스 양은 서현의 자전거를 보고 기겁했다. 정말 기괴한 사양이다. 스포츠용 풀쇼크 업소버 자전거에 무슨 동남아시아 시클로(관광용 자전거 수레)에 쓰일 법한 체인이 걸려 있다니. 하지만 이러니까 서현의 무지막지한 힘에도 체인이 안 늘어나고 평균 시속 120킬로미터라는 무시무시한 속도를 냈겠지.

"싸게 산 건가? 다행이군."

서현은 가슴을 쓸어내렸다.

"그나저나 돈이 어디서 났냐고 물어보다니. 왜 내가 돈이 없다고 생각하지? 그렇군. 아르쥬나의 마스터가 날 돈으로 조이고 있다고 여기저기 소문내고 다녔나 보군."

서현은 케네스 양의 사소한 말실수로도 즉시 숨겨진 내막을 알아챘다. 케네스 양은 그런 서현을 보고 찔끔 놀랐다. 역시 이 녀석은 라이칸스로프 주제에 머리가 비상하다.

"하… 하하하. 오, 내가 말했다곤 하지 마. 제발. 그 윗치 아가씨 껄끄러우니까."

이 정도면 범행 자백 수준이다. 서현도 대충 넘겨짚어서 한 말이었는데 이렇게 고지식하게 인정해 주다니 고맙다. 어차피 남의 일이라 이건가? 김성희가 알아서 할 일이니까?

"무슨 일로 불렀어?"

"아, 서현. 당신 마법 좀 할 줄 알지?"

케네스 양은 대뜸 그걸 물어보았다. 릴리쓰의 아들, 온갖 특수 능력을 달고 태어난 선택받은 아이 서현이 뛰어난 마법적 재능을 가지고 있다는 건 알 만한 사람들은 다 아는 사실이다. 하지만 정작 당사자인 서현은 마법 이야기가 나오자 말꼬리를 흐렸다.

"할 줄은 알지만 지금은 난 아나볼릭(Anabolic) 상태가 아니라 카타볼릭(Catabolic) 상태인데……."

"헬스하나? 웬 아나볼릭 카타볼릭……."

"아니, 보디빌딩 용어의 의미가 아니라 요즘 내가 인간을 안 먹잖아?"

"……."

그러고 보니 이 녀석은 라이칸스로프, 늑대 인간이다. 인간의 형상을 하고 야수로 돌변해 인간을 잡아먹는 식인괴물.

이지적인 언행, 은근히 품위 있는 행실 때문에 잊기 쉽지만 이자야말로 인간 속의 야수다.

"라이칸스로프는 인간을 먹으면 선천 능력이 활성화돼. 우리끼리 그걸 아나볼릭 상태라고 하는데 그 상태는 선천 능력도 활성화되고 신체 능력이나 초상 능력이 지속적으로 활기찬 상태라고 할 수 있지. 반면 사람을 장시간 안 먹으면 카타볼릭 상태가 되는데… 그 상태에서 선천 능력이나 마법 같은 걸 억지로 쓰면 써지긴 하지만 쉽게 지치고 회복이 더뎌."

"하아, 사람을 먹으라고 종용할 수는 없지."

케네스 양은 세간의 상식으로 보면 충분히 인간 말종이지만 서현에게 마법을 쓰게 하기 위해 인간을 먹으라고 할 수는 없었다.

"왜? 마법을 써야 할 필요가 있나?"

서현이 반문하자 케네스 양은 고개를 도리도리 저었다.

"아, 안 써도 돼. 그게 실은 아주 기괴한 손님이 와서 말이지."

케네스 양은 갑자기 찾아와 한세건의 처소를 물은 기괴한 손님에 대해서 이야기했다. 물론 그녀가 넘겨준 보수에 대해서는 이야기하지 않았다.

"한세건 아지트의 정보를 팔았나?"

서현은 대뜸 상황을 이해했다. 아니, 애초에 서린은 서현에게 한세건을 돌봐달라고 당부했었다. 그 이유가 이제야 슬슬 구체적으로 모습을 드러낸다. 한세건을 노리는 의문의 손길이 케네스 양을 찾아온 것이다.

"뭐, 그때 안 팔았으면 죽었지. 그리고 나는 원래 그런 캐릭터야. 서현 네 정보도 내 목이 위험해지면 팔 거고… 그 역도 성립하지."

"그 역이 뭔데?"

케네스 양이 말하는 걸 듣다 보니 이상하다. 그 역이라면 서현이 케네스 양을 협박하면서 정보를 물으면 대답할 거라는 뜻이 아닌가? 이 녀석 뭔가 숨기고 있다는 뜻인가?

"아니, 그냥 뭐……. 말이 그렇다고."

케네스 양도 자신이 말실수했다는 걸 알아채고 재빠르게 얼버무렸다. 서현은 그런 케네스 양을 의심스럽다는 듯, 아니, 확실히 의심하고 있었지만 추궁하지 않았다. 케네스 양은 어디까지나 평범한 인간이다. 서현이 고문했다가는 순식간에 죽을 테고, 서현은 케네스 양이 마음에 들었다. 물어봐서 관계가 껄끄러워질 문제는 덮고 지나가는 것도 인간관계지.

"흠. 말하자면 당신은 사냥꾼도 뱀파이어 편도 아니고 그냥 배경, 병풍이라는 소리군. 기왕에 병풍이면 꽃병풍이 좋은데. 왜 구질구질한 남자가……."

"거장의 솜씨가 담긴 십 첩 수묵산수화의 품위 있는 병풍이라고 불러주게."

"그래봤자 병풍이지."

서현은 코웃음 치면서 스마트폰을 꺼내 메모장으로 케네스 양의 말을 정리했다.

"어쨌거나 당사자, 한세건에게 직접 이야기해 봤어?"

"아, 한세건은 성격이 좀 까칠해서."

"뭐? 그럼 나는 둥글어 보여?!"

왜 오랫동안 거래해 온 한세건은 껄끄러워하면서 서현에겐 친근하게 대하나? 친화력 문제라면 모르겠는데 그게 아니라면 만만하게 본다는 뜻이 아닌가? 서현이 그 점을 지적하자 케네스 양이 황급히 수습했다.

"성격 좋다고. 한세건에 비하면 훨씬 인격자라 이거지."

"아, 음… 내가 인격자. 하아, 그런 소리는 처음 들어보는군."

"품위가 좀 있다고 할까."

"아아, 그만 그만. 알겠어. 어차피 도와줄 거니까 민망한 비행기는 그만 태우고. 일 이야기나 하자."

서현은 다시금 케네스 양에게 그 수수께끼의 뱀파이어가 나타났을 때의 상황을 물어보았다. 케네스는 다 대답해 주었지만 역시 마음에 걸리는 일이 있다.

'이 자식이 보수로 뭘 받은 거야? 공짜로 정보를 팔진 않았을 텐데?'

하지만 그 부분에 대해서는 딴청을 피운다. 한 푼도 안 받고 생명의 위협을 느껴서 말해 버렸다고 하는데 말도 안 될 소리다.

'돈 같은 걸 받았으면 영적으로 추적해 달라고 내밀었겠지. 아, 이건 내가 마법을 안 쓰겠다고 해서 포기한 건가?'

서현은 테트라 아낙스처럼 예지와 텔레파시, 정보 능력을 가지고 있으니 원하자면 못 읽어낼 것도 없다. 하지만 이런 사소한 일에 그런 능력을 써서 수명을 줄이고 싶지 않다.

상황을 종합해 보면 결국 다음과 같은 결론에 도달한다.

미지의 뱀파이어가 한세건을 노린다.

케네스 양에게 한세건의 거처에 대한 정보를 뜯어냈다.

케네스 양은 양심에 찔려서 서현에게 상담하고 한세건에게 만약의 일이 생길 경우 도와달라고 부탁한다.

'한세건의 상태가 확실히 주술사들에게 매우 흥미 넘치는 재료긴 하지. 하지만 케네스 양의 말을 들어보면 상대가 보통 이상한 괴물이 아니라는 건데.'

서현이 상대에 대해 더 자세히 물어보자 케네스 양은 다음과 같이 답했다.

"상태가 상당히 고스틀리(Ghostly)하더라고."

"뭐, 고스로리?"

"…알아들으면서 딴청 피우지 마. 어쨌거나 어때? 흥미가 가지?"

"좋아. 내가 이 일 돕지. 얼마 줄 거야?"

어차피 서현은 서린에게 한세건을 지켜달라고 부탁받았다. 어차피 할 일, 케네스 양의 양심의 가책도 덜어주면서 서비스 요금을 받으면 일석이조지.

"선수금으로 200 주고 완료하면 800 주지. 검은돈으로."

"……."

"좋아하는 것 같다?"

"아니, 순간 최저 시급으로 일하는 내가 한심하게 느껴져서. 험험, 뭐, 나, 나쁘지 않은 보수군."

예상보다 금액이 세서 놀랐다. 아르쥬나 급료와 비교가 안 된다.

"그런데 당신 뱀파이어 헌터용 물품도 팔지?"

"아, 사냥하게?"

케네스 양은 김성희처럼 빡빡하게 굴지 않는다. 장사치라서 그런가? 돈만 맞춰주면 헌터용 장비를 얼마든지 내줄 기세다.

마침 서현에게는 자전거를 사고 60만 원 정도의 돈이 남아 있다. 선수금으로 200을 받으면 260. 이 정도면 어디 괜찮은 장비까진 아니더라도 구색을 갖출 수는 있지 않을까?

"응. 얼마나 하지?"

"카탈로그가 있는데 볼래?"

케네스 양은 즉시 장사꾼 모드로 돌아섰다.

서현은 무기가 풍족한 지역에서 살았다. 어디 숲에서 땅을 파기만 해도 총과 포탄이 튀어나오는 동네라고 하면 과장 같지만 사실이다. 상태가 안 좋아도 발사만 되면 된다. 그 정도로 눈높이를 낮추면 시장 통에서도 손쉽게 총포를 구할 수 있었다.

그런데 케네스 양의 카탈로그에 있는 건 신품 기준으로도 상당히 비싸다.

"뭐 이렇게 말도 안 되게 비싸? 바가지도 정도껏이지. 중고 물건도 비싸잖아. 죽은 뱀파이어 헌터들의 무기? 재수 옴 붙은 물건도 이렇게 비싸다니."

가지고 있는 60만 원으론 아무것도 못 산다. 참다 못한 서현이 항변했다. 그러자 케네스가 반박한다.

"무슨 소릴 하는 거야. 한국에서 총기 구하기가 쉬운 줄 알아? 그리고 이렇게 팔아도 남는 거 없어. 그 김성희 씨가 인식장애술 걸 때 얼마 받는지 알아? 300만 원이야. 총열 하나당. 인식장애술 안 건 총은 팔 수가 없어."

"…그게 그렇게 비싸?"

인식장애술은 주목하지 않으면 자연적으로 그 정보를 배제하게 만드는 마법이다. 은신술이나 소음술의 원천적인 기술로, 이걸 총에 걸어두면 총이 있다는 사실을 인지하지 않는 이상 총소리를 알아채지 못한다. 소리를 물리적으로 듣지만, 의식적으로는 무시하게 되어버리는 것이다. 뱀파이어 헌터들의 장비에는 필수적이라 할 수 있는데 그게 그렇게 비싸다면 할 말이 없다.

"응."

"그 인식장애술 나도 쓸 수 있는데."

"오, 진짜냐? 싸게 해줄래? 순식간에 억은 벌걸?"

"아, 아니야. 카타볼릭 상태에서 마법을 함부로 쓰면 수명 준다."

원래 케네스 양은 유령 같은 뱀파이어가 나타나니 겁에 질려 그들의 정체를 마법이나 주술로 알아봐 달라고 부탁할 셈이었다. 그러나 인간을 먹지 않으면 주술을 쓰는 게 부담스럽다는 서현의 말에 참아 넘겼는데… 돈벌이용 마법이 되자 이야기가 달라진다.

"비밀로 지켜줄게, 몰래 사람 잡아먹는 건 어때? 죽여도 뒤탈 없는 놈들 명단 뽑아줄까? 아, 죽일 때 돈 받는 놈들은 어때? 일거리 받아다 줄 수 있는데?"

방금 전까지 한세건의 문제에서는 마법을 쓰지 말라고 했으면서 자기 돈벌이가 되자 마법을 쓰게 사람도 죽이라고 한다. 사람 태도가 이렇게 손바닥 뒤집듯 변하다니.

"당신 진짜… 됐어. 돈 벌려면 달리 방법 많으니까. 여튼 이 예산 안에서 그 고스로리한 것들을 상대할 만한 장비 좀 구해줘."

"고스틀리라니까."

케네스 양은 잠시 후 컴파운드 보우와 큼지막한 구르카 나이프를 가져왔다.

"냉병기네."

"냉병기야."

무의식중에 중얼거렸는데 그대로 말을 받아치는 게 좀 얄밉다. 어쩌라고?

"으음……. 아니, 뭐 좋아. 이런 거 좋아해. 화약 안 쓰고 좋지. 근데 채혈 도구는?"

뱀파이어 헌터들은 뱀파이어의 피와 살을 내다 판다. 살점은 상당히 여유가 있을 때 가져가는 거고 보통은 채혈기로 피를 채혈하는데 뱀파이어 하나당 4~6리터 사이의 피가 나온다. 뱀파이어 헌터로서 살아가려면 이 피를 채혈하는 도구도 필요하다.

"전동 펌프는 좀 비싸고 자, 여기 발 펌프."

케네스 양이 내준 건 어째 홈쇼핑에서 파는 고무보트에 바람 넣는 도구같이 생겼다.

"발 펌프?"

"이걸 발로 밟으면 공기압에 의해서 피를 뽑지. 발로 밟으니까 발 펌프라고 부르는데?"

케네스 양은 친절하게 설명해 준다.

'이게 사람을 무슨 정박아나 금치산자로 보나. 설명해 줄 필요 없어. 내가 반문하는 건 진심으로 이걸 팔아먹을 상품이라고 들고 왔냐는 거지!'

이거 확실히 말해주지 않으면 정말 서현을 정박아 취급 할 것 같다. 케네스 양은 눈을 반짝반짝 빛내며 순진한 아이 상대하는 유치원 교사처럼 차근차근 설명해 준다.

"아니, 몰라서 물은 거 아니니까 그 입 닥쳐라. 이거 왠지 물놀이 세트에 넣는 발 펌프랑 비슷한 것 같은데? 장난감 가게에서 팔천 원에 사다가 글루건으로 요리조리 만지면 만들겠는데 이걸 지금 뱀파이어 채혈 세트라고 마진 붙여서 팔 거야?"

"글루건 따위랑 달리 통으로 튼튼하게 만들어서 나름 비싸다고. 플라스틱 금형값이 얼마나 하는 줄 알기나 해?"

거짓말, 뱀파이어 헌터가 몇이나 있다고 채혈 도구로 금형을 새로 파서 만들었겠냐. 보나 마나 물놀이 기구 업체에서 만든 것 중 쓸 만한 거 골라 온 거겠지. 게다가 지금 서현은 더 좋은 발 펌프를 원하는 게 아니다. 좀 더 그럴듯한 채혈 도구를 원하는 거지 계속 발 펌프 수준에서 논쟁이 벌어지다니……. 이게 사람을 무슨 원시인 취급 해도 정도가 있지, 소총 달라니까 더 좋은 돌도끼 내놓은 꼴이다.

"자동으로 피를 빨아내는 전동 펌프 붙은 거 있잖아?"

"그런 건 비싸. 일반 리튬 전지를 쓰는 게 아니라 주술이 걸린 엑토플라즘 전지를 써야 해서. 네가 그런 거 갖고 있어?"

전동식은 비싸다니까 항변할 기운이 사라진다. 서현은 케네스 양의 말에 입을 굳게 다물었다. 그래, 물놀이 기구용 발 펌프면 어떠냐. 피만 잘 뽑으면 되지. 이런 걸로 피 뽑히는 뱀파이어 입장을 생각하니 정말 불쌍하다.

"진짜 헌터들 사이에서 물가 비싸구나. 다들 용케도 남겨먹는다."

"사이키델릭 문은 LSD보다 비싸게 거래되고 있으니까. 뱀파이어 헌터들이 돈은 많아. 검은돈이라 마음껏 못 써서 그렇지."

"으음, 정말 최저 시급에 들볶이는 건가……."

뱀파이어 헌터 짓을 시작하려고 해도 기초 장비가 비싸다. 하지만 눈앞에 거금이 굴러다니는 세계가 있고 그 자신도 충분히 일을 수행할 역량이 있는데 최저임금 몇천 원씩 받아가며 살아가는 데 회의감이 든다.

"왜 난 부럽구만."

"응?"

만약 표정이 진지하지 않았다면 놀리는 줄 알았을 것이다. 그러나 케네스 양은 진지했다.

"나는 날 때부터 청방이 자기네 조직 관리하기 위한 인재 육성 시스템에 의해 키워져서 선택의 여지가 없었어. 그래서 너처럼 화끈한 과거를 가진 주제에 괜찮은 배경을 가지고 그렇게 떳떳한 신분을 만들어주고 새 출발 하라고 밀어주는 걸 보면 부럽기만 하구만."

"뭐, 그렇게 생각할 수도 있겠지. 근데 농담 따먹기는 이제 그만하고 한세건 아지트나 가르쳐 줘."

"아……."
"왜?"
"네가 거기 가면 결국 내가 불었다는 사실이 알려지잖아."
"알려지겠지."
그걸 이제 알았냐?
"아르쥬나 마스터의 이름을 팔면 안 되겠냐?"
"어차피 걸릴 일인데 왜 그래?"
"휴. 진짜 성격 까칠하다고."
"나도 원래 까칠해. 지금 살짝 까칠해지려고 한다."
"…알겠어. 자, 여기야. 그런데 그 녀석 아지트가 한두 개가 아니라서 가도 없을지 몰라. 그리고 제발 대뜸 가지 말고 전화하고 가라. 성질 너무 긁지 말고."
케네스 양은 지은 죄가 있어서 그런지 원래 한세건을 무서워했는지 모르지만 방학 숙제 안 한 학생이 개학 전날 학교를 바라보듯 한세건을 껄끄러워한다.
"거참, 다 큰 어른이 뭘 혼나는 애처럼 굴고."
서현은 투덜거렸다.

서현은 자전거를 사고, 컴파운드 보우와 구르카 나이프, 그리고 채혈 기구까지 사들였다. 이렇게 장비를 사들이니 남는 돈이 없다. 한세건에게 돈다발을 받은 게 오늘 낮인데 하루 만에 다 써버리다니 자신의 씀씀이가 걱정된다.
그렇긴 하지만 뭐, 한세건을 보니 이 투자가 나쁘지 않다는 생각이 들었다. 한세건 정도의 실력으로 그 정도 거금을 깔끔하게 쾌척하는 걸 볼 때 서현 자신도 뱀파이어 헌터 일을 시작만 한다면 그리 어렵지 않게 안착 가능하리라. 초반의 투자금은 순식간에 건질 수 있을 것이라고 생각되었다.

물론 한세건을 무시하는 건 아니다. 한세건이 구형 휴대폰을 뜯어서 자신이 직접 하드 코딩 한 소프트웨어를 설치해 도촬 장비로 만드는 걸 보았을 때부터 이 녀석은 좀 남다르다는 걸 인정할 수밖에 없었다.

'어지간해서는 걱정할 필요가 없는 놈이지만 고스틀리한 뱀파이어라는 게 좀 신경 쓰이는군.'

서현은 한세건의 위치를 확정 짓고 그곳으로 가기 위해 자전거에 올라탔다. 인적이 뜸한 교외 도로라 사람들 눈치 보지 않고 달릴 만하다. 차량이나 이륜차를 잡기 위해 설치된 과속 감시 카메라 같은 것도 자전거 앞에선 무용지물, 서현은 순식간에 한세건의 아지트 근처로 향했다.

그런데 갑자기 트럼펫 소리가 울리기 시작했다. 아르쥬나의 마스터 김성희가 마련해 준 핸드폰에서 대한민국 군필자 모두가 싫어하는 기상나팔 소리가 울려 퍼진 것이다. 벨소리를 골라도 하필 이런 걸로 고르다니? 어디까지나 김성희의 센스인데 서현은 잘 몰라서 그냥 내버려 뒀다. 애당초 전화 오는 경우가 별로 없으니까.

'아니, 이럴 수가. 내 번호를 누가 알았담?'

깜짝 놀라 전화를 받아보니 한세건이다. 김성희가 친절하게 휴대폰을 내줄 때 한세건의 번호를 넣어줬던 모양이다.

"무슨 일이지?"

—내가 할 말이다. 왜 이쪽으로 오는 거냐? 어떻게 알고?

"아……."

아무래도 인적이 드문 국도에 감시 카메라를 설치한 모양이다. 그렇지만 영상을 쭉 지켜본 것도 아닐 텐데 어떻게?

—케네스 양인가?

서현이 접근하는 국도 길을 보면 뻔하게 드러나는 건가? 한세건은 단번에 서현이 어떻게 자신의 아지트를 알아냈는지 눈치챘다.

'지켜주지 못해서 미안해, 케네스. 하지만 역시 한세건을 속이는 건 무리였다.'

뭐, 사실 서현은 케네스 양을 지켜줄 생각도 없었지만 이렇게 빨리 알아채 버리다니 좀 놀랍다. 역시 이 녀석 머리 좋다. 어쭙잖게 속여 넘기긴 쉽지 않겠다. 차라리 단도직입적으로 말하는 게 나을지 모른다. 서현도 어설픈 잔꾀 부리는 건 좋아하지 않았던 차라 잘됐지.

—무슨 사연인지 전화로 말해라. 직접 대면하기 싫으니까.

"그러니까 누군가가 지금 당신을 노리고 있어."

—네놈이?

"나 말고. 왠지 고스틀리한 존재가 케네스 양에게서 당신 위치를 알아냈다고 하던데."

—흐음.

전화기 너머의 한세건은 시큰둥하다.

—내가 노려지는 건 어제오늘 이야기가 아니라서 별로…….

"뭐 뱀파이어나 그런 놈들보다 고스틀리하다니까 신경 쓰이지 않나?"

—뭐가 되었든 내가 알아서 할 테니 넌 오지 마. 경고한…….

"아, 그런데 다 왔는데?"

—…지금 자전거로 시속 140을 냈냐?

"어."

서현이 발견한 한세건의 아지트는 등에 야트막한 산을 짊어지고 소나무 숲 사이로 딱 한쪽 길만 나 있는, 샌드위치 패널로 만든 컨테이너 하우스였다. 정상적인 유일한 접근로에 감시 카메라가 설치되어 있고 아마 이쪽으로 고화력 장비들이 늘어서 있겠지만… 적이 작정하고 몰려들어 올 경우 몸을 빼기 쉽지 않을 것 같다. 길이 하나뿐이라는 건 배수진인 셈이니까 한세건 이미지에 맞긴 하다.

'몸 사리지 않고 뱀파이어들이랑 사생결단 낼 것 같은 놈이긴 하지. 그래도 정말 적들에게 노림받을 경우 위험하지 않나.'

서현이 그렇게 생각할 때 뭔가 쿠당탕 하는 소리가 들렸다.

—들어오지 마. 앞에 지뢰 깔려 있으니까.

"없어 보이는데."

서현은 그리 중얼거렸지만 한세건의 집으로 바로 쳐들어가진 않았다. 혼자 사는 사람의 집에 바로 쳐들어가는 몰상식한 짓을 할 만큼 막돼먹진 않았다.

‘그것도 있고 이 인간 집 구경 하는 재미도 있군.’

밖에서 보아도 신기한 구조다. 컨테이너를 여러 개 잇고 중간 부분에 철골 프레임으로 보강했다. 빠르게 튼튼한 집을 짓는 데 도움이 되는 공법이지만 냉난방에 그리 좋지는 않다. 그러다 건물 주위에 거울이 설치되어 있는 게 눈에 띄었다.

겨울에는 거울의 각도를 조절해 태양광을 모아 난방을 하고 여름엔 거울의 위치를 바꿔 빛을 피하게 하는 구조이리라. 태양광 발전용 패널도 붙어 있는 걸 보니 상당히 본격적이다.

“저건 차고인가?”

본래 소를 키우던 축사였을 것 같은 건물은 개조되어서 차고로 만들어져 있는데 여기에 각종 차량이 즐비하다. 스포츠카를 수집하는 할리우드 스타와는 다르게 트럭, 견인차, 냉동 특장차, 사다리차 등 차량의 용도별로 모여 있다. 다양한 상황에 필요한 물건들을 모아둔 것 같다.

반면 오토바이는 도로용, 오프로드용, 슈퍼모터드 등 장르별로 다양하게 구비되어 있다. 오토바이는 취미고 차는 필요라는 느낌이 강하다.

“준비성이 철저하네. 음.”

서현은 차고를 둘러보며 혀를 내둘렀다. 세차 장비도 확실하고 차량용 리프트도 있다. 거의 정비 공장 수준이다. 여기서 차만 만지는 것도 아닌지 워크벤치와 용접기가 있는 작업장과 연결되어 있다. 차량 정비 공장이라면 이해하겠지만 여긴 한세건 혼자 살고 있다. 혼자서 이 많은 장비를 필요로 하다니 이해가 안 가는군.

"허……. 검은돈을 굴리고 있을 텐데 용케도 이렇게 하고 사네."

집이나 차, 토지를 사거나 설비를 매입하면 돈의 출처를 알아보려 세무조사가 시작되어서 걸리는 거 아닌가? 그런데도 이런 것들을 갖춰놓고 사는 걸 보면 돈세탁을 잘한 모양이다. 역시 이런 걸 보면 성실히 살면서 사람들의 신뢰를 모은다는 김성희의 정책은 크게 잘못되어 있다고 생각한다.

그때 컨테이너 하우스의 문이 열리고 드럼탄창을 꽂은 샷건을 든 한세건이 창문으로 나왔다. 문을 열고 그쪽으로 이목을 집중시킨 뒤 창문으로 나온다. 이건 뭐 파라노이아 환자도 아니고. 서현은 어이가 없어서 차고에 쭈그려 앉아 있다가 피식 실소를 터뜨렸다.

"내가 공격하러 왔으면 이런 짓 안 하지."

"…미행이 있나 확인했을 뿐이다."

한세건 역시 아무도 없는데 혼자 편집증적인 모습을 보인 게 민망한지 되도 않는 변명을 해댔다. 전자 관측 장비 많이 깔아뒀던데 그걸로 보면 되지 무슨…….

하지만 매섭게 노려보는 한세건을 보니 그걸 찌르면 곤란하겠지? 방아쇠울에서 손가락을 안 빼는 걸 보니 어지간히도 서현이 싫은가 보다.

"그래, 무슨 일이지?"

"내가 말했다시피……."

"그것만으로 오진 않았겠지. 테트라 아낙스인가?"

"……."

보통 사람들이라면 회화가 너무 널뛰어서 이해하기 힘들 것이다. 하지만 서현은 한세건이 말하는 바를 바로 이해했다. 누군가가 한세건을 노린다면 그 '누군가'는 분명 만만치 않은 실력을 가진 세력일 것이고 예지자인 테트라 아낙스가 주시하고 있는 대상일 터.

한세건이 물어보는 건 바로 그것이다.

'테트라 아낙스가 된 서린이 나를 노리는 세력을 예측하고 널 한국에 보낸 게 아니냐?'

그것이 한세건의 짧은 말에 함축된 의미였다. 맞는 말이긴 하지만 서현은 고개를 끄덕여 긍정할 수가 없었다. 다른 것보다 그렇게 말하면 동생인 서린의 부하같이 들리잖아?

"겸사겸사지. 어쨌거나 현재 뱀파이어들 사이에서는 그리 좋지 않은 분위기가 형성되고 있는 모양이야. 고든이 테트라 아낙스이던 시절과 달리 서린은 아무래도 관록도 딸리고 뱀파이어들 사이에서 영향력도 없다시피 하니까."

과거 적요는 자신이 테트라 아낙스보다 훨씬 먼저 태어난 뱀파이어라는 것만으로도 테트라 아낙스의 가호를 거부하고 시시때때로 사고를 쳤다. 테트라 아낙스의 율법을 상습적으로 어기는 '아웃로(Outlaw)' 뱀파이어가 된 이유가 고작 '누가 먼저 태어났는가'였을 정도로 뱀파이어 놈들은 보수적이다. 다들 수백 살 이상 먹은 괴물이니 당연히 그렇다. 여성참정권이 완전히 정착한 게 100년도 채 안 되었다. 수백 살 살아온 뱀파이어들 입장에서 과거의 가치관을 뛰어넘고 새 시대에 적응하라는 건 말이 안 되지.

그런 의미에서 서린은 최악의 뱀파이어 군주다. 테트라 아낙스는 자신의 율법을 다른 뱀파이어에게 강요하면서 어기는 자들에게 징벌을 내리고 때로는 죽음도 기꺼이 내렸다.

서린은 그런 더러운 수를 쓰지 않으려 하는데 그러니 자연히 뱀파이어들 사이에서 세력이 갈리게 마련, 하지만 한세건은 코웃음 칠 뿐이다.

“뱀파이어들끼리 치고받고 세력이 분열된다는 건 좋군.”

“그래, 한쪽은 나치고 한쪽은 스탈린이지. 당신은 그 사이의 스탈린그라드고. 세력이 분열되었다고 마냥 좋아할 처지는 아닌 것 같은데?”

서현은 그 점을 지적했다. 뱀파이어들이 분열되는 건 좋지만 그들의 승리를 위한 전술 목표에 한세건의 확보가 있다면 이제 한세건이 양측 뱀파이어 모두에게 공격받게 될 것이다.

아무리 한세건이 뛰어난 헌터라고는 하지만 수배된 신세, 지속적인 공격을 받게 된다면 직접 전투에서 죽지 않는다 하더라도 결국 모든 기반을 잃게 될 것이다.

“왜 그놈들이 날 노리지?”

“당신은 사이키델릭 문 중독자 가운데 유일하게 파멸하지 않고 살아남은 존재니까. 어쨌거나… 말인데.”

서현은 인상을 찌푸렸다.

“배고파. 자전거를 타고 왔더니 이게 문제군.”

비교적 관대한 교통법규를 이용해 빠르게 이동할 수 있는 게 자전거의 장점이지만 그 자전거의 추력은 고스란히 서현의 몸에서 나온다. 혈당이 떨어져서 눈이 돌아가는 기분이다.

"…사람을 잡아먹겠다는 거냐?"

한세건은 그렇게 반문했지만 곧 자신이 멍청한 소리를 했다는 걸 깨달았다.

"어쩔 수 없지. 들어와라."

한세건은 샷건의 총구를 내리고 자신의 집으로 서현을 안내했다.

한세건의 집은 차고와 작업장을 밖으로 빼두었음에도 불구하고 굉장히 넓었는데 그 안에는 신체 단련을 위한 시설과 PC 모니터 12개를 전면 배치한 엄청난 장비가 있었다. 서현이 휘파람을 불며 컴퓨터 쪽을 보니 그곳에는 커다란 랙에 하드디스크가 잔뜩 꽂혀서 돌아가고 있었다.

"냉장고에서 알아서 꺼내 먹어. 전자레인지는 이쪽이다."

서현에게 한세건이 손가락질로 가르쳐 준 것은… 커다란 업소용 냉동고였다. 안에는 예상대로 냉동식품이 가득 들어 있다.

그리고 벽 한편에는 그런 냉동식품들과 인스턴트식품들의 포장지가 압축기에 끼인 채 잔뜩 쌓여 있다. 그야말로 목적을 위한 수단들의 집합체다.

한세건은 컴퓨터 앞에 앉아서 각지에서 촬영한 영상들을 우선 영상 분석 소프트웨어에 넣고 돌린다. 국도 등을 지나는 자동차 번호를 조회해서 자기 집 근처를 오가는 차량들을 확인해 본다.

서현은 신기해서 그 모습을 바라보았다.

"그러고 보니 내가 접근하는 건 어떻게 안 거지?"

"내가 왜 그걸 말해줘야 하지?"

"아니, 그냥 적들이 왜 당신을 노리는가에 대한 해답이 될 수도 있고."

"…흠, 좋아. 내가 국도에 설치한 장비들 덕분인데……."

한세건은 웬일인지 설명을 시작했다.

"하나는 차량 분석 장비다. 원리는 간단해. 한국 번호판의 구형은 녹색에 하얀 글씨, 신형은 백색에 검은 글씨로 되어 있는데 이걸 자동으로 읽어서 번호판과 차종을 분석하는 장비지. 또 하나는 엑스박스 키넥트를 뜯어서 만든 인형 분석 장비다. 인간 형상이 접근해 오면 인식하고 사진을 찍어서 보내지. 그리고 이 구간 사이에 도로의 평균속도 이상을 내서 접근해 오는 놈들을 보고하도록 시스템을 구축해 놨어."

"내가 거기에 걸렸군. 그나저나 개인이 그런 걸 설치해 놓다니……."

서현이 놀라워하는 사이 한세건은 고속으로 영상과 사진들을 돌리며 직접 보고 직접 분석한다. 서현은 전자레인지에 냉동 피자를 돌리면서 스리슬쩍 콘택트렌즈를 제거하고 한세건을 바라보았는데… 한세건의 주위로 떠오르는 검은 아우라, 혼팅의 아우라가 흡사 무수한 눈동자처럼 변이해 모니터를 보는 게 보였다.

원래 사이키델릭 문은 신체 능력 전반을 강화시켜 주지만 그 중에서 가장 특출 나게 효과를 보는 게 바로 인간의 정보처리 능력이다. 지나치게 가속된 정보처리 능력은 시간이 멈춰지는 것처럼 보이게 한다.

사이키델릭 문과 다른 종류의 마약을 함께 복용할 경우 그 효과가 극대화되는 것은 사이키델릭 문으로 인해 늘어난 시간 감각 동안 다른 마약의 효과가 지속되기 때문이다. 6시간 정도의 효과를 가진 모르핀을 투여해도 사이키델릭 문과 함께 사용하면 실질 체감 시간은 거의 한도 끝도 없이 늘어난다. 이는 사이키델릭 문의 마약으로서의 가치를 높여주는 것이다.

한세건은 그 정보처리 능력을 가속화시켜서 저 어마어마한 양의 정보를 빠르게 처리하는 것이다.

'어째서 그 많은 쓰레기 정보를 걸러낼 수 있나 했더니만 사이키델릭 문에 완전히 특화되어 버렸군.'

검은 사안(邪眼)들이 떠오르며 빠르게 정보를 분석해 내는 모습은 기괴하기만 하다. 보통 저렇게 되기 전에 저 혼팅이… 통제할 수 없는 강력한 주술력이 그의 몸과 마음을 황폐화시키고 파멸시키게 마련이다. 마음이 없는 식물인간이 되거나 육체가 붕괴하는 커럽티드가 되는 게 일반적인 수순인데 김성희의 미봉책, 그리고 테트라 아낙스가 된 서린이 뭔가 손을 써서 지금 저 혼팅은 완전히 한세건의 통제하에 있다.

한세건을 노리는 세력들이 원하는 것은 바로 저 통제된 혼팅의 비밀일 것이다.

'결국 이것도 서린이 저지른 일의 뒤치다꺼리로군. 동생 놈은 세계 제일의 부자가 되고 나는 대한민국 최저 시급을 받으면서 동생이 저지른 사고나 수습해야 하나? 역시 세상살이 불공평해.'

서현은 냉동식품들을 먹어치우며 허기를 달래고 가방에서 칫솔과 치약을 꺼냈다.

"…그걸 들고 다니냐?"

"먹고 나면 씻어야지."

"……."

애초에 서현은 어떻게든 한세건에게 뭔가 얻어먹을 셈이었던 것 같다. 한세건은 기가 막혀서 서현을 흘겨보았다.

"그래서 왜 테트라 아낙스에 반대하는 놈들이 날 노리지? 내가 사이키델릭 문 중독에 적응한 게 무슨 의미가 있다고?"

"우선 내가 겪은 걸 이야기해 주지."

양치질을 끝낸 서현은 자신이 벨라루스에서 습격당하던 때의 이야기를 해주었다.

"자칭 진마와 같은 힘을 가졌다고 주장하던 뱀파이어들? 일광 아래에서도 멀쩡하다?"

벨라루스에서 서현을 습격했던 암살자들의 이야기는 과연 한세건의 흥미를 끌었다. 한세건도 그 말을 듣고 놀란 기색을 감추지 못했다.

"그래."

"네가 보기엔 어땠어? 정말 진마 같았나?"

"음. 재생력이 뛰어나고 일광 아래에서 버틸 정도니까 보통 뱀파이어들에게는 아주 부러운 상황이었겠지. 하지만……."

"하지만?"

"불안정해 보였어."

"불안정하다?"

뱀파이어들의 귀족, 진마라는 건 결국 강력한 VT인자의 힘으로 태양광에 의한 파멸마저 극복한 존재라는 뜻이다. 그런 경지가 그렇게 쉽게 이뤄질 리 없다.

"계열이 다른 VT인자를 보는 기분이랄까. 애초에 그렇게 강력한 주술이 아무 부작용도 없을 리가 없지."

서현은 벨라루스에서 자신을 습격했던 놈들의 아우라를 떠올렸다. 그의 신안으로 살펴본 이들의 힘은 분명히 잠재력 면에서 진마에 가까웠지만 진짜 진마들과 달리 아우라가 들쑥날쑥했다.

"확인된 건 아니잖나. 네 눈앞에서 붕괴되거나 그러진 않았지?"

한세건은 그 점을 확실히 했다. 서현은 릴리쓰의 축복을 받아 갖가지 능력을 가지고 있지만 현재 그가 말하는 것만 들으면 어디까지나 추측과 희망적 관측뿐이다.

서현이 보는 앞에서 그 뱀파이어들이 붕괴했다면 모를까 그렇지 않으면 불안정해 보인다는 건 고려할 가치도 없는 말이다. 그러나 서현은 진지했다.

"애초에 그게 완전했으면 굳이 당신을 잡으려 할 필요도 없잖아?"

"날 잡는다는 게 그놈들에게 어떻게 의미가 있다는 거지?"

"VT인자라는 건 세균이나 바이러스가 아니야. 그보다는 정신체나 사념체라고 할 수 있지. 일종의 총체적 정보가 담긴 엑토플라즘 같은 거라고 할 수 있겠군. 그게 인간을 뱀파이어로 바꾸기 때문에 뱀파이어의 피를 주사하는 것으로 뱀파이어가 되지 않고, 오직 뱀파이어의 피를 마신다고 하는 리추얼을 통해서, 의미를 가진 의식을 치러야만 뱀파이어가 되는 거야."

서현은 그렇게 말하고 다이어트 코크를 뜯어서 물처럼 벌컥벌컥 마셨다. 한세건은 그 모습을 보고 눈살을 찌푸렸다.

'이 자식은 대체 왜 이 닦고 청량음료를 마시는 거야? 남의 집 거니까? 공짜라서?'

다이어트 코크의 감미료는 아스파탐, 콜라 1리터에 2그램 정도 들어갈까 말까의 양이니 저건 사실 맹물이나 다를 바 없긴 하지만 왠지 기분 나쁘다. 물론 생각해 보면 자전거로 140㎞/h 이상… 어지간한 125cc만큼의 힘을 냈으니 아무리 라이칸스로프라고 해도 수분이 필요한 상태이리라.

'투르 드 프랑스, 몽블랑 구간 어택할 때 세계 제일의 사이클 선수들이 내는 출력이 피크 600W, 평균 400W였던가? 1마력(약 745W) 약간 안 되는 출력으로 산지 지형에서 평균 40㎞/h 이상의 속도를 낸다는 걸 감안할 때 이 녀석은 140㎞로 밟으면서 못해도 6㎾ 출력은 낸 것 같은데. 어지간한 전기 스쿠터나 엔진 오토바이급 출력을 냈으니 배고프고 목도 마르겠지. 하지만 연비

나쁘네, 이 자식. 그냥 휘발유 태우는 게 낫지 않겠냐?'

싸구려 음식들이라 돈은 별로 안 아깝지만 그렇다고 남의 집에서 두 다리 쭉 뻗고 먹을 걸 축내는 모습이 예쁘게 보이진 않는다. 게다가 뱀파이어 헌터로서는 이제 고참이라 할 수 있는 한세건에게 초보적인 이야기나 하고 있다.

"그 정도는 이미 알고 있는 이야기야. 쓸데없는 소리 하지 말고 본론을 말해봐."

"이런 VT인자와 비슷한 게 있지. 그건 바로 사법사들의 주술의 근원인 검은 영들… 릴리쓰를 릴리쓰이게 하는 검은 영, 그리고 당신이 가지고 있는 녹티스의 코어 역시 그렇고… 당신이 휘감고 있는 혼팅 역시 그렇지."

서현의 지적에 한세건은 혀를 찼다. 그도 자신을 휘감고 있는 혼팅의 성격이 변했다고 생각했지만 그것을 녹티스의 효과라고만 생각하고 있었다. 물론 마냥 녹티스 덕분에 혼팅이 덜하다고 좋아한 건 아니다. 한세건은 온갖 가능성을 다 염두에 두어보았고 서현이 말하는 것 역시 한세건의 무수한 가설 중 하나였다.

그걸 서현이 직접 지적해 온 것이다.

"…즉 내 혼팅을 노리고 저들이 날 손에 넣으려 할 것이다?"

"아마도 지금 저들이 사용하는 힘은 미완성 상태일 거야. 저게 정말 완전무결했다면 벌써 뱀파이어 상당수를 포섭해서 난리가 났을걸. 테트라 아낙스가 월야의 수호자이긴 하지만 뱀파이어들에게는 독재자인 것도 사실이니까."

테트라 아낙스는 뱀파이어의 수를 제한한다. 인디언은 마지막 남은 버팔로를 사냥하지 않는 법. 인간의 수에 비례해서 뱀파이어의 수를 인가하고, 그것들을 자신을 따르는 클랜 위주로 배분하고, 그렇지 않은 뱀파이어는 헌터에게 살해당하든 말든 방치한다. 문제는 대부분의 뱀파이어가 오랜 시간 살아가면서 다른 뱀파이어를 늘리고 싶다는 욕구에 시달린다는 것이다.

긴 시간 동안 고독을 버티며 밤의 어둠 속을 배회하다 보면 자신과 공감을 나누는 이의 존재가 절실하다. 정체를 숨기고 싸구려 아파트에 살다가 이웃집 친구가 결핵으로 죽어가는 걸 보고 참지 못해서 그를 흡혈귀로 만든 이가 테트라 아낙스에게 징벌을 받아 죽는다든가, 인간이면서 어느 날 우연히 뱀파이어로 각성한 자가 자신의 아내에게 스스로의 정체를 밝혔다가 테트라 아낙스의 징벌을 받는 일…….

이런 폭압을 겪고 나면 테트라 아낙스가 월야의 수호자라고 해서 뱀파이어들이 모두 그를 따를 수 없는 법이다. 서린이 테트라 아낙스의 지위에 올라 잔혹한 징벌들은 많이 완화되었지만 그것은 도리어 지금까지 폭압에 억눌려 있던 이들까지 방만하게 만드는 결과를 초래했다.

"태양 아래를 자유롭게 걸어 다닐 수 있다면, 뱀파이어들은 자신들의 정체를 감추기 위해 테트라 아낙스의 도움에 의존하지 않아도 돼. 그런 의미에서 당신의 존재, 변이된 혼팅은 뱀파이어들이나 마법사들에게 너무나 매력적인 연구 재료지."

테트라 아낙스에 반하는 세력이라면, 아니, 그렇지 않더라도 지금의 한세건은 마법을 연구하는 자들에게 있어 매우 매력적인 재료다. 서현과 서린 같은 리림을 잡아서 릴리쓰를 연구하고 싶어 하던 이들도 있었는데 한세건은 그 이상의 연구 가치가 있다.

"하… 바라던 바군. 나 자신이 미끼라니."

한세건은 그 말을 듣고 쓴웃음을 지었다. 나이 든 고든을 대신해 젊은 서린이 권좌에 오르면서 월야의 세계가 안정되고 도리어 뱀파이어들의 지배 구조가 확고해질까 봐 걱정한 적이 있었는데 그것은 기우였던 것 같다. 그렇긴 하지만 이제 벌어질 일은 대체 어느 규모로 커질지 감히 상상하기도 힘들다.

그때 서현이 한세건에게 질문을 던졌다.

"바라던 바라고?"

"…아니, 아무것도."

"그러고 보니 당신 예전에 내 동생을 미끼로 뱀파이어 사냥에 열을 올렸다지?"

서현은 그 점을 물어보았다. 과거 한세건은 서린의 정체를 이용해 그를 데리고 다니면서 쫓아오는 뱀파이어들을 엿 먹이고 결국에는 테트라 아낙스의 세대교체까지 이루었다. 물론 당시 한세건은 테트라 아낙스를 죽이는 게 목표였고 그 목표는 실패했지만 결과적으로 그로 인해서 뱀파이어 사회가 요동치고 있으니… 뱀파이어들의 확고한 지배 구조를 파괴하겠다는 한세건의 목표는 성취되었다.

"그런데 자신이 미끼니, 바라던 바라니 역시 좀 양심의 가책을 느꼈나 보네. 남에게 피해를 주느니 역시 자기가 미끼인 게

속 편하다는 뜻인가?"

서현의 말은 한세건을 당혹스럽게 했다.

"어쩌다 헛 나온 말이야. 쓸데없는 의미를 부여하지 마. 그리고 난 네 도움 따위 필요 없으니까 꺼져."

'아차, 그걸 생각 못 했군…….'

서현은 아무 말 없이 생각에 잠겼다. 하긴 지금까지 이야기를 종합해 보면 한세건이 원하는 대로 큰 그림이 그려지고 있었다. 한세건이 뱀파이어가 주도하는 이 세계를 끔찍하게 싫어한다는 건 익히 알려져 있는 사실인데 이제 뱀파이어들끼리 서로 치고받고 싸울 기미가 보인다. 테트라 아낙스의 절대왕정이 붕괴하고 뱀파이어끼리 다투게 된다면 이는 한세건이 원하던 바. 그런데 뭐가 아쉬워서 서현에게 도움을 받겠냐 이거다.

서현은 한세건도 자기 목숨은 아깝지 않겠는가 하고 접근해 본 건데 이제 보니 한세건은 자기가 죽더라도 뱀파이어들에게 엿을 먹일 수 있다면 기꺼이 죽을 위인이다.

'설득하기 까다롭겠는걸.'

그렇게 서현이 생각에 잠기자 한세건은 잠시 그를 바라보다 이렇게 말하는 것이었다.

"그거 다 먹고 꺼져."

"……."

먹다가 쫓겨나는 녀석이 불쌍해서 선심 베풀어주는 것 같다.

'아니, 딱히 콜라에 그렇게 궁하지 않거든? 남의 거라 마구 마신 감이 없지 않아 있지만…….'

하지만 서현이 뭐라고 반박하기도 전에 전화벨 소리가 천둥 소리처럼 울려 퍼졌다.

3

오렌지색 태양이 뉘엿뉘엿 서쪽으로 떨어지며 대기를 자신의 색으로 물들이고 있었다. 초여름의 공기가 식어가면서 차가운 산바람이 불어 여름 옷차림의 산행객들을 차게 식혔다.

그 초여름의 산 능선, 국도의 옆으로 펼쳐진 인적 드문 길을 일단의 남자들이 걷고 있었다. 작달막한 키, 검은 머리칼에 거무스름한 피부색을 가진 남자들은 아무리 보아도 장난감으로는 보이지 않는 육중한 질량감의 소총으로 무장하고 있었다. M16A1과 M203유탄 발사기가 결합된 것을 전원이 보유하고 있으니 상당한 중무장이다. 거기에 탄약 무게를 더하면 작달막한 체구에는 꽤나 부담이 될 텐데도 그들은 산지를 빠르게 주파하고 있었다. 등산로도 만들어지지 않은 임야 지대를 유탄 발사기가 달린 소총을 들고 저렇게 빨리 이동한다는 건 뭔가 이상하다.

"저긴가."

선두의 남자가 멈춰 서서 쌍안경으로나 봐야 할 만큼 멀리 떨어진 언덕 아래의 건물을 바라보았다. 축사 옆에 컨테이너를 쌓아 올린 가건물이 보인다. 꽤 대량으로 소를 키우는지 부지에 평탄화 작업을 하고 만들어져 있는데 주위에 산과 언덕을 끼고 있어 앞쪽 진입로만 길이 나 있다.

겉으로만 보면 평범한 농장처럼 보이지만 그렇지 않다. 그들은 GPS 장비로 위치를 대조해 보고 자신들이 확실히 제대로 찾아왔음을 확신했다.

설령 제대로 찾아오지 않았다 하더라도 40㎜ 유탄 몇 개만 헛되이 소모할 뿐이다.

"정말 신기하군."

신록이 피어나는 초여름의 산길을 따라 햇빛과 산그늘이 드리워지는 모습을 보며 무장 세력의 우두머리는 손을 뻗어보았다. 궤도가 낮아져 길어진 빛살이 손가락 사이사이로 스며들어오는 모습을 보며 그는 눈살을 찡그렸다. 눈부시다. 하지만 불쾌함을 느낀다기보다는 생경한 경험에 경이를 느끼고 있는 중인 것 같았다.

"어떻게 할까요? 해가 지길 기다릴까요?"

"아니. 뱀파이어들이나 다른 괴물들이 항상 해가 질 때 움직일 거라는 심리적 허점을 꿰뚫는 게 좋겠지. 해가 떨어지기 전에 공격한다."

그들은 소총에 장착된 유탄 발사기에 유탄을 장전했다.

"첫 공격은 유탄부터……."

유탄으로 일제사격을 가하고 언덕 위에서 제압사격을 가하며 천천히 좁혀 들어간다. 그들의 계획은 그러했다. 유탄 발사기의 명중률은 바람의 영향을 많이 받아서 그렇게 썩 신뢰할 물건이 아니긴 하지만 언덕 위에서 저지대로 사격을 가하는 건 그리 어려운 일이 아니다.

작은 유탄이지만 그런 일제사격은 상당히 위협적일 것이다.

"우리 목표는 그 녀석을 산 채로 잡아가는 게 아닙니까? 여기서 잘못해서 죽여 버릴까 걱정되는군요."

리더의 옆, 아직 앳된 티를 벗지 못한 수염도 없는 청년이 중얼거렸다. 그러자 주위의 다른 이들이 모두 기막혀했다.

상대는 진마사냥꾼 한세건, 실적으로 보면 현재 뱀파이어 헌터들 중 두 번째, 아니, 어쩌면 첫 번째일지도 모르는 남자다. 그런 자가 유탄의 폭풍에 쉽게 죽을 리 없다. 컨테이너 박스로 만든 가건물이라 콘크리트 건물들에 비해서 총탄에는 약할지 모르지만, 40㎜ 유탄의 폭풍과 파편을 막는 데는 충분한 방호력을 제공할 것이니 처음의 일제사격이 가지는 의미도 크지 않을 것이다.

"이 정도로 죽을 놈이면 뱀파이어 헌터 짓 못 했겠지. 쓸데없는 걱정이다. 그럼 정확히 18:20에 공격을 시작하도록 하지. 그때까지 각자 산개하도록."

무장 집단의 리더는 그리 말하고 각 인원별로 담당할 위치를 나누어주었다.

"케네스 양?"

서현은 자신의 전화기에 전화를 건 이의 이름을 보고 기겁해서 전화를 받았다. 그러자 케네스 양이 숨넘어가는 목소리로 말했다.

—조심해! 지금 적어도 10명이 넘는 뱀파이어가 한세건을 치기 위해 그쪽으로 갔어. 아마 곧 도착할 거야.

"참 빨리 말해준다."

—나도 방금 알았으니까 그렇지. 놈들은 소총과 유탄 발사기로 무장하고 있어. 다들 레벨 4의 방탄복을 입고 일부는 저격용 라이플도 가지고 있지.

"어째 자세하게 아는데?"

—내가 그들에게 팔았거든.

"아~ 오… 이 새끼가… 진짜."

그 순간 서현은 진심으로 이놈을 내버려 둬도 되나 하는 회의감을 느꼈다. 물론 악의가 있어 그런 건 아닌 거 아는데, 지금 이 순간 제3세계의 무수한 어린이는 아무런 악의도 가지지 않았는데 혹독한 운명에 의해 살해당하고 있었다. 그런 아이들을 생각하면 이 자식쯤은 죽여도 되는 거 아닌가? 악의가 없어도, 죄가 없어도 죽는 사람들이 천지에 널려 있는데 케네스 양 정도면 왠지 죽어도 될 것 같다. 물론 그런 식으로 치자면 서현도 지은 죄가 막대하니 살아남기 힘들겠지.

"그래, 어떤 놈들이야?"

—어딘진 잘 모르겠는데 인도차이나반도 쪽 사람들 같았어. 오스트로네시아 인종이라고 하던가?

오스트로네시아면 대만이나 필리핀, 인도네시아 원주민을 말하고 인도차이나반도에는 크메르인, 버마인, 타이인이 살고 있다. 서현은 그 점을 지적할까 했지만 지금 사소한 토씨 잡고 말싸움할 때가 아니다.

"그리고?"

—아, 그 자식들 대낮인데 찾아왔더라고. 뱀파이어들인데 말이야.

"이봐, 그게 가장 중요한 정보 아니냐? 그것부터 말하라고!"

서현은 케네스를 윽박지르며 한세건을 돌아보았다. 그러자 한세건이 어깨를 으쓱해 보였다.

"꽤 빠르군. 정말 대낮을 활보하는 뱀파이어라면 행동 제약이 없겠지. 그리고 이번 정보가 의미하는 건… 적들의 세력이 전 세계적으로 광범위하게 펼쳐져 있다는 사실이겠지."

한세건은 케네스 양의 말이 적지 않은 의미를 함축하고 있음을 깨달았다. 말은 태연히 하지만 이게 보통 일이 아니라는 건 한세건 역시 잘 알 수 있었다. 적이 예상보다 훨씬 크고 강력한 조직인 것 같다. 그런 놈들이 자신을 노린다고 하는데 아무리 한세건이 뱀파이어와의 싸움에 인생을 던졌다 하더라도 일말의 불안감조차 느끼지 못하는 건 아니다.

"일단 안전한 곳으로 탈출하지. 여기는 영 위치가 안 좋아."

서현은 주위를 둘러보며 말했다.

야산들 사이에 둘러싸여 있는 이곳은 방어하기에 좋지 않다. 상대가 고지대에서 이쪽으로 화력을 마음껏 퍼부을 수 있다는 게 문제다. 그렇지만 한세건은 도망치자는 의견에 의문을 표했다.

"탈출? 저놈들을 잡아서 심문하는 게 더 낫지 않나? 얻어낼 정보가 많을 텐데?”

“뭐, 전에 벨라루스에서 해봤는데 하부 조직 놈들은 아는 게 그다지 많지 않아. 일광을 견디게 해준다든가 진마에게 필적하는 힘을 주겠다고 하는 것만으로 눈 뒤집고 덤벼들 놈이 많으니까.”

“그렇다 하더라도 저놈들을 잡겠어. 내가 도망 다니면 그건 저놈들을 사주한 놈에게 조금만 더 노력하면 잡을 수 있다는 인상을 주어서 계속해서 공격해 오게 할 테니까.”

“음. 하지만 어떻게?”

서현이 반문하자 한세건은 스마트폰을 꺼내더니 터치패드에 손을 대고 슥슥 조작을 했다.

그러자…….

저 멀리에서 폭음이 들려왔다.

“상당히 빨리 왔군. 지금 소리로는 약… 500미터 정도?”

“방금 그건 뭐야?”

“아, 산에 설치한 부비트랩을 활성화시켰지. 평상시에는 나물 뜯으러 노인들이 자주 올라와서 활성화 코드를 넣기 전에는 터지지 않도록 해놨을 뿐이야. 길을 하나로 만들어놓으면 묘하게 길로 오려는 놈들이 없더라고.”

그야 당연한 일이지만 그럼 길은 페이크고 산 쪽이 교전 장소로 설치되었단 말인가? 하지만 일반인들이 산나물을 뜯으러 온다면서?

“용케도 그런 걸…….”

그렇다는 건 민간인들 있는데 지뢰 뿌려놨다는 소리와 다를 게 없잖아?! 물론 활성화를 한세건이 임의로 조작할 수 있다고는 하지만 그러다 잘못되면 어쩌려고? 그러나 한세건은 태연자약하다.

"슬슬 준비하지. 음……."

"나도 돕겠어. 아니, 내가 주공을 맡지. 아무래도 적들의 목표가 당신이니 당신은 가급적 나서지 않는 게 좋을 것 같아. 뒤에서 지원사격… 을 맡기기엔 못 믿겠고 그냥 손가락 빨고 있는 건 어때?"

"……."

그런 서현을 보며 한세건은 한숨을 내쉬었다. 과거에도 그랬지만 서현, 서린, 이 두 형제와는 묘하게 얽힐 팔자인가 보다.

"이런 제길……."

"아무것도 없으리라곤 생각지도 않았지만 갑자기 터지다니 뭐야?!"

폭발의 잔향이 매캐한 냄새를 풍기고 있었다. 나뭇가지 위로 튀어 오른 토사와 먼지들이 바람이 불 때마다 부스스 쏟아지고 섬광과 충격이 세반고리관을 흔들어놓아 정신이 다 나갈 지경이다. 그러나 뱀파이어들은 큰 부상을 입지 않았다. 레벨 4, 세라믹 방탄판을 넣은 두꺼운 방탄복을 입고 있기 때문에 파편 대다수를 막을 수 있었고, 그래도 뚫고 들어온 파편들 역시 큰 문제가 되지 않았다.

그들은 일광 아래에서도 놀라운 재생력으로 순식간에 상처를 회복했다.

“왜 저런 방어하기 힘든 곳에 건물을 지었나 했는데 알량한 부비트랩을 믿고 그랬나 보군.”

뱀파이어들은 그제야 한세건의 뜻을 이해하고 코웃음 쳤다. 보통 뱀파이어라면 지금 폭발로 죽었겠지만 그들은 다르다.

“이제 우리는 진마와 다를 바 없단 말이지!”

“적외선도 보인다!”

방금 전까지 아무것도 없던 지역 곳곳에 적외선 모션 센서가 발하는 일직선형의 적외선이 보인다. 아마도 능동형 센서인 것 같다. 한세건이 전원을 넣으면 모션 센서가 켜지면서 부비트랩이 활성화되는 것이리라.

그들의 접근을 감지해서인지 아니면 저녁 시간이 되면 자동으로 모드가 전환되어서인지는 모르겠지만 지금 그들은 자신들의 능력을 확인했다. 이 정도라면 뱀파이어 헌터 따위에게 질 것 같은 생각이 들지 않는다.

“저격수 항상 주시하도록 하고 유탄을 퍼붓자고!”

그들은 숲을 달렸다. 부비트랩이 사정없이 폭발하며 난리 법석을 떨었지만 이미 자신들의 재생력을 확인한 그들은 더 이상 두려울 게 없었다. 몸으로 부비트랩을 해체해 가며 질주를 거듭해 능선을 올랐다.

하지만 그들이 능선을 향해 올라갈 때였다.

퍽!

선두에 선 뱀파이어의 머리가 통째로 날아가 버렸다. 머리에 헬멧을 쓰고 몸에 방탄복을 둘렀지만 취약 부위인 얼굴에 명중한 총탄이 얼굴을 날리는 것은 물론 목뼈까지 관통했다. 50구경 대구경 라이플의 위력은 아주 절륜해서 총탄만으로 목을 잘라버렸다.

"윽!"

그러나 주위의 뱀파이어들이 그 머리를 주워서 잽싸게 몸에 붙여주자 참수된 목조차 빠르게 재생되었다. 다들 그 모습을 보고 늘어난 자신들의 재생력에 기뻐했지만 지금은 그걸 마냥 기뻐할 때가 아니다.

"능선에 적 저격수!"

"아니, 어떻게?!"

뱀파이어들은 자신들이 능선을 점거하는 것보다 먼저 야산 위에 올라선 적의 기민함에 놀랐다.

"부비트랩 터진 걸 보고 올라왔다고 하기에도 너무 빠르잖아?"

"젠장! 정보가 샜나? 응사해라!"

"어떻게는 어떻게야. 자전거 타고 올라왔지."

서현은 투덜거리며 스코프를 들여다보았다. 역시 처음 일격만 맞았을 뿐 저놈들 모두 숨어버리는 게 능수능란하다. 몇 놈은 엎드리더니 이쪽으로 아무렇게나 제압사격을 시작하고 다른 놈들은 그 틈을 타서 수풀 사이로 빠르게 이동한다.

퉁퉁.

그리고 약간 바보 같은 소리와 함께 유탄이 날아들었다. 곡사로 대충 조준도 안 하고 감으로 날린 거라 그다지 정확하진 않지만 제압사격이라는 역할에는 충실하다. 마음 놓고 조준할 수 없게 위협해 오는 것이다.

"크……. 무장 좋고 실력 괜찮네. 캄보디아나 미얀마의 군벌 출신인가? 아, 제길. 군벌도 좀 명문 군벌이랑 아닌 애들이랑 격차가 컸으면 좋겠어. 델타포스나 네이비씰 같은 애들에게 고전하면 덜 억울하지. 저것들은 아편 키워서 팔아먹는 애들이 꽤 실하네?"

서현은 상대방의 반응을 보고 이 자리에서 저격을 더해봐야 이득이 없다 생각하고 저격총을 내려놓고 역시 수풀로 뛰어들었다. 저놈들이 수풀로 움직일 때마다 부비트랩이 터지고 있지만 놈들의 재생력을 감안해 볼 때 어지간히 화력을 집중하지 않으면 죽이기 쉽지 않을 것이다.

서현은 구르카 나이프를 준비하고 한세건의 집에서 건져 온 담요를 팔에 감았다. 천의 분자 결합을 바꾸어서 총탄까지 막아내는 강화 능력은 서현이 자주 쓰던 특기다.

'요새 통 먹는 게 부실해서 함부로 쓰긴 힘들겠지만 저놈들 상대로 재생력 믿고 덤볐다가는 골치 아프겠지? 다른 뱀파이어 놈들은 자기 능력에 취해서 까부는데 저놈들은 무장이 튼실하단 말이야. 월령도 별로 안 좋고.'

현재 서현은 인간을 먹지 않아서 카타볼릭 상태다. 라이칸스로프의 왕자니 여전히 어지간한 흡혈귀 진마를 능가하는 재생력을 가지고 있지만 카타볼릭 상태는 들어오는 거 없는 고갈 상태, 여기서 능력 하나 허투루 쓰면 다 수명으로 직결된다. 그나마 카타볼릭 상태여도 만월이라면 꽤 쏠쏠하게 힘이 생기지만 지금은 만월도 아니다.

하늘에는 실낱같은 달이 떠 있었다. 해가 아직 완전히 넘어가지 않고 붉은 잔광을 뿌려대고 있음에도 가느다란 달은 선명하게 자신의 모습을 드러내고 있었다. 유달리 맑고 깨끗해 보이는 하늘이었다.

그 맑은 달빛 아래 서현과 뱀파이어들이 조우했다.

"나왔다!"

"죽여!"

뱀파이어들이 서현을 향해 총격을 퍼부었지만 서현은 담요를 펼쳐서 강화 능력을 사용했다. 섬유 한 가닥 한 가닥마다 초상적인 힘이 작용해 담요에 명중하는 총탄의 위력을 섬유결 전체로 흡수해서 방사한다. 앗 하는 순간 그들에게 돌진한 서현은 구르카 나이프를 휘둘러 단숨에 베어나갔다.

"큭!"

소총을 들어서 한 놈이 서현의 칼을 막아내는 사이 다른 한 놈이 서현의 뒤를 점하고 정글도를 휘두른다. 그러나 서현은 우장을 뻗어 자신의 공격을 막아낸 놈을 쳐 날리고 나이프를 쥔 손을 뒤집어 나이프를 역수로 잡았다.

쩍!

보지도 않고 등 뒤로 휘두른 일검이 깨끗하게 정글도를 절단하고 뱀파이어까지 아래에서 위로 수직으로 양단했다. 하지만 너무나 깔끔한 일격이어서였을까, 아니면 이 뱀파이어의 재생 능력이 비정상적이어서일까? 뱀파이어는 단숨에 상처를 회복하고 서현에게 새하얀 이를 드러내며 웃어 보였다.

"뭘 쪼개? 없이 생겨 가지고."

정작 서현은 시큰둥했다. 워낙 재생 능력자랑 많이 싸워본 서현이었기에 자기 재생 능력을 믿고 덤비는 놈은 우습다. 칼을 맞은 뱀파이어가 아랑곳하지 않고 부러진 정글도를 휘두르며 서현에게 덤벼들었지만… 서현이 쓱 옷깃을 잡아당기자 그제야 문제를 깨달았다.

방탄복까지 칼로 찢어지면서 옷이 깨끗하게 찢어졌다. 그 찢어진 옷깃을 서현이 잡고 당기자… 팔다리에 끈 달린 꼭두각시 인형처럼 딸려 들어간다. 가뜩이나 무겁고 불편해서 격투전에 그리 어울리지 않는 옷이다. 총탄에는 방호력을 제공하지만 라이칸스로프가 휘두르는 육탄 공격 앞에서는 별다른 방호력을 제공하지 못했다. 그런 옷이 잘려 다이나모 판들이 덜그럭거리며 몸 여기저기의 가동성을 나쁘게 하고 있으니 제대로 싸울 수 있을 리가 없다.

그렇게 딸려 오는 뱀파이어의 목에 구르카 나이프를 댄 서현이 휙 칼을 수평으로 후려치자 그대로 참수되었다. 목이 뎅겅 잘려 나가자 주위의 뱀파이어들이 당황했다.

진마 정도의 재생 능력이라면 참수가 되어도 혈액이 머리를 들어 올려서 연결할 정도다. 하지만 적이 두 눈 시퍼렇게 뜨고 있는데 머리랑 몸통이랑 재결합할 때까지 관대하게 기다려 줄

리가 없다.

과연 서현은 방탄복 옷깃을 잡은 채로 뱀파이어의 몸을 한 손으로 번쩍 들더니… 그대로 휘둘러 다른 뱀파이어에게 꽂아버렸다.

콰직!

머리가 잘린 뱀파이어의 목 부분을 다른 뱀파이어의 머리에 꽂아버린 것이다.

폐 상부가 으깨지면서 남의 머리가 들어갔다. 마치 기괴하게 조립된 장난감처럼 뱀파이어의 몸통과 몸통이 머리를 연결 부품 삼아 연결되었다. 끔찍하고 그로테스크한 장면이었다. 군벌 출신의 뱀파이어들은 그 모습을 보고 당황했지만 서현은 계속 움직였다.

"재생 능력자의 싸움은 이 정도로 끝이 아니라 이제 시작이지! 뭐야? 그 정도로 지금 날 죽이러 온 건가? 힘 좀 써봐!"

서현의 손이 뱀파이어의 상완을 붙잡고 발이 몸통을 찬다. 그 기세로 단번에 팔을 몸통에서 뽑아버린다. 끔찍한 비명이 울려 퍼졌지만 그 비명조차 다른 뱀파이어의 몸통 속에 담겨서 제대로 울리지 않는다.

"캑!"

기괴한 비명이 울려 퍼진다. 서현은 그렇게 뽑아낸 팔을 곤봉처럼 휘둘러 뱀파이어를 패대기쳤다. 놀란 뱀파이어들이 지근거리임에도 불구하고 유탄 발사기를 서현에게 겨누고 쏘았는데 서현은 담요를 펼쳐 강화 능력으로 그 포탄을 받아냈다.

일정 비거리가 확보되어야 충격신관이 활성화되는 유탄들이라고 해도 지근거리에서 쏘면 사람 두개골은 총 맞은 수박처럼 터뜨릴 정도의 위력이 있었는데 서현의 손에 들린 얇은 담요 한 장을 어쩌지 못하고 무력하게 떨어진다.

"노력은 가상하다만……."

서현은 불발한 40㎜ 유탄들을 발로 공처럼 뻥 걷어차서 사수들에게 돌려주었다. 그제야 충분한 비거리가 확보된 유탄들이 터지며 뱀파이어들을 덮치고 그 여파가 서현도 강타했지만 서현은 담요를 펼쳐서 그걸 막아내었다.

"혈인 능력도 못 쓰는 녀석들이 너무 용맹한데?!"

"완전히 상대가 안 되는군."

저격총용 스코프로 그 상황을 지켜보던 한세건은 서현이 뱀파이어들을 상대하는 것을 보고 내심 혀를 찼다. 역시 아무리 급작스럽게 재생 능력을 높였다고 하지만 저 뱀파이어들은 진마에 비해서는 조잡하다. 진마들은 자신들의 혈인 능력을 잘 알고 있고 절대 무리하지 않는다. 그들의 오만함이 종종 위급한 상황을 불러일으키긴 하지만 그들은 탐욕스럽다. 더 많은 흡혈인자를 추구하는 그들의 탐욕이 아이러니컬하게도 그들의 목숨을 지키는 방패막이가 된다.

혈인 능력을 쓴다는 것도 매우 큰 강점이다. 뱀파이어들의 초상 능력 중 그들의 혈통에 의해 발현되는 능력은 다른 마법들보다 훨씬 빠르고 정밀하다. 총화기나 다른 도구들, 마법들과 함께 사용되면 그 효과는 더욱더 증대되고 치명적으로 변한다.

그에 반해 저들은 혈인 능력을 전혀 쓸 수 없는 듯하다. 하긴 저들이 갑자기 약으로 인해서 일광을 버틸 수 있게 되었다고 해도, 설령 정말 진마처럼 높은 VT를 갖게 되었다 하더라도 당장 혈인 능력을 쓸 수 있는 건 아니리라. 인간에게 갑자기 없던 날개가 생긴다고 날갯짓을 할 수 있을 것 같은가? 운동신경이 발달하고 뇌 신경계에서 그 사지에 대한 운동영역을 할당해 주지 않으면 쓸 수 없는 법이다. 누구나 다룰 수 있는 팔다리 하나조차 이럴 판에 초상 능력이야 더 말해 무엇 하랴?

그렇다 해도 보통 헌터들에게는 난적이리라. 저들의 신체 능력은 분명히 보통 뱀파이어들의 평균치를 압도적으로 상회하고 있다.

그러나 서현은 저들을 쉽게 농락한다. 과연 라이칸스로프의 왕자라고 할까?

'같은 형제지만 과거의 서린과는 비교할 수 없을 정도로 강해.'

서현이 사람을 먹지 않고 카타볼릭 상태에 빠졌다는 건 들어서 알고 있었지만 그럼에도 불구하고 저 녀석은 강력하다. 하긴 서린도 사람을 평생 먹어보지 않았는데 신체 능력만은 월등했지. 그러나 서현은 그 정도가 아니다.

이미 서린을 능가하는 신체 능력에 한술 더 떠서 실전 경험도 많고 가진 능력도 거의 사기에 가깝다. 저 이불이나 판초우의 같은 걸 이용해 총탄과 폭격을 막아내는 능력은 참 난감하다. 저 녀석의 외조부인 볼코프 레보스키 중장은 엄청난 재생력과 신체 경화 능력을 이용해 총격을 무시하고 달려들어 육탄전을 강요했다면 서현은 저 섬유 구조를 이용한 고도의 강화 능력으로 볼코프 레보스키보다 자원을 훨씬 더 효율적으로 활용한다.

게다가 접근전에서 보이는 폭력이 아주 극악하다. 기본적으로 사지를 생으로 잡아 뽑는 건 물론이요, 내장을 뽑아버리질 않나, 공격이 너무 끔찍해서 흡사 잔혹 신에 중점을 둔 좀비 영화 같아 보였다. 서현이 딱히 엽기적인 행각을 좋아해서가 아니라 재생 능력자들, 뱀파이어나 라이칸스로프와 워낙 많이 싸우다 보니 자연스럽게 터득한 과잉 공격이었다.

"하지만 어디 볼까?"

한세건은 총탄 하나를 잡고 염을 집중했다. 소총탄의 탄자가 은은하게 빛을 발한다. 그는 그걸 볼트액션 소총의 약실에 집어넣고 노리쇠를 전진시킨 뒤 서현의 손에 들려 강화된 담요에 쏘았다.

퍽!

담요가 시원하게 뚫리자 서현이 당황하는 표정이 역력하다. 역시 총탄에 마법을 직접 걸어서 때려 박으면 저 방어 기술을 뚫을 수 있는 것 같다.

—야, 이 미친 자식아! 지금 날 제거할 셈이냐? 너 이…….

서현이 무선으로 욕설을 퍼붓는다. 시끄러운 틈을 타서 한 발 쐈는데 역시 감각이 보통이 아닌지 바로 알아챘다. 다른 놈들도 총을 쏘고 있는데 어떻게 알아챘담?

"아니, 궁금해서 시험해 봤을 뿐이야. 적들이 덤비는데 정신 챙기고 앞이나 봐라."

한세건은 그리 답하고 저격용 라이플로 뱀파이어들의 머리통을 차례차례 쏘았다. 레벨 4 방탄 장비를 갖추고 있어도 머리통을 향해 라이플을 쏘아대니 서현을 상대하느라 정신없던 뱀파이어들이 픽픽 쓰러진다.

잠시 후 상황은 완전히 정리되었다.

한세건은 혀를 찼다. 서현은 뱀파이어들을 조각내 서로서로 사지를 뒤섞은 다음 케이블 타이로 묶어놓았다. 케이블 타이쯤이야 뱀파이어의 힘이면 쉽게 끊을 수 있지 않나 싶었는데 사지가 절단되어 따로따로 노니까 그게 아니다. 뱀파이어들은 손가락을 까딱거리는 힘만으로도 쉽게 케이블 타이를 끊을 수 있지만 그건 어디까지나 사지가 몸통과 연결되어 있을 때 가능한 일이다. 실제로 잘린 팔을 까딱여 봤자 팔 전체가 생선처럼 펄떡펄떡 뛰어오를 뿐 케이블 타이는 끄떡없다.

"그렇군. 뱀파이어의 구속력이라는 게 탐욕스럽지. 남의 피도 자기 걸로 빨아들이려고 하니까 혼선이 와서 재생을 방해하는군. 하지만 이건 뭐 엽기살인 사건도 아니고 뱀파이어를 토막쳐서 섞어두다니……."

한세건은 내심 고개를 끄덕였다.

"좋은 걸 배웠다."

서현도 서린의 쌍둥이라면 자신보다 연하지만 뱀파이어나 라이칸스로프와 싸워온 날은 한세건보다 많으면 많았지 적지 않은 인물이다. 경험이 많으니 이런 것일까? 그렇지만 참 싫은 능력이다. 어시장에 참치 진열해 둔 것도 아니고.

"당신 대체 무슨 생각이야?!"

서현은 담요에 뚫린 구멍을 가리키며 한세건에게 화를 냈다. 적을 상대하고 있는 와중에 자신에게 총격을 가한 것에 대해 항의하는 것이다. 하지만 한세건은 시큰둥했다.

"혼전 중에 프랜들리 파이어가 없을 수 없잖아. 뭘 그런 걸 가지고."

"지금 이건 완전히 노리고 쏜 거잖아?"

"내가 맞히려는 의도가 없었다는 건 확실하잖아. 안 맞았고. 의도도 없었고 피해도 없었는데 뭘 어쩌라고?"

뻔뻔하다. 하지만 이렇게까지 뻔뻔하면 서현도 할 말이 없어진다.

"사과해. 아니, 성의를 보여라."

"할 수 없지. 아까 전 라이플 너 가져라."

"이, 이게 날 무슨 거지 취급 하네……. 피, 필요 없거든? 아니, 하지만 음. 그거 저격총 말고 준저격총, 지정 사수 라이플로 받을 수 없나……. 풀 오토로. 드라구노프 같은 거?"

서현의 표정이 금세 풀렸다. 이렇게 알기 쉬운 놈을 봤나. 전에 돈다발 쾌척했을 때도 그렇지만 서현은 지금 물질적으로 꽤 곤궁한 모양이다. 그 정도 힘과 능력이면 나쁜 짓으로 순식간에 거금을 벌 수 있는 놈이 이러고 있다니 신기하다.

정말 과거를 버리고 새 출발 할 셈인가?

'정말 묘한 녀석이군. 그나저나 이놈들을 심문해야지.'

한세건은 살아남은 뱀파이어들을 보고 우선 피를 뽑기로 했다. 이 녀석들의 피 자체가 굉장한 정보를 가지고 있을 것이다. 그리고 피를 뽑아내면 힘을 약화시키는 효과도 있겠지.

"심문은?"

"이 녀석들 미얀마인이군. 미얀마어는 못해서. 넌 할 수 있나?"

"텔레파시 능력을 아까운 줄 모르고 펑펑 쓸 때라면 모를까, 카타볼릭 상태에서 그러면 수명이 깎여서 싫은데?"

"얼마나 수명이 줄어드는데?"

"잘은 모르지만… 음……. 인간으로 비교하자면 앉은 자리에서 줄담배로 한 보루를 피우는 정도? 프랑스어는 약간 남겨두긴 했는데 미얀마가 프랑스 식민지긴 했지만 꽤 옛날이야기라서. 말이 안 통하더라고."

서현이 텔레파시 능력을 풀가동해서 테트라 아낙스에 맞섰을 때, 그는 인간들의 기저 의식에 자신의 의식을 동화시켜 사람들의 언어를 이해하는 데 어려움이 없었다. 적어도 1,000명 이상이 사용하는 언어라면 무엇이든 읽고 쓸 수 있을 정도였으나 그만큼의 능력을 쓰기 위해서는 인간을 먹는 걸로 부족해 자신의 수명을 많이 바쳐야 했다.

더구나 지금은 아예 고갈 상태니까……. 그런데도 이 정도의 전투 능력이라니 위험하다. 한세건은 새삼스럽게 이 라이칸스로프 놈의 위험성을 깨달았다.

"담배 한 보루라……. 막연하지만 확실히 건강에 안 좋다는 느낌이 오는군. 좋은 비유다."

한세건은 더 이상의 심문을 포기했다. 만약 그 자신이라면 담배 한 보루를 줄담배로 피우는 느낌을 감수하고서라도 이들을 심문했을 것이다. 그러나 한세건은 자신을 가혹하게 쥐어짜는 데는 익숙하지만 남을 쥐어짜는 데는 소질이 없었다. 대신 한세건은 그들의 장비를 뒤져보았다. 그가 설치한 부비트랩을 몸으로 해체한 덕분에 이놈들의 장구류는 죄다 손상되어 있었다.

그렇지만 곧 방탄복 안에 소중하게 갈무리한 플라스틱 약병을 찾을 수 있었다.

"이 약이 그들을 이렇게 만든 물건인 것 같군."

"벨라루스에서도 그렇고 한국에서… 인도차이나의 반군 군벌들을 끌어들이다니. 적의 조직이 방대한 건지 아니면 워낙 뱀파이어들이 호구라서 이상한 약을 미끼로 줘도 덥석 무는 건지 모르겠어."

서현은 그리 말하다 문득 정색하고 구르카 나이프를 역수로 붙잡았다.

"물러나, 한세건."

"무슨 일이지?"

"이 자식들 아우라가……."

"아우라?"

서현의 눈, 붉은색의 눈동자로 비춰지는 세상은 생물과 인간의 영기가 고스란히 드러나 보이는 영적인 세계다. 그 영적인 흐름이 뒤틀리고 있었다.

"크아아악."

"아우우욱!"

사지가 절단되고 생선 포 뜨듯 해체당한 뱀파이어들이 몸부림친다. 깔끔하게 절단되어 서로서로의 구속력이 간섭을 일으키게 세팅되어 있던 놈들이었는데 갑자기 그 경계가 허물어졌다.

뱀파이어들이 서로 상대방의 혈액, 상대방의 육신을 취하며 증식하기 시작한 것이다.

"커럽티드?"

한세건은 오른손을 휘둘렀다. 소매로부터 감겨 있던 도폭선이 뻗어 나와 바닥에서 몸부림치는 뱀파이어들을 덮쳤다. 하지만 뱀파이어들은 급작스럽게 이상 증식을 시작해 순식간에 기괴한 괴물로 융합되어 갔다. 그들의 몸 한복판에 도폭선이 꽂혀 들어갔다.

"흡!"

한세건이 전기 플러그를 당기자 도폭선이 폭발하며 커럽티드로 변한 뱀파이어들의 몸 안에서 터졌다. 내부 폭발, 그야말로 가장 큰 타격을 주는 방식의 공격이다. 그러나 커럽티드로 변이한 뱀파이어들은 무수한 손발이 달린 구체로, 거대한 고깃덩이로 변하며 빠르게 구멍 난 부위를 메워갔다.

"그아아아아!"

수족이 달린 구체, 이 거대한 커럽티드로부터 뼈로 만들어진 가시들이 생성되었다. 척추뼈의 돌기가 크게 자라나 창날처럼 변이한 것이다.

"비켜!"

서현이 담요를 휘둘러 방벽을 세웠다. 창날 가시들이 튀어나와 서현과 세건을 노렸지만 서현이 펼친 담요는 마치 장갑판처럼 그 공격을 막아내었다. 그러나… 한꺼번에 많은 공격이 밀려들자 가시가 담요를 뚫고 박힌다.

"윽!"

서현은 담요를 뚫고 들어온 가시를 피해 뒤로 물러날 수밖에 없었고 그렇게 서현에게서 떨어진 담요는 일반 천으로 변해 가시에 의해 산산조각 났다.

"이거… 만만치 않은데."

서현은 눈앞의 괴물을 보고 혀를 찼다. 뱀파이어 헌터들이 사이키델릭 문을 쓰다가 영적으로 오염되어 붕괴할 경우 커럽티드란 존재로 타락하게 된다. 눈앞의 것처럼 육체가 끝없이 영적 정보를 받아 변화하면서 재생력이 폭주하는 암세포처럼 무한정 증식한다.

그런데 뱀파이어 놈들이 커럽티드가 되다니?

두두두!

한세건이 글록18 두 자루를 동시에 쥐고 총탄을 쏟아부었다. 셀룰러 탄, 물을 흡수해서 젤리 형태로 변하는 합성수지 분말을 넣은 탄이지만 커럽티드에게는 뭐 강물에 각설탕 던져서 징검

다리 만들려는 형국이었다. 총탄이 박혀도 순식간에 녹아 없어진다.

그악!

커렙티드가 팔을 휘두른다. 무수한 팔들이 악수하고 그 팔의 어깨 부위에서 새로 난 팔이 다른 팔과 악수하면서 길게 늘어진 팔뚝이 채찍처럼 휘어지며 서현과 한세건을 노린다. 서현과 한세건이 뛰어넘거나 몸을 숙여 그 공격을 피하자 성인 허벅다리 굵기만 한 잣나무가 그 공격을 받고 딱 부러졌다.

"이건 어때?!"

서현은 바닥에 떨어진 마른 고목 가지를 발로 차올려 거머쥔 채로 그대로 커렙티드를 향해 찔렀다. 커렙티드의 몸에서 무수한 팔이 뻗어 나와 고목 가지를 붙잡았지만 서현의 발 뒤로 흙먼지가 피어오른다 싶더니…….

푹!

단번에 고목이 커렙티드의 몸을 꿰뚫었다.

"으랴아아!"

서현은 그 고목 가지를 잡고 단번에 커렙티드를 들어 올리려 했다. 그러나… 커렙티드들의 손이 고목을 붙잡자…….

되레 서현이 떠올랐다.

"시소에서 한 놈은 80킬로, 다른 한 놈은 1톤이면 어느 쪽이 들리지?"

한세건이 어이가 없어서 한마디 했다. 그러나 그 순간 서현이 고목 가지를 잡은 채 물구나무를 서나 싶더니 앞으로 구르며 커컵티드에게 돌진했다.

구르카 나이프가 춤추며 커럽티드들의 팔과 몸통을 난자한다. 분노한 커럽티드가 무수한 입을 만들어내 서현을 물어뜯으려 했지만 서현은 이미 살포시 빠져나간 뒤였다.

"넘어지고 부끄러움을 얼버무리기 위해 같잖은 춤동작으로 어설프게 무마하는 것 같군."

"아니거든?! 애초에 고저 차를 만들기 위해 유도한 거거든?! 당신도 놀지 말고 뭐 좀 해보지? 저거 당신 노리고 온 거니까!"

서현은 한세건에게 빽 소리를 질렀다. 그러자 한세건이 코웃음 쳤다.

"안 그래도 그럴 셈이다."

한세건의 발 앞에는 저들로부터 빼앗은 40㎜ 유탄들이 쌓여 있었다. 한세건은 그걸 발로 차올리더니 도폭선을 뿌렸다.

우우우웅!

한세건의 몸에서 혼팅의 아우라가 야수처럼 울부짖으며 도폭선을 휘두른다. 도폭선에 감긴 40㎜ 유탄들이 일제히 날아가 구체를 이룬 커럽티드를 감쌌다.

딸깍.

한세건이 전기 신관을 작동시키자 커럽티드를 감싼 도폭선이 폭발하며 유탄들 역시 유폭을 일으켰다.

"미쳤어?!"

깜짝 놀란 서현은 몸을 날려 한세건과 커럽티드 사이에 서서 벗어 든 재킷에 강화 능력을 걸고 막아섰다. 판초우의나 담요에 비해 좁아서 방호 능력이 떨어지겠지만 궁여지책이었다.

유탄은 터지면 파편을 쏘아 보내는데 이건 눈으로 보이는 폭발과 폭풍보다 훨씬 먼 거리를 날아가게 마련이다. 한세건이 펼친 공격은 화려한 모습, 압도적인 위력을 자랑하겠지만 시전자 역시 유탄의 파편에 휩쓸리게 된다.

'젠장. 한세건의 가치가 엄청나니 여기선 몸 튼튼한 내가 방어하는 게 낫겠지!'

그리 생각한 서현이 앞을 막아섰는데…….

파편이 없다.

"무슨 생각으로 껴들었는지 잘 알겠는데 열압력 탄두거든?"

한세건은 자신의 앞을 가로막은 서현의 머리를 손가락으로 쿡쿡 찔렀다. 열압력 탄두는 파편이 없고 효과 반경도 좁다. 장애물을 넘어서 공격할 수 있으니 건물 뒤에 숨은 이를 잡거나 참호 안의 적을 잡는 데 효과적이나 그만큼 폭발과 폭풍 반경이 좁다. 40㎜ 열압력 탄두의 반경은 더더욱 작아서 이 정도 거리에서도 비교적 안전하게(보통 사람이라면 물론 위험하지만) 쓸 수 있었다.

한세건은 열압력 탄두만 골라서 모아둔 것이다.

"아……."

서현의 얼굴이 새빨개졌다. 전장에서 굴러먹었다는 놈이 40㎜ 유탄의 종류를 분간 못 하다니……. 아니, 생각해 보면 한세건이라고 죽고 싶어서 환장한 것도 아니니 당연히 뭔가 조치를 취했을 거라고 생각했어야 하는데 부끄럽다.

"이게 사람을 죽고 싶어서 환장한 자살 지망자로 보고 있네. 비켜봐. 효과는 있나?"

한세건이 서현을 피해 커럽티드를 보니 역시 이 폭발은 확실히 효과적이어서 커럽티드가 산산조각 나 있었다. 그러나 남아 있는 조각들은 여전히 재생한다. 땅 위에 산산조각 나 떨어진 팔들이 손가락을 수족관 밑바닥의 게나 가재처럼 움직이며 모이려 한다.

"어때 보여?"

한세건은 물어보았다.

"아우라가 완전히 들쑥날쑥한데?"

서현은 구르카 나이프를 던져 기어가고 있는 팔뚝 하나를 바닥에 꿰어 고정시켰다. 커럽티드의 잔해는 여전히 강력한 재생력을 보이고 있지만……. 방금 전 한세건의 공격으로 통합적인 의식, 식욕 등에 구멍이 나버렸다. 한세건이 공격하기 전에는 육식동물, 맹수 정도의 의지를 보였다면 지금은 아메바 수준이다. 근처에 먹을 게 있다면 당연히 먹어치우겠지만 통합적인 의식을 보이지 못한다.

"이 정도 상태에서 일광을 만나게 되면 이제 완전히 사멸하겠지."

"그렇다면 그 전에 샘플을 채집하지."

한세건은 그리 말하고 서현을 노려보았다. 비록 호쾌한 일격으로 커럽티드를 분쇄한 것은 한세건이지만 솔직히 서현의 도움도 컸다. 무엇보다도 지금 이 적들, 이놈들 수준이 예사롭지 않다. 미얀마 군벌 출신의 훈련받은 게릴라라면 인간이라고 해도 위협적인데 일광을 버티는 뱀파이어인 데다가 기껏 무력화시켰더니 커럽티드로 변해 버렸다.

아무래도 뱀파이어들의 사회에 또다시 지각변동이 일어날 것 같았다.

그리고 이런 지각변동이, 바로 혁명의 순간이다.

봉건적이고 압도적인 지배력을 가진 고위 뱀파이어들을 사냥할 절호의 기회, 그 순간이 다시 온단 말인가?

第5夜

Black haired Beast

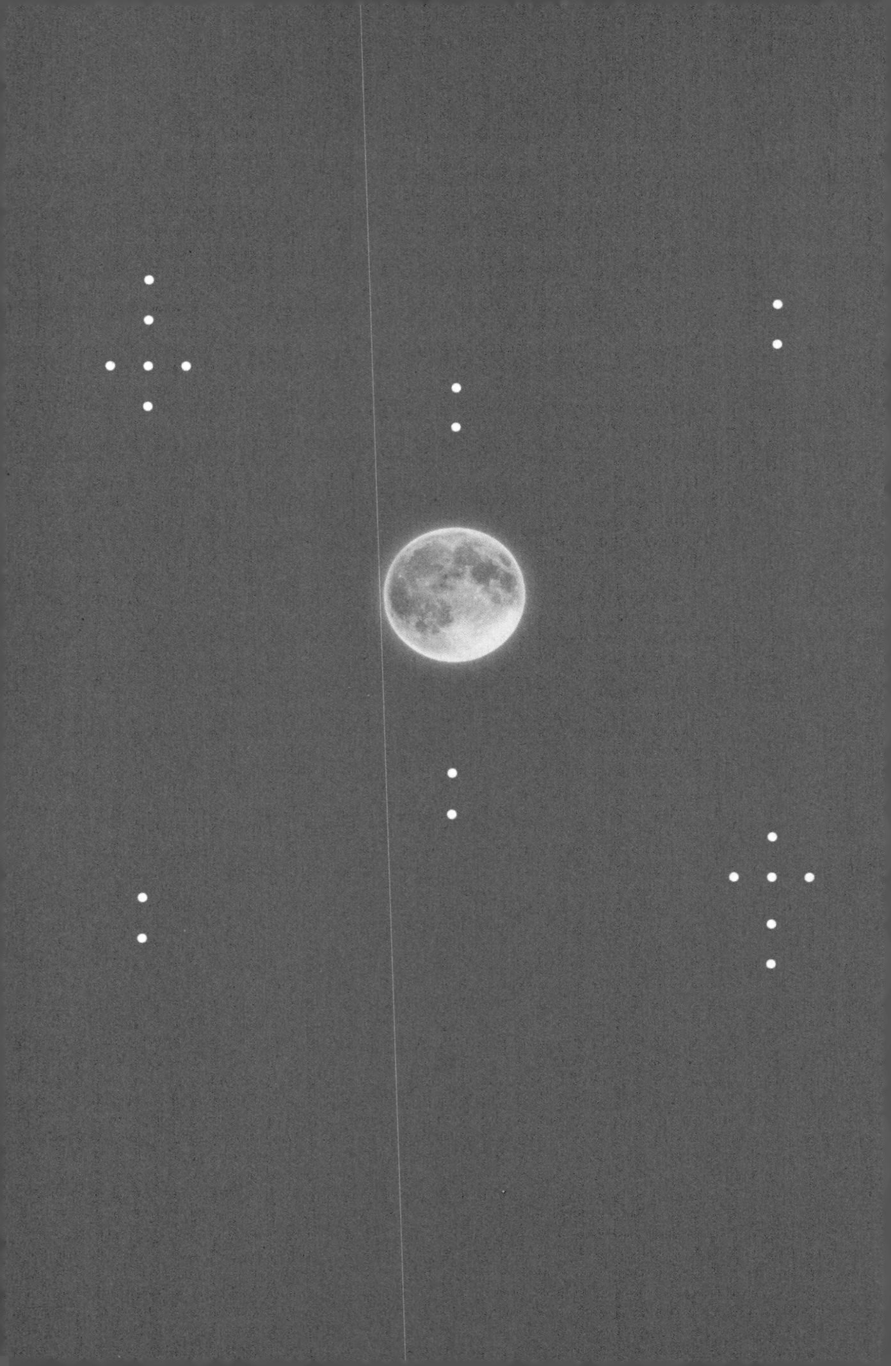

1

이제 막 라이칸스로프가 된, 하급 라이칸스로프는 월령이 만월에 가까워지면 흉포한 야성을 이기지 못하고 많은 사람을 해치게 마련이다.

그것을 피하기 위해서 라이칸스로프는 고위 라이칸스로프와 함께 몰려다닌다. 그들을 라이칸스로프로 만든 부모, 무리 우두머리의 통솔을 받으면 무리의 구성원은 만월이 되어도 이성을 완전히 잃지 않고 우두머리는 보다 예민하고 강력해진 야성의 혜택을 받는다.

이것이 바로 라이칸스로프의 무리, 라이칸스로프 갱(Lycanthrope Gang)이다.

일광에 약해지는 법 없이 대규모의 무리를 이끌며 강력한 야성의 축복을 받은 이들은 그야말로 어둠의 세계의 재앙이었다.

하지만 결국 어둠의 세계를 지배한 것은 뱀파이어였다.

라이칸스로프들은 세계의 변방에서 뱀파이어와 인간들을 피해 다니며, 혹은 분쟁을 찾아 떠돌아다니며 그 안에서 생활했다.

반면 뱀파이어는 테트라 아낙스의 가호를 받으며 문명사회 안에서 사람들을 속이고 금력과 권력으로 지배했다. 뱀파이어들 역시 규율을 어기고 자신의 야만성에 굴복해 희생자를 내는 이들이 있었지만 이들은 테트라 아낙스의 율법을 어긴 자들, '아웃로(Outlaw)'로 규정되어 뱀파이어 헌터들의 먹이가 되었다.

문명을 거부하고 야만의 세계를 택한 라이칸스로프와…….

문명 안에서 인간을 조종하는 뱀파이어의 싸움은 뱀파이어의 승리로 끝났다.

2

이사카 베르게네프는 릴리쓰의 자식으로 태어났다.

릴리쓰, 아담의 첫 번째 아내로 오만하여 아담에게 버림받고 사탄의 배우자가 되어 악마들을 잉태한다는 신비주의의 마녀. 그 이름대로 그녀는 무수히 강력한 뱀파이어와 라이칸스로프를 만들어내었고 그중 가장 위대한 자는 바로 현재 어둠의 세계를 지배하는 제왕, 테트라 아낙스였다.

제왕의 피를 타고난 어린 소년은 천금보다 더한 가치를 가지고 있었다. 그리고 그 가치는 종종 소년 자신의 의사에 반하는 방향으로 발현되곤 하는데 이사카의 경우가 그러했다.

테트라 아낙스는 강력한 능력을 지속적으로 사용하면서 노화와 붕괴를 겪고 있었고 그 타개책으로 이사카 베르게네프의 몸을 빼앗아 거듭나고자 했다.

이사카 베르게네프는 그런 테트라 아낙스에게서 자신의 몸을 지키기 위해 야만의 세계를 떠돌 수밖에 없었다. 문명사회를 강력한 금력으로 좌지우지하는 테트라 아낙스의 마수를 피하기 위해서 그는 야만의 세계의 일원이 되어야 했다.

그리고…….

자신이 선택하지 못한 운명은 반드시 그의 영혼을 사로잡는다.

이사카 베르게네프는 문명사회에서 살아가는 것을 동경했다. 그러나 그것은 그가 릴리쓰의 자식인 '리림' 인 이상, 테트라 아낙스가 그의 몸을 노리는 이상 이룰 수 없는 꿈이었기에 그는 테트라 아낙스에게 도전했다. 자신의 운명을 벗어나 문명을 향유하기 위해서.

결국 테트라 아낙스는 쓰러지고 그는 자신의 운명에서 벗어났지만…….

모든 라이칸스로프가 문명인으로서의 삶을 동경한 것은 아니었다.

폭력에 익숙한 라이칸스로프들에게 문명이라는 건 매우 성가신 우리였다.

사람을 죽이면 군경이 찾아오고 포위망은 점점 좁혀져 온다. 직장을 구하고 거처를 구하고, 번듯하게 살다가도 스스로를 제어하지 못하면 어느새 상대의 머리를 물어뜯고 있는 자신을 발견해 버리는 식인괴물들…….

그들에게 인간을 먹지 않고 자신의 목숨을 위협하게 하면서까지 문명과 동화하라는 건 늑대에게 양으로 살아가라는 요구나 다를 바 없었다.

이 세상에 이미 폭력과 야만이 가득한데, 그들이 가진 재능이 폭력과 살육에 특화되어 있는데 굳이 자신의 재능을 감추고 인간들 사이에 동화될 이유가 없지 않은가?

이사카가 자신의 갱단 멤버들에게 라이칸스로프의 힘을 주고,

생명을 주고,

새로운 삶의 기회를 주었지만…….

결국 그들과 이사카가 바라보는 것은 달랐다. 추구하는 바가 다르니 함께 갈 이유가 없다. 그래서 이사카 베르게네프는 서현이라는 문명의 이름을 받아들이고 자신의 라이칸스로프 갱을 해산시켰다.

라이칸스로프의 왕자는 문명에서 살기를 선택한 것이다.

3

화창한 여름날의 공원 안에는 아르쥬나라 불리는 카페가 위치하고 있었다. 일급 상업지 인근에 있음에도 불구하고 공원 덕분에 왠지 한적해 보이는 이곳에는 이색적인 직원이 근무하고 있었다.

과거 테트라 아낙스에게 대항한 라이칸스로프의 왕자, 서현이 바로 그 직원이었다. 그는 거의 자동화되어 있는 커피 머신을 다루고 제빙기의 얼음들을 쏟으며 스탠드에 고정되어 있는 스마트폰을 바라보았다. 일을 하면서 통화 중이라니 직원으로서의 근태가 좋다고 할 수는 없겠지만 다행스럽게도 현재 점내에는 손님이 그리 많지 않다.

"세상 좋아졌군. 국제 영상통화인데 돈이 안 들다니!"

서현은 영상통화 소프트웨어를 돌리고 있는 핸드폰을 바라보며 감탄했다. 휴대폰 화면에는 과거 그의 동료, 아니, 그의 부하였던 루스킨과 빼또쥬의 모습이 떠오르고 있었다.

"그래, 어떻게 지내? 나 없이 다들 잘 살고 있냐?"

—아, 저기… 그게.

루스킨은 회선이 안 좋은지 영상은 거의 정지 상태로 목소리만 들린다.

"응? 뭔데? 빨리 말해."

—우리가 알던 다른 라이칸스로프들은 볼코프 갱에 들어간 것 같아.

"볼코프… 갱……."

볼코프 레보스키는 서현에게는 외조부가 된다. 강력한 라이칸스로프이며 군인이던 그는 쿠데타를 일으켰다 실패한 후 국제적인 범죄자가 되어 도피 중이다. 하지만 그는 여전히 강력한 라이칸스로프 갱을 이끌고 있으며 각종 분쟁 지역에서 검은 일을 수행하는 군벌을 형성했다.

"어떤 일을 하지?"

—최근에는… 나이지리아의 PMC에 접근한 후 현지인들을 반군으로 훈련시켜 유정 공장을 공격하게 하는 모양이야. PMC와 짜고 석유 기업에게서 돈을 뜯어내려고 그러는 거지. 적당히 반군들을 훈련시키고 원주민들을 선동해 분쟁을 일으키고, 또 그 분쟁을 스스로 진압하면서… 그렇게 살고 있는 것 같아.

루스킨은 그리 말하며 식은땀을 흘렸다. 다행스럽게도 인터넷 회선이 워낙 느려서 그의 불안한 눈빛은 서현에게 보이지 않았다.

서현의 반응은 심드렁했다.

"걸리면 전 세계 어디서든 사형 확정의 최악의 전쟁범죄군."

냉전이 붕괴하면서 이제 세계는 이익을 위한 전쟁에 접어들었다. 과거에는 이념을 위해 싸움이 벌어졌다면 이제는 돈과 자원을 위해 싸움이 벌어진다. 라이칸스로프 용병들은 어디에서나 환영받는다. 설령 그들을 환영하지 않는 나라가 있다고 해도 상관없다. 약간의 잔재주를 부리면 결국 어디나 전장으로 변하니까.

볼코프 레보스키는 그렇게 살아가는 걸 택했다.

한때 애국심에 불타던 고고한 야수는 결국 전쟁광으로 타락했다. 물론 볼코프는 자신이 타락했다는 데 동의하지 않겠지만 서현이 보기엔 그러했다.

테트라 아낙스와의 싸움은 숭고한 성전이었다. 인류를 기만하고 모든 것을 지배하고 통제하는 제왕에 대한 도전, 그것은 명분도 서고 실리도 있는 싸움이었다.

그 싸움이 예상치 못한 방향으로 끝났을 때 서현 역시 방황을 하긴 했지만 결국 그는 문명의 일원으로 살아가길 택했다.

하지만 볼코프와 다른 라이칸스로프들은 광전사가 되어 야만의 세계에서 살아가는 걸 택했다. 싸우는 것 외에 자신의 가치를 찾을 수 없던 남자들이 흔히 가는 길이지만 이렇게 갈라서게 되는 게 마음 아프다.

볼코프 레보스키는 그의 몇 안 남은 혈육이기 때문이었다.

—뭐, 그들 사이에서는… 자본을 수탈하는 해외 석유 재벌에 대한 반기라고 하던데.

루스킨은 서현의 표정이 어두워지는 걸 보고 대신 변명했다. 하지만 서현은 코웃음 쳤다.

"만약 공격만 하고 있었다면 그게 합리화되겠지. 하지만 자신들 손으로 진압해 버리면 변명의 여지가 없잖아? 괜히 선동당한 원주민들만 죽어나가지."

—하지만 먹지 않으면 카타볼릭 상태에 빠지게 되고… 그러면 만월이 될 때 인간을 덮칠 거야. 다들 이사카처럼 카타볼릭

상태에서 만월을 견딜 수 있는 게 아니라고.

루스킨은 열심히 변명해 주었다.

“뭐, 그래. 내가 이번 일에서 누군가를 비난할 처지가 아니긴 하지. 그런데 너희는 왜 거기 안 가고?”

서현이 약간 삐딱하게 물어보자 루스킨은 당황했다.

—나, 나는 뭐 그렇게까지 하고 싶은 생각은 없고.

—세상에 전쟁보다 재밌는 게 얼마나 많은데.

빼또쥬가 즉시 서현의 편에 붙었다. 하지만 루스킨은 그런 빼또쥬의 말을 듣고 내심 혀를 찼다. 빼또쥬나 그는 1세대 라이칸스로프라 카타볼릭 상태에 빠져도 야성은 어느 정도 통제 가능하다. 그것이 왜인지 모르지만 미안해서 루스킨은 남에게 함부로 그걸 내세우기 싫어했다. 하지만 빼또쥬는 순수하게 자신에게 주어진 이 새로운 삶의 기회를 누리고 있었다. 그게 얼마나 소중한 기회고 얼마나 한정된 이들만 누릴 수 있는 특권인지는 전혀 의식하지 않고서.

—한국은 낮 시간이겠네. 괜찮은 거야?

빼또쥬는 간만에 서현과 통화하게 되어서 그런지 신이 나 있었다.

“아… 뭐, 지금도 일하고 있는 중이야. 손님이 적어서 망정이지…….”

서현이 그렇게 대답했을 때였다.

“저기요. 여기 잔에 뭐가 묻었는데요?”

“아… 네. 잠시 자리 좀 비울게.”

서현은 웬 손님이 손을 들고 항의하는 걸 보고 자리에서 일어나 그녀에게 다가가 보았다. 테이블 위에는 시원한 얼음이 들어간 자몽에이드가 바닥을 드러내고 있다.

"어디 뭐가 묻었나요?"

"이거 보세요. 이거."

"이건… 손님 립스틱 같은데요?"

서현은 컵 테두리에 묻은 투명한 물질을 만져보고 이내 그것이 립스틱이라는 걸 깨달았다. 왁스, 안료, 향으로 볼 때 저 여인의 입술에 묻어 있는 것과 같은 성분이다.

그러나 여자 고객은 서현의 말을 듣자마자 발끈했다.

"네? 뭐라고요? 아니, 이건 아니에요!"

"립스틱 맞아요."

"어머, 그런데 이 사람이? 아, 진짜 기가 막혀서… 지금 이런 이물질 바른 거 먹여놓고 저에게 덮어씌우시는 거예요? 기가 막혀서 참나."

"…그럼 잔을 바꿔 드릴까요?"

한국은 기이하게 고용자보다 고객이 우선시된단 말이야. 서현은 내심 그렇게 투덜거리면서도 다른 아르바이트 직원들에게 배운 대로 응대했다. 그러자 여자의 표정이 구겨졌다.

"이보세요. 사람을 우습게 봐도 정도가 있지. 내가 뭐 여기서 뭐 얻어먹겠다고 행패 부리는 줄 아세요? 뭔가 묻었으니까 묻었다고 말하는 거라고요."

"그럼……."

"사과하세요."

"네, 죄송합니다."

"성의 있게 하세요! 아, 웃겨 진짜. 지금 빈정거리시는 거예욧?"

"……."

뭘 더 어떻게? 어떻게든 참고 넘어가려 했던 서현은 결국 입을 열고 말았다.

"그러니까 이건 손님 립스틱이라고요. 손님이 입을 대고 마시니까 묻은 거잖아요."

"뭐가 됐든 묻은 건 사실이잖아욧! 아, 얼른 사과하세요!"

"……."

방금 전까지 루스킨과 이야기하면서 한껏 문명인인 양했던 서현의 얼굴에서 핏기가 싹 빠졌다.

역시 문명인이라는 것들은 말은 말로 끝내야 한다는 걸 알고 있기 때문에 한없이 무례해진다.

'여기서도 화딱지 나게 만드는구나. 함무라비 이 나쁜 놈!'

서현은 속으로 함무라비를 욕하며 어떻게든 여자 손님을 달래기 위해서 애썼다.

밑도 끝도 없이 사과를 요구하던 여자 손님을 내보낸 직후 서현은 긴 한숨을 내쉬었다.

"…고생이 많군."

아르쥬나에는 어느새 한세건이 와 있었다. 도통 안 오던 놈이라고 들었는데 서현이 보니 꽤 자주 오는 것 같다. 그런데 방금 그 꼴을 보았단 말인가?

"아니, 저 여자 대체 뭐야? 뭐 돈을 깎아달라거나 그런 건 아닌 거 같은데? 대체 뭐야? 왜 저러는 거야?"

서현은 궁금해서 한세건에게 물어보았다. 그러자 한세건이 피식 웃었다.

"내게 여자 마음을 묻다니 되게 궁한가 보군."

"아, 하긴 당신은 대인기피증이 있지."

"…그런 거 없다. 아, 물론 그렇다고 앞으로 물어보라는 건 아냐. 가급적 나에게 물어보지 마라."

"그렇게 말해도 뭔가 알고 있나 본데? 그러니까 내 몰골을 보고 우습다고 생각하고 비웃는 거 아냐? 당신도 모른다면 정말 당황할 텐데 묘한 여유가 배어 나오고 있어."

서현이 한세건의 태도를 지적하자 한세건이 한숨을 내쉬었다.

"그냥 그 여자는 처음에 진짜 뭔가 묻었다고 생각해서 널 불렀다가 네가 립스틱이라고 지적하니까 부끄러워서 얼버무리는 거야. 왜, 길 가다 넘어진 사람이 너무 부끄러워서 괜히 주위 사람들에게 성질내는 것과 비슷하달까. 그런 때는 적당히 져주는 게 한국에서의 예의지."

한세건이 그렇게 말하자 서현이 혀를 내둘렀다. 듣고 보니 그럴싸하다.

"아니, 자기가 부끄러우면 부끄러운 거지 그걸 억지 써서 우기면 없는 일이 되나? 오히려 이후 억지를 부리는 게 더 나쁜 일 아냐? 잘못 봤다고 한마디 하면 끝날 일을 왜 직원에게 끝끝내

뒤집어씌워?”

서현은 이야기를 듣자 더 화가 나는지 울분을 토했다. 한세건은 그 모습을 보고 왠지 웃음을 참기 힘들었다. 흡사 이소룡이 로맨스 영화에 출연한 것 같은 부조리함이 느껴진다. 야만의 세계를 살던 라이칸스로프가 평범한 진상 아가씨에게 고통받다니 우습다.

“그나저나 당신은 왜 이 시간대에 왔어? 무슨 바람이 불어서?”

분을 삭이던 서현은 그제야 한세건이 이 자리에 온 이유를 물어보았다.

“분석 결과가 나왔다는 연락을 듣고 온 거야.”

한세건은 자신을 습격했던 커럽티드의 체조직을 구해서 김성희에게 넘겨주었다. 현재 그런 걸 분석하는 것이 가능한 인물은 한국에선 김성희뿐이지만 워낙 특별한 사안이니 오래 걸리지 않을까 생각했는데 예상보다 훨씬 일찍 결과가 나왔다.

“그런데 너 정말 여기서 일하는 거냐? 그녀가 확실히 이상한 짓을 하는군. 왜 너 같은 놈을…….”

“그러게. 나도 그걸 모르겠어. 아니, 뭐 성실하게 일하는 모습을 보여야 모두에게 납득이 간다고 하고 나도 그거에 동의하긴 하거든? 그런데 날 평가해 줄 뱀파이어 헌터들은 뭐 성실한 인간들이냐 이 말이지.”

서현이 말한 대로 뱀파이어 헌터들이라고 딱히 성실한 인간은 아니다. 아니, 오히려 그들이야말로 범죄자고 마약 상인 아닌가? 확실히 그건 한세건도 동감이다. 김성희가 무슨 생각으로 이러는지는 대충 짐작이 가는데 그 생각이 잘못되어 있었다.
"그녀가 올 때까지 기다리고 있지."

서현과 한세건은 아르쥬나의 야외 테이블에 앉아 있었다. 아르바이트 시간이 끝난 서현은 옷을 갈아입었고 노골적인 콘택트렌즈도 빼버렸다.
한때 적이었던 두 사람이 같은 테이블에 앉아서 김성희가 돌아오길 기다리고 있자니 기분이 묘하다. 그때 주차장으로 작은 차량 한 대가 미끄러지듯 빨려 들어왔다. 벤츠 스마트의 안에서 정장 차림의 세련된 여성이 주차장에 내려서자마자 서현과 세건을 발견했다.
"어머, 세건이 와 있었네? 무슨 일이야? 아, 물론 내가 연락을 하긴 했지만 한달음에 바로 달려오다니."
서현과 세건은 동시에 질문을 던졌다.
"결과는 어때요?"
세건은 그렇게 물었고…….
"사소한 문제였다면 바로 전화하진 않았을 테죠?"
서현은 한세건을 당장 불러온 그녀의 행동을 보고 사태가 심각할 거라는 것까지 예측했다. 과연 서현의 예측대로였다.
"VT가 나왔는데……."
"나왔는데?"
"…14만이 넘더라고."
김성희는 그리 말하며 가지고 온 캠코더를 테이블 위에 놓았다.

“커럽티드였다고 했지?”

“네.”

“커럽티드면서 VT가 14만이 넘는 경우는… 못 봤는데.”

그렇다기보다는 14만짜리 VT의 피를 본 것 자체가 드물다. 아르쥬나의 마스터 김성희는 아주 뛰어난 마법사지만 진마급의 피가 시장에 흘러나오는 일은 흔치 않으니까.

“그런 문제가 아닐 거예요.”

“확실히 신기하더라고.”

김성희는 서현과 한세건에게 캠코더를 보여주더니만 재생 버튼을 눌렀다.

캠코더 영상에는 두꺼운 강화 아크릴 수조 안에 생쥐 두 마리가 놓여 있었다. 실험자는 실험 시작 시간을 작은 화이트보드에 써서 보여주고 생쥐에 사이키델릭 문을 주사한 뒤 잽싸게 수조 안에 내려놓았다.

그렇게 내려진 생쥐는 약효가 돌기 시작하자 바닥에 드러누워서 발을 파르르 떨며 쾌감을 즐긴다.

“여긴 빨리 감기.”

김성희는 쥐가 마약에 취해 있는 시간은 빠르게 넘겼다. 그렇게 얼마나 지났을까……. 동영상이 14분을 지나는 순간부터 갑자기 아크릴 수조 안에 변화가 일어났다.

주사를 맞았던 생쥐가 벌떡 일어나 다른 생쥐를 덮쳤다. 약물로 인한 광폭화라든가, 쥐들끼리 밀폐된 공간에 넣을 경우 동종을 공격하는 건 흔한 일이지만……. 이 생쥐는 상대 생쥐의 등을 물더니 그대로 쭉쭉 피를 빨아들였다.

잠시 후 반대쪽 생쥐는 완전히 체액을 빨려서 바짝 비틀어지고 이 생쥐는 몸에서 김을 뿜어내며 자신이 빨아들인 혈액을 빠르게 자신의 것으로 만들고 있었다. 쥐가 뱀파이어로 변한 것이다.

콰직!

그 순간 강화 아크릴 수조에 금이 갔다. 아쿠아리움에서나 쓰일 법한 두꺼운 아크릴판에 금이 가다니 있을 수 없는 일이다.

"…빠르군."

서현이 그 변화를 보고 혀를 찼다.

"설마… 뱀파이어인데 사이키델릭 문의 효과를 받는 건가?"

뱀파이어들의 육신은 놀라운 반사 신경과 운동신경을 갖는다.

철봉 위에서 올림픽 역도 선수들을 비웃으며 수백 킬로그램의 역기를 인상으로 뽑아 올릴 수 있을 지경이다. 반사 신경도 뛰어나서 마음을 먹으면 독사가 공격해 와도 독사의 머리를 잡을 수 있다.

그렇지만 그건 어디까지나 예측 반사일 때의 이야기이다.

많은 사람이 반사 신경에 대해서 착각하지만 사실 반사 신경은 이름 그대로 신경계, 뇌의 기능에 영향을 받는다. 고양이나 독사가 인간에 비해 민첩한 것은 인간의 신경계는 보다 복잡한 일을 처리하게 되어 있어서 그런 것이며 그런 민첩함의 차이도 예측을 하면 메워진다.

그런데 사이키델릭 문을 사용하면 이 반사 신경계 전체가 자극되어 각성한다. 인간의 사고 속도 자체를 가속시키기 때문에 뭔가를 보고 판단을 내리고 반응하는 과정 자체가 짧아진다.

우월한 신체 능력을 가진 뱀파이어라 해도 그들의 뇌는 인간이던 때와 크게 다를 바 없다. 그렇기 때문에 사이키델릭 문을 사용한 헌터가 총격전으로 싸움을 걸면 뱀파이어를 사냥할 수 있는 것이다.

그러나 저 쥐는 다르다. 일반적인 뱀파이어보다 훨씬 빠른 속도로 뛰어다니며 계속 수조 벽면을 공격했다.

"뭐 아직 가설 단계지만… 저걸로 만든 사이키델릭 문은 뱀파이어에게도 영향을 미칠 거야. 이 피, 뱀파이어의 피로 사이키델릭 문을 만들면 사용자가 뱀파이어로 오염될 뿐 아니라 저렇게 되는 거지. 이거 대단히 위험해."

김성희는 심각한 표정을 지어 보였다.

"그럼 이 녀석을 카페 알바 따위 시키지 말고 풀어줘요. 지금 이런 해괴한 짓으로 시간 낭비할 수 없으니까."

한세건은 서현을 가리키고 그렇게 말했다. 그러자 서현과 김성희 모두가 깜짝 놀랐다.

설마 한세건이 그런 걸 요구할 줄 몰랐다. 뱀파이어의 패퇴를 지상 과제로 삼고 있지만 라이칸스로프 역시 혐오하는 그가 라이칸스로프의 왕자이자 과거의 강적이던 서현을 풀어주라고 요청한 것이다.

그러나 한세건은 시큰둥한 태도로 덧붙였다.

“착각하지 마. 난 라이칸스로프도 별로 살려두고 싶은 생각은 없어. 다만… 상황이 너무 안 좋아. 그 머저리 뱀파이어들이 VT 14만이나 된다면… 다른 뱀파이어 헌터들에게 알릴 수도 없어.”

한세건은 김성희가 왜 낮 시간에 자신을 불렀는지 이해했다. 다른 뱀파이어 헌터들은 욕망을 이기지 못할 것이다. 그들은 이렇게 입수한 피로 스스로 뱀파이어화의 시험에 몸을 던질 것이다. 설령 그렇지 않은 자라 하더라도 저 높은 VT 수치의 피로 사이키델릭 문을 만들어 시중에 유통시킬 것이고, 오염된 사이키델릭 문을 사용하는 헌터들이 어떻게 될지는 상상하기도 싫었다.

믿을 수 있는 건 오직…….

금전적인 욕구나 영생의 욕구보다 더 강한 목표 의식을 가지고 있는 자뿐이며…….

지금 이 순간 한세건은 인정하고 말았다. 적어도 서현은, 이사카 베르게네프는 이따위 반쪽짜리 흡혈귀의 피에 유혹되지 않을 인물이라는 걸.

“뭐, 그렇긴 하지만 괜찮겠어, 서현? 이건 사실 네가 사람답게 살기 위한 재활 훈련이기도 했는데…….”

김성희는 마지못해서 서현에게 질문을 던졌다. 그녀는 반은 진심으로 서현이 지금 이 인간의 삶을 즐겼기를 바라고 있었다. 진상 손님들에게 괴롭힘당하는 것조차 삶의 일부라고 말하면 횡포겠지만 서현처럼 인간을 초월한 힘과 재주를 가진 존재는 설탕만 퍼부은 스프와 같다. 음식 맛의 깊이를 더하기 위해서는 짜고 맵고 쓴맛들이 필요하듯 삶을 체감하기 위해서는 그것에 접근할 필요가 있었다.

실제로 서현은 지금 자신이 겪는 일을 왠지 잠입 르포라이터가 겪는 에피소드쯤으로 여기고 있었다.

서현은 어린 시절부터, 테트라 아낙스에게 목숨을 위협받으면서도 단 한 번도 자살을 생각한 적이 없다.

확고한 자기애.

자신에 대한 자만심이라 해도 좋을 만큼의 자부심이 없고선 불가능한 일.

그렇게 생각했었는데… 당사자인 서현이 발끈했다.

"재활 훈련씩이나… 사람을 뭐로 보는 건가?!"

그런데 또 막상 카페 일을 그만둔다니 그건 또 시원섭섭하다. 물론 가끔가다 걸리는 진상 손님들을 만날 때마다 감정 노동자로서 고통받았지만 그래도 전장에서 사람을 죽이고 회의를 느끼던 때보다는 낫다.

'어? 내가 이걸 아쉬워한다고?'

간혹 근처 여고생 애들이 자길 구경하러 오는 것도, 어린 여학생들의 호기심 넘치는 시선을 받는 것도 나쁘지 않았던 것 같기도 하고.

뭐, 그런 게 인생이겠지. 평화로운 나라에서 평화롭게 살아가는 인생이라는 게 그러할 것이다. 때로는 일 때문에 스트레스받고 때로는 재미있는 일도 겪어보고, 그런 걸 하고 싶어서 여기

온 게 아닌가?

진상 손님들에 대해서 괴로워했지만 서현만 그런 게 아니라 접객업을 하는 온 세상 사람들 모두 다 그런 일을 겪는다 하니 그런 면에서는 공평한 것 같다.

'안 돼. 이렇게까지 생각하면 이건 완전 정신병이야, 정신병. 마조히스트도 아니고.'

서현은 자신이 이미 적응해 버렸다는 사실에 놀랐다. 어쩌면 이걸 김성희가 노렸던 것일지도 모른다.

4

정신과 전문의 박우춘은 마약중독자였다. 어떻게든 자식을 성공시켜 팔자를 고쳐보려던 그의 부모님은 학창 시절부터 소위 공부 잘되는 약, 잠 안 오는 약을 구해다 먹였고 그 결과 그는 학창 시절부터 약물중독자가 되었다.

그래도 사업은 순조롭게 풀렸다. 무난히 전문의 과정을 수료한 그는 그럴듯한 상업지역에 자신의 개인 의원을 개설했고 때마침 우울증 환자들이 늘어나면서 바쁘게 일할 수 있었다.

하지만 학창 시절부터 키워온 약물중독이 그를 좀먹었다. 약을 먹지 않으면 너무나 무기력해서 아무것도 할 수 없게 된 그는 생계를 위해서 약물을 해야 했고 그 사실을 배우자에게 들키고 말았다.

아내는 박우춘 씨의 약물중독에 대해 안 순간 배우자가 아니라 협박범으로 돌아섰다.

'파멸하고 싶지 않으면 매달 생활비를 보내라. 나는 아이와 함께 미국에서 살겠다. 애를 공부시킬 거다.'

아내는 아이를 데리고 미국으로 떠나 버렸다. 박우춘 씨는 열심히 벌어서 생활비를 보냈지만… 미국 현지 한인 커뮤니티에서 아내가 자신을 이혼녀, '돌싱'이라고 소개하는 게시물을 발견할 수 있었다.

박우춘 씨는 유흥과 약물에 빠져들었다. 다른 누구보다도 상담이 필요했지만 그는 정신과 전문의였다. 다른 사람들은 광대를 보고 위안을 얻겠지만 정작 광대는 위안을 얻을 길이 없는 법.

술집에서 술을 진탕 퍼마시고, 접대부에게 과도한 선물을 사주고, 거짓 연애를 하고, 마약을 맞고 만신창이가 되다 보니 병원에 나가는 날보다 나가지 않는 날이 더 많아졌다. 한때는 전문 상담사를 두 명 두고 쉴 새 없이 돌아가던 의원이 망하는 데는 그리 오래 걸리지 않았다.

'뭐 까짓것 죽으면 되지. 내가 죽으면 마누라랑 애새끼 돈 벌어다 바치는 노예 하나 없어질 뿐 아닌가?'

박우춘 씨는 그리 생각하며 건물주가 자신의 병원 기자재를 차압하는 광경을 강 건너 불구경하듯 바라보았다. 애초에 그가 정신과 의사를 선택한 것은 다른 의원에 비해서 개업 시 기자재가 적게 들기 때문이었다. 건물주는 밀린 월세도 못 받겠다고 가슴을 치며 분개하고 있었다.
웃긴 모습이라고 생각했다.
그때 불현듯…….
그녀가 나타났다.

"당신은 의사인가?"
새하얀 머리칼의 여성이다. 오뚝한 콧날, 갸름한 얼굴의 미인상이지만 욕망을 부르는 모습은 아니다. 한때 예뻤던 여자의 시신을 보는 듯하다.
박우춘 씨는 고개를 끄덕였다.
"이것을 받으라."
여자는 웬 약을 건네주었다. 고풍스러운 말투, 아마 TV에서 저렇게 말했다면 요새 저런 말을 하는 사람이 어디 있냐고 투덜거렸을 만큼 기괴했지만 이 여자가 말하는 것은 당연하게 여겨진다.
"뭐지?"
"지금까지의 모든 무기력을 거둬줄 것이다."
"…약장수인가? 이봐, 내가 누군지 알고 있어? 나 SCH 의대 출신 전문의야. 내게 약장사를 할……."
"그리고 마약중독자지."
"……."
박우춘 씨는 혀를 찼다. 어째서 이 여자가 알고 있는 거지?
"당신은 외국인인 것 같은데, 뭐야? 애 엄마가 보낸 건가?"

그럴 리가 없다. 외국인인 게 아니라 현세의 사람인지도 의심스럽다. 유령(幽靈)이라고 해도 '역시 그랬구나' 라고 손뼉을 칠 만큼 여자의 분위기는 스산했다.

"써보도록 해. 그러고 나서도 늦지 않다."

"……."

박우춘 씨는 그녀가 준비해 준 약을 바라보았다. 주사제인 것 같다.

"나 주사제는 안 하는데?"

박우춘 씨가 상습 복용 한 약은 암페타민이다. 피로를 잊고 잠도 안 자고 8시간 내내 공부하게 해주는 원동력, 공부 잘되는 약이라고 부모가 먹였던 약에서 그는 벗어나지 못했다. 마약중독자가 된 주제에 나름 소심한 박우춘 씨는 암페타민을 좋아했다. 주사제는 몸에 흔적이 남지만 먹어서 효과를 볼 수 있는 약은 노골적인 흔적은 남지 않는다.

"…해보도록."

여자는 말이 짧았다. 하지만 거절할 수 없는 위엄을 지니고 있었다. 박우춘 씨는 투덜거리며 정맥을 찾기 위해 자신의 팔을 살펴보았다. 매일 밤 유흥업소에서 살다시피 한 몸이라 앙상하게 말라 있어서 정맥이 잘 보인다.

박우춘 씨는 왜 자신이 이 여자의 말을 듣는지 모르면서도 도살장에 소 끌려가듯 마지못해 주사를 했다. 그리고…….

확실히 그녀가 옳았다.

박우춘 씨는 이전과는 감히 비교할 수 없는 활력을 느끼고 깜짝 놀랐다.

5

박우춘 씨는 밀린 건물 임대료를 단번에 지불했다.

그뿐만이 아니다. 병원의 인테리어를 새롭게 고치고 병원 간판도 새로 달았다.

'정신과 전문의 박우춘의 아동 학습 능률 센터.'

많은 학부모가 찾아왔다.

'자신의 자식이 주의력 결핍 장애인 것 같다.'

'ADHD인 것 같다.'

'공부를 잘하게 하는 약을 처방해 달라. 집중력을 높이는 약을 처방해 달라.'

박우춘 씨는 그런 학부형들의 요구에 성심성의껏 응했다.

그렇다. 애초에 그가 약물에 의존하게 된 것은 부모가 그를 공부시키겠다고 과도한 욕심을 부렸기 때문이다. 왜 그게 그의 부모만이라고 생각했을까? 이렇게 사업 방향을 바꾸자마자 병원은 미어터졌다.

박우춘 씨는 그들의 요구를 들어주며 아이들에게 위험한 약물을 처방했다. 아무리 보아도 ADHD가 아닌 아이에게 진단을 내려 버린 뒤, 자신이 추천하는 학원을 소개해 주고 학원장에게서 소개비를 받았다.

부모들은 제 자식 망치는 길인지도 모르고, 아니, 어쩌면 알고 있으면서도 막대한 돈을 싸 들고 와서 박우춘 씨에게 공범이 될 것을 요구했고 박우춘 씨는 그것을 기꺼이 도왔다.

결과는 금방 나왔다.

—S중 전교 1등 2학년 김우람 군!

—Y중 꼴찌가 과학고로 편입하다!

—공부는 결국 집중력! 우리 아이는 마음만 먹으면 할 수 있어요!

—마음만 먹으면 할 수 있는 아이를 방치하는 건 부모의 잘못!

학원가에서는 신화처럼 여겨질 성공담이 어처구니없게도 정신과 전문의의 손으로 쓰였다. 뭐, 그것도 당연하지.

마약으로 폐인이 되었던 박우춘 씨도 되살려 낸 그 여자가 박우춘 씨의 뒤에 있었으니까.

그녀는 자신의 특제 약을 주면서 어떻게 학부형들을 설득할 것인지 말해주었다. 박우춘 씨는 그녀가 시키는 대로 학부형을 설득했다. 일단 ADHD 처방전을 주겠다. 약국에서 받을 수 있겠지만 일반 약국에서 구할 수 없는 약이 있는데… 보험도 안 되고 비싸다. 그런데 이거 쓴 애들은 다들 성적이 눈에 띄게 올랐다.

뭐, 난 이거 굳이 권하진 않겠지만 이런 게 있다는 것만 알아두시라.

거기까지만 말해도 학부형들은 알아서 지갑을 열었다. 돈이 없으면 빚을 내서라도 사 갔다.

이상하다.

이건 비과학적이다.

그 전에 과연 제정신인가? 어린아이들에게 성분도 알지 못할 것을 유령 같은 여자가 시키는 대로 먹여대다니?

박우춘 씨의 이성은, 의사로서의 마지막 양심은 새벽 2시에 혼자 울리는 차량 도난 경보기처럼 시끄럽게 박우춘 씨를 보챘지만, 그는 지쳐 있었다.

알 게 뭔가? 이 세상 따위…….

망해 버리라지.

6

아르쥬나의 직원 신분에서 벗어난 서현은 한세건과 함께 이 사태를 해결하기로 동맹을 맺었다. 이번 일에서 일반적인 뱀파이어 헌터는 믿을 수 없다. VT 14만, 보통 뱀파이어 헌터라면 도저히 얻을 수 없는 강력한 흡혈귀의 피가 아무렇게나 굴러다닌다면 뱀파이어 헌터들이 과연 그것을 무시할 수 있을까?

아직 그 성분이, 그 목적이 명확하게 밝혀지지 않은 적들의 인자를 시장에 풀어내는 건 어떤 일이 벌어질지 모르는 위험한 일이다. 그러니 다른 헌터들과 함께라면 그들을 믿을 수 없다.

아이러니컬하게도 한세건이 이 상황에서 가장 믿을 만한 것은…….

서현뿐이었다.

절대 믿을 수 없어서 아무런 무장 없이 접촉조차 하지 않는 상대가 가장 믿을 만하다니 이 무슨 역설적인 상황이란 말인가?

그래서 그들은 함께 팀을 짜고 김성희가 좀 더 자세한 분석을 해낼 동안 뱀파이어들을 찾아다녔다. 하지만 별다른 소득 없이 일주일이 지났다.

"사법이네."

김성희는 그간의 분석 성과를 다음과 같이 말했다. 일주일 넘게 고생해서 내린 결론치고는 의외로 간단했다.

"사법? 사법기관? 법원 같은 거?"

서현은 반문했다. 물론 허튼소리다. 김성희는 고개를 저었다.

"아니, 사법(邪法). 블랙 매직(Black Magic) 말이야. 아, 엄밀히 말하면 흑마법과는 좀 다르지. 외도의 법(外道之法)이라고 할까?"

악마에 의존하고 계약의 대가를 치르는 게 고전적인 흑마법이라면 사법은 보다 더 이질적인, 악마보다 더 이질적인 존재와 교감하면서 얻어지는 힘이다. 검은 영, 그림자의 영, 외법의 영을 현세에 고정시켜서 여러 가지 이적을 행사하는 이 마법은 계약이라는 규정을 따르는 흑마법보다도 더 거칠고 통제하기 힘들었다.

"팬텀의 소행인가?"

한세건은 그렇게 물었다. 팬텀의 이명은 사법사, 과거 팬텀이 이 사법의 고위 술사였다는 것은 월야의 모두가 알고 있는 사실이다.

"판타즈마고리아의 팬텀 말인가? 그는 친테트라 아낙스파니까 아닐 테고 아마도……."

"과거 팬텀과 함께 사법사 조직을 이끌던 앙리 유이겠지."

진마 앙리 유이. 팬텀과 함께 초창기 테트라 아낙스가 뱀파이어 사회에서 영향력을 행사하는 데 중요한 역할을 한 인물이었다. 그러나 팬텀이 친테트라 아낙스파로 남아 있는 것과 달리 앙리 유이는 사법사 조직을 이끌고 테트라 아낙스와 갈라서서 독자 노선을 걷기 시작했다.

"뭐, 100% 확신할 수는 없어. 팬텀이 지지했던 건 과거의 테트라 아낙스지, 지금은 서린이가 테트라 아낙스잖아? 전에는 테트라 아낙스에게 충성하던 팬텀이라고 해도 이제 와서 어린애가 자기 상관이 되는 걸 보면 마음이 바뀌… 진 않았을 테니 앙리 유이라고 생각해 두자. 추잡한 짓 잘하게, 얍삽하게 생겼잖아?"

김성희는 그렇게 결론지었다. 어째 결론을 내리는 과정에 상당히 편견이 들어간 것 같지만 서현도 한세건도 그녀의 결론에 동의했다.

그동안 앙리 유이는 테트라 아낙스의 힘이 두려워서 자중하고 지냈었지만… 이전의 테트라 아낙스가 소멸하고 새로운 테트라 아낙스가 왕위에 등극하자 마침내 그 야욕을 드러내기 시작한 것이리라. 팬텀도 그렇게 나왔을 가능성이 있지만 팬텀은 앙리 유이와 달리 사회적으로 높은 지위를 가지고 있었다.

'깁슨즈 인베스트먼트, 소유자 로우 깁슨, 불황에도 빛나는 그의 위기관리 능력.'

당장 그들이 심각하게 의견을 나누고 있는 테이블 위에 놓인 잡지의 헤드라인이 그러했다. 잃을 게 많고 얻을 건 적은 자가 반란에 적극적으로 나설 리가…….

"그렇다고 해도 갑자기 이런 고도의 주술이라니……."

서현은 말꼬리를 흐리며 김성희를 바라보았다. 서현도 워낙 지닌 재능이 뛰어나 마법에 대해서 좀 일가견이 있었다지만 단번에 진마급의 VT를 부여하는 주술이라는 건 듣도 보도 못한 것이다. 이런 게 가능한 것은 과거 적요와 창운을 만든 진야의 주술이겠지만 진야는 그 주술의 대가로 영겁의 저주를 받았다고 한다.

알려진 앙리 유이의 성격상 자기가 저주를 받으면서 대마법을 쓸 리가 없다. 남들에게 떠넘겼으면 떠넘겼지.

김성희는 어깨를 으쓱해 보였다.

"나도 놀랐어. 아마도 그래서 한세건을 필요로 한 걸 거야."

"아마도 그래서?"

"지금 사이키델릭 문 중독에서 살아난 유일한 사람이 한세건이고, 사이키델릭 문을 정제하는 비법은 본래 사법사들에 의해 만들어진 것이니까."

김성희가 그렇게 말하자 한세건은 깜짝 놀랐다. 지금까지 막연히 마법사들이 만든 것이 아닌가 그렇게 생각하고 있었는데 사법사들이 만들었다고?

아, 물론 사법사들도 따지고 보면 마법사들의 계파 중 하나지만…….

"사법사들은 시조령(始祖靈)이라고 불리는 존재를 찾고 있어. 뱀파이어를 만든 최초의 존재, 그 존재로 가는 길목을 안내해 줄 것으로 한세건은 매력적인 재료가 아닐까?"

"시조령? 하지만 제가 겪은 건… 뱀파이어의 피해자들, 혹은 그 혈통에 잠들어 있는 뱀파이어 자신들이었어요. 그들의 사령은 조잡하고 시끄러웠는데 그런 놈들을 모아서 어떻게 시조령인지 뭔지를 찾아낸다는 거지요?"

"그거야 나도 잘 모르지. 부끄럽게도 나는 사법에 대해서는 조예가 깊지 않아."

김성희는 그렇게 답했다.

"뭐, 확실한 건 사법사들에게 있어서 꽤 좋은 재료가 되었다 이거지. 나도 그런 거 많이 겪어봐서 알아."

리림으로서 많은 이에게 노려졌던 서현이 이죽거렸다. 한세건은 그런 서현을 무시하고 김성희에게 말했다.

"어쨌거나 계속 공격당하는 쪽이라면 별로 달갑지 않은데요. 솔직히 이번에는 케네스 양이 잘 알려줘서 망정이지 만약 기습당한 채로 시작했다면… 재산 손실이 많았을 겁니다."

한세건은 말꼬리를 흐리다 재산 손실로 못 박았다. 뱀파이어 헌터로서 한세건의 명성이 드높아졌지만 총화기를 사용하는 싸움에서 절대강자 따위는 있을 수 없다. 그러나 뱀파이어들을 상대로 약한 모습을 보일 수도 없다.

“뭐, 당신 혼자였으면 죽었을지도 모르지. 재산 손실만이 아니라. 흠흠. 아, 고마워할 필요는 없어. 감사의 표시는 말보다 이거면 돼, 이거.”

서현은 손가락을 동그랗게 말아서 돈 모양으로 만들었다. 한세건은 어이가 없었다.

떡 줄 놈은 생각지도 않는데 김칫국부터 마신다더니.

확실히 한세건 혼자 있을 때보다 서현이 있어서 편하게 적들을 제압한 것은 사실이라지만 태도가 이 모양이니 별로 인정하고 싶지 않다. 이 녀석이 이럴까 봐 억지로 상황을 축소해서 말했는데 서현은 이미 자기가 듣고 싶은 대로 이야기를 듣고 만든다.

“그나저나 현재 상황은 매우 곤란할 것 같은데. 세건의 혼팅을 노린다면 계속해서 암살자들이 찾아올 텐데 어때? 다른 헌터들이랑 연합할래? 백지장도 맞들면 낫다는데 뭔가 도움이 되겠지.”

김성희는 뱀파이어 헌터 간의 연대를 제안했지만 서현과 한세건이 동시에 반발했다.

“아니, 뱀파이어 헌터가 무슨 햇님반 어린이들도 아니고 머리 검은 짐승을 어떻게 믿어요?”

서현은 투덜거리며 자신의 머리칼을 꼬았다. 머리 검은 짐승이란 관용구로 인간을 표현할 정도로 능숙한 한국어 솜씨를 뽐내는 건지, 자신은 회색 머리니까 ‘머리 검은 짐승’에 속하지 않는다고 생각하는 건지 모르겠다.

"VT 14만짜리 혈액이 굴러다니면 저놈들이 안 풀 리가 없는데요. 무엇보다 전 아직 고액 현상금자라서……."

한세건도 회의적이었다. 도심 한복판에서 건물을 폭파시키고 경찰과 군대, 대한민국의 치안 조직을 엿 먹인 한세건의 목에는 아직도 수백억의 현상금이 걸려 있다. 만약 한세건의 거처를 일반 헌터들이 알게 된다면 상금에 눈이 멀어 경찰에 제보하지 말라는 법이 없다. 지금이야 그냥 돌아다니니까 무서워서 내버려두는 거지 뱀파이어 헌터들의 자제력이라는 건 원래 믿을 게 못 되었다.

"그럼 좀 더 기다려 봐야겠다. 태양을 버티게 해주는 약이라면 뱀파이어들에게도 들불처럼 번질 텐데……. 걱정이구나."

김성희는 그리 말하다 문득 서현을 바라보았다.

서현의 핸드폰이 울리고 있었다.

"엇차, 이거 시계가 아니었군. 뭐, 보나 마나 케네스 양이겠지?"

서현은 자신에게 전화가 왔다는 사실에 놀라서 받아보았다. 놀랍게도 전화 건 상대방이 케네스 양이 아니다.

"거시기 의사님이라고 되어 있네?"

"거시기 의사님?"

"…서린이 준 핸드폰 전화번호부에 있으니까 그렇게 저장한 건 서린인 것 같은데."

서현은 당황하면서 전화를 받았다.

7

용기라는 것은 단순히 재단할 수 있는 성격의 요소가 아니다. 강한 체력, 뛰어난 전투력을 갖추고 그동안 수라장을 겪어왔다는 것만으로 자신이 용감하다고 자부할 수는 없다.

그 사실을 지금 이 순간 서현은 뼈저리게 실감했다.

—안전한 확대, 자신감 충전, 이걸로 당신도 당당한 남자!

—세계 최초 해면체 재건술 ISO 인증! 특허 출원.

—줄기세포로 남자의 줄기를 세워라!

—아니, 의사 양반. 그게 무슨 소리요? 내가? 내가 고자가 아니라니?

—성전환 환자도 OK! 지금 상담 가능.

이런 광고 문구가 붙어 있는 병원의 문을 열고 들어간다는 건 부비트랩과 스나이퍼가 깔려 있는 전장에 뛰어드는 것과 비슷한 용기를 필요로 했다.

턱.

그런 서현의 어깨 위에 한세건의 손이 얹어졌다.

"힘내라. 나는 밖에서 백업을 맡지."

"……."

백업? 뭔 백업? 애초에 왜 한세건이 이렇게 친근하게 모든 걸 맡겨 버리는 건데? 서현은 당황했지만 이미 한세건은 발바닥에 불나게 뛰어서 사라졌다.

서현은 하는 수 없이 각오를 다지고 문을 열었다. 어여쁜 여직원들이 밝은 미소로 그를 맞이했다.

"어서 오세요."

"……."

"혹시 예약 손님이신가요? 아, 원장님 개인 손님이시군요. 근무시간 중에 약속을 잡으시다니 특이한 일인데. 그만큼 중요한 상담이겠지요?"

접수계 여직원은 그리 말하며 서현을 바라본다. 기분 탓인지 모르지만 사타구니 쪽으로 시선이 오는 것 같다.

"뭐, 그렇다고 해두지요."

서현은 한숨을 내쉬고 직원들의 안내를 받아 원장실로 향했다.

안경을 쓴 30대 후반의 남자가 의자에 앉아서 컴퓨터를 보고 있다가 서현을 맞이했다.

"자네가 서린의 형, 서현인가? 만나서 반갑군. 난 강의찬이라고 하네. 보시다시피 의학박사지."

"아, 예."

젊어 보이는데 의학박사라는 건 대단해 보인다. 지나치게 동안인 걸까? 아니면 어린 시절부터 월반을 거듭해서 빠르게 학업을 끝마친 걸까? 어느 쪽이 되었든 간에 남들에게 자랑할 만한 일일 것이다. 하지만 초면에 대뜸 '의학박사'에 악센트를 주어서 자기소개를 하다니 주위 사람들에게 미움받을 타입 같다.

"서린이랑 좀 비슷하게 생긴 줄 알았더니만 달라도 꽤 다르군."

"그런 소리 많이 듣지요. 하하하. 아, 목이 타는데 뭔가 마실 거 없나요?"

"그게……."

하지만 강의찬이 뭐라고 답하기도 전에 서현은 멋대로 냉장고를 발견하고 뚜벅뚜벅 걸어가더니 안에서 음료수를 꺼내 벌컥벌컥 마시기 시작했다. 강의찬은 그 모습을 보고 실소를 지었다.

"자전거를 타고 와서요. 휴, 이제 좀 살겠네. 그래서, 무슨 일로 부르신 거지요?"

"다른 게 아니라 자네에게 일을 하나 의뢰하고 싶은데."

"일이요?"

"자네도 서린이처럼 그건가?"

"그거… 라고 하시면……."

"발기부전은 아니네. 늑대 인간을 말하는 거지."

보통 늑대 인간이냐고 물어보는 쪽에 비중이 실릴 텐데 앞의 단어가 워낙 강력해서 그런지 뒤의 단어가 묻혀 버린다. 서현은 한숨을 내쉬고 고개를 끄덕였다.

"서린이랑 많이 친하신가 보네요. 그런 것도 알고."

"아, 아니네. 포경수술을 해주다 보니 자연히 알게 되더군."

"…아, 네. 그런데 우리 지금 늑대 인간에 대해 이야기하고 있는 거 맞죠? 발기부전이 아니라?"

서현이 그렇게 물어보자 강의찬은 고개를 끄덕였다.

"서린의 명예를 위해서 말하지만 서린에겐 아무런 문제도 없다네."

"그거 참 다행스러운 일이군요. 그래서 왜 저를 부르셨나요?"

"내가 자네를 부른 이유가 궁금하겠지? 다른 게 아니라 늑대인간의 힘이 필요한 일이 있어서 그러네. 도와주겠는가?"

의사는 그리 말하고 컴퓨터를 조작하더니 손짓으로 서현을 불렀다. 다가가 보니 그곳에는 한 남자의 신상 명세가 떠올라 있었다.

"어디 보자……. 의사네요?"

"내 학교 선배지."

"그런데 이게 왜요?"

"실은… 이 선배가 어느 날 갑자기 장사가 잘되더라고."

"…그래서요?"

보통 이웃집이 장사가 잘된다고 조사할 사람을 부르진 않겠지? 이 사람은 제정신인가? 휴대폰 전화번호 목록에 서린이 적은 걸로 보이는 간단한 메모에는 '상당히 괴짜, 뭔가 있어 보임' 이라고 되어 있는데 정말 괴짜긴 하다.

"이상하지 않나? 약물중독자이던 남자, 아무런 생각도 없이 남들 다 하니까 한 결혼, 그야말로 의사를 주인공으로 한 가정파탄 드라마의 모든 요소를 한데 모아둔 것 같은 사람이 어느 날 갑자기 과거를 청산하고 잘나가는 게?"

"그렇게 말하면야……."

하지만 보통 그런 의심을 가지고 흥신소를 고용하진 않지. 그러나 이 남자는 자기 나름대로 확신을 가지고 일을 진행했음에 틀림없다.

이 의사에게선 뭔가 다른 게 느껴진다. 왠지 김성희를 보는 것 같다. 뱀파이어도 라이칸스로프도 아니지만 그렇다고 멀쩡한 인간도 아닌…….

마법사?

서현은 그런 느낌을 받고 컴퓨터를 바라보았다. 컴퓨터에는 흥신소가 이 의사에게 보내온 보고서의 내용이 담겨 있다가… 마무리에는 신문 기사 스크랩이 붙어 있었다.

—서울시 G구 G동 사무실 토막 살인 사건. 경찰은 원한 관계로 보고 수사 중… 피해자는 흥신소 사무실과 그 직원들…….

"음?"

"뭘 감추겠나. 난 이걸로 수사도 받았네. 내가 그들에게 마지막 의뢰주였으니까."

강의찬은 그리 말했다. 말하는 걸 보면 마치 노벨상이라도 받은 것처럼 자신만만하고 당당하다. 학교 선배를 미행시키다 걸려서 살인 용의자 선상에 오른 사람답지 않다.

"아, 네……. 그런 상황이군요. 그래서… 토막 살해의 범인들을 알아봐 달라고요?"

"뭐가 되었든 좋네. 궁금한 건 못 참아 넘기는 성미거든. 도와 주겠나?"

"네. 보수가 정당하다면 말이지요."

"다행스럽게도 난 돈은 많지."

"네, 다행스럽군요."

서현은 고개를 끄덕였다. 지금 한세건을 노리는 수상한 세력들이 준동하고 있는데 이런 곁가지 같은 일을 맡을 필요가 있느냐고 생각하기 쉽겠지만 한세건을 노리는 세력들의 움직임은 굉장히 큰 그림이다.

그렇게 큰 그림을 그리다 보면 여기저기 물감이 떨어지게 마련이다. 그러니 이번 일 역시 중대하다.

"그럼, 잘 마시고 갑니다. 일은 바로 착수하도록 하지요. 이건 제 메일 주소니까 이쪽으로 자료를 넘겨주세요."

서현은 수첩에 잽싸게 자기 메일 주소를 적어서 의사의 테이블에 놓고 자리를 떠났다.

병원은 대학병원—종합병원—병원—의원으로 그 인가가 나뉘게 되어 있다. 의사 혼자서 진료를 담당하는 곳은 의원이라 하게 되어 있지만 요새는 병원도 마케팅이 중요하다.

박우춘 씨의 의원은 클리닉이라는 명칭으로 자신들을 소개했다. 센터라는 용어도 썼다. 아동 학습 장애 연구 센터, 그럴듯한 이름이다. 정신과 의원보다 훨씬 그럴듯한 간판이 아닌가?

이곳은 현재 소위 '공부 잘하는 약'을 처방해 주는 곳으로 학부형들 사이에서 인기가 높았다. 그만큼 가격도 셌지만 아이를 공부시키기 위해 세 번 이사했다는 맹모의 고사를 들 필요도 없이 본래 학부형의 치맛바람이라는 건 대단했다. 집을 팔아서라도 아이들을 공부시키겠다는 그 모습을 보며 서현은 코웃음 쳤다.

"뭐야, 저 병원. 고객들이 엄청난데?"

"한국은 원래 그렇지."

한세건은 그리 대답하면서 관측기를 들여다보았다. 유리창을 향해 레이저를 쏘아서 그 진동을 인식하는 방식의 광파식 도청 장치를 쓰고 있는데 그 효과가 미비하다. 고가도로가 있는 큰길 쪽으로 창문이 향하게 되어 있어서 차량의 진동이나 소음이 다른 어떤 소리보다 우선해서 들리고 있었던 것이다.

"노이즈가 너무 많아서 안에 도청 장치를 설치하지 않으면 힘들겠어. 장사가 잘되는 것만으로 조사하는 건 좀 곤란한데."

"아마 불법 행동이 벌어지지 않겠어? 멀쩡한 아이에게 정신병 약을 투여하는 건 좀……."

"차 번호들 적고 있지?"

"어."

서현은 병원이 있는 건물을 향해 들어가는 어린아이를 동반한 차량들의 번호를 죄다 적고 있었다. 이미 흥신소에서 조사한 목록이 있어서 그것과 대조시켜 보니 금방 알아볼 수 있었다.

"흥신소 직원을 토막 살해 했다고 하는데 정말 저들의 소행일까? 우연의 일치는 아니겠지? 그러면 우리도 헛짓하는 건데."

한세건은 그리 중얼거렸다. 서현이야 병원 의사가 주는 대금이 의미가 있겠지만 뱀파이어 사냥으로 돈을 벌어 모았던 한세건에게는 그리 큰일이 아니다.

그러나 그때 서현이 손뼉을 쳤다.

"헛짓 아니야."

"뭔가 발견했나?"

한세건이 보니 서현은 콘택트렌즈를 제거한 오른쪽 눈으로 차량 하나를 뚫어지게 살펴보고 있었다. 정확히는 차에 타고 있는 아이를…….

"애가… 혼팅을 휘감고 있는데?"

"…뭐?"

한세건은 그 말을 듣고 깜짝 놀랐다.

8

김우람 군은 초등학교 때부터 공부가 너무 싫었다. 학교를 마치고 오면 보습학원에 가서 중학교 과정을 예습했고, 보습학원의 수업이 끝나면 키를 키우기 위해서 학생스포츠클럽에서 농구를 해야 했다. 남자임에도 불구하고 부모님의 성화에 지난 겨울방학 때는 쌍꺼풀 수술까지 해서 주위의 놀림감이 되었다.

쉴 새 없이 돌아가는 일상 속에서도 성적은 바닥을 기었다.

학원 수업, 학교 수업은 도무지 이해하기 힘들었고 운동은 피곤했다. 학교 수업 시간이나 학원에서, 집에서도 틈틈이 친구네 게임기를 빌려서 게임을 하다 걸렸을 때 부모님은 그 게임기를 아무런 말도 없이 부숴 버렸다. 이런 걸 빌려주는 나쁜 친구는 만날 필요가 없다고.

이런 폭압적인 부모지만 어린 김우람에게는 삶의 모든 것이었다. 부모의 보호, 관심 없이 그냥 한국 사회에 내던져졌을 때 김우람은 살아남을 자신이 없었다. 그러니까 부모님의 사랑은 절대적이다. 만약 학원이 가기 싫다고, 난 더 이상 공부할 수 없다고 부모님께 반항한다면? 그러면 부모님의 기대와 관심이 끊기고 그것이 생존에까지 영향을 줄까 봐 두려웠다.

어린아이가 흔히 가지는 부모에 대한 의존이지만 김우람은 그게 심했다. 아니, 정확히는 김우람이 심한 게 아니라 김우람의 부모가 심했던 것이다.

그러나 아무리 어린아이에게 부모가 절대적이라 해도 참을 수 있는 한계는 있는 법.

김우람은 신경 불안 증세를 보이기 시작했다. 물론 부모는 아이가 그리되자 서로서로를 탓하며 싸우기 시작했다.

'그러길래 진작 해외 유학을 갔어야 하는데! 아이가 비좁아 터진 한국에서 사니까 그런다!'

'뭐, 이 여자가? 남편 뼈 빠지게 일 시키고 자기는 젊은 놈이랑 바람나려고 작정을 했구나? 직장도 안 다니면서 애를 저따위로 키우고 뭐가 어째?'

이런 부부싸움이 시작되면 김우람은 골방에 처박혀 멍하니

잠을 청했다.

결국 그는 어린 나이에 정신과 클리닉을 찾아가야 했다. 그런데… 여기서 갑자기 큰 전환점을 맞이하게 될 줄은 몰랐다.

의사가 처방해 준 약을 먹고 난 순간 불안감은 씻은 듯 사라지고 공부가 너무 쉬워졌다. 그동안 애를 먹었던 각종 과제, 수업들이 너무나 쉽게 여겨져서 헛웃음이 들었다.

마치 원래 알고 있던 것을 억지로 배우는 듯한 기분이랄까? 이전에 알고 있던 기억을 되살리는 것처럼 쉽다. 게다가 그동안 부모님의 말 한마디가 무서워서 벌벌 떨던 자신이 이해가 가지 않는다.

'이번 시험에서 만점을 받을 테니까 학원은 줄여주세요. 차라리 학원비를 저 주시죠.'

김우람은 그렇게 부모님 앞에서 당당히 말했다. 물론 부모님은 그런 김우람의 돌발적인 변화에 당황했다. 하지만 김우람 군은 실제로 성적으로 자신의 말을 입증해 보였다.

모의고사 만점이라는 성과를 눈앞에 떡 들이민 것이다.

갑자기 바닥을 기던 아이가 순식간에 만점자가 되었다.

아이의 성적이 수직으로 상승하자 부모님은 기뻐했다. 과거 김우람 군이 목숨을 걸고서라도 얻고 싶었던 부모님의 만족을 이렇게 쉽게 얻을 줄은 몰랐다. 어쨌거나 그토록 원하던 것이었으니 김우람 군도 기뻐야 했을 텐데…….

불행하게도 그렇지 못했다.

아니, 김우람 군은 불행하지 않았다.

다만 지금까지 자신이 얼마나 어리석게 부모님에게 순종을 강요당했는지, 부모란 작자들이 얼마나 어리석은 방식으로 자신을 양육했는지 깨닫게 되었을 뿐이다. 너무나 많은 걸 갑자기 알아버렸고 갑작스레 깨달아 버렸다.

김우람 군의 부모는 사랑하는 방법을 아예 모른다.

그들이 결혼하고 자식을 낳은 건 순전히 남들이 그렇게 하기 때문이었을 뿐이다.

나이가 적당히 차니까 결혼을 해야겠고 결혼을 했으면 애를 낳아야겠고 흡사 게임에서 퀘스트 받듯이, 인생에 대한 깊은 고찰 없이 흘러가는 대로 결정해서 애를 낳는다.

그리고 남들과 비교하는 거지.

난 남들보다 연봉을 더 받으니까 행복해.

내 자식이 남들보다 공부를 잘하니까 행복해.

남과 비교하면서 행복해질 수 있는 사람들이니까 자식을 그렇게 혹독하게 조율하고 휘두른다.

그것은 처량하고 동정할 만한 일이지만 지금의 김우람 군은 동정심보다는 짜증이 치솟았다. 이렇게까지 저능한 생명체가 자신의 부모라는 사실이 믿어지지 않았다. 수준이 너무 안 맞아서 말도 섞고 싶지 않다. 저들의 환심을 사기 위해 자신이 그렇게 노력했고 그게 실패했기 때문에 침울해했었다는 게 믿어지지 않았다.

김우람 역시 남에 의해서 행복이 좌우되는 자였다. 부모랑 다를 게 없었지. 부모는 남들과 비교해서 우위를 가졌을 때 행복을 느꼈고 김우람은 부모님이 자신을 인정해 줄 때 안심했다.

남이 결정해 주지 않으면 자신의 운명을 결정짓지 못하는 하등한 생물이라니…….

이제 그걸 벗어나야겠어. 그걸 위해서 뭔가 즐거운 일을 해야겠다. 무엇보다도 수준이 맞는 이들과 연대하면서 새로운 인생을 설계하고 삶을 즐길 필요가 있었다.

자, 무엇을 할까?

누구와 할까?

그때 불현듯 그의 전화가 울렸다.

그것은… 의사의 전화였다.

밤에 외출하기가 이렇게 쉬울 줄은 미처 몰랐었다.

하지만 성적으로 자신의 능력을 증명한 이후 부모의 족쇄는 너무나 쉽게 풀렸다. 어차피 부모들은 그들의 성적으로 다른 학부형들에게 비교 우위를 누리기 위해서 그들을 닦달했을 뿐이다. 성적이 잘 나오는 아이는 비행을 하지 않는다는 얄팍한 믿음 때문인지 다들 쉽게 외출 허가를 내주었다.

물론 그 외출이 그들의 성적을 수직으로 상승시켜 준 의사의 세미나라는 것도 크게 작용했지.

의사 박우춘 씨는 예식장의 연회장 하나를 빌려서 아이들을 초대했다.

아이들, 박우춘 씨의 처방 덕분에 새로운 삶을 얻은 아이들이 몰려들었다. 부모를 대동하지 않고 혼자 오라고 했지만 그럼에도 불구하고 부모와 함께 온 아이들이 있었다. 그런 아이들은 모조리 되돌려졌다.

그리고 연회가 시작되었다.

“자, 우선 여러분들 모두가, 새로운 인생을 시작한 것을 축하하면서…….”

박우춘 씨는 그리 말하고 잔을 들었다. 아이들 모두가 자신의 앞에 놓인 잔을 들고 당황스러워했다. 안에는 와인이 들어 있었기 때문이다.

“저는 미성년자인데요?”

어디서 이런 찐따 같은 놈이 흘러들어 왔군. 김우람은 그리 생각하고 말한 아이를 노려보았다. 마치 예전의 자신 같은 단정한 머리, 젖살이 덜 빠진 초등학생 아이가 벌벌 떨면서 자리에 앉아 있었다. 학교 선생님에게 화장실 가도 되냐고 묻는 아이도 아닌데 손을 들고 질문을 던진 모습도 그렇고 모든 면에서 가소롭다.

과거의 자신을 보는 것 같아서 특히나 혐오스럽다. 이런 심정은 김우람 군만의 것이 아닌지, 아이들끼리 키득거리는 게 들려왔다.

확실히 그렇군. 김우람은 그제야 아이들에게 시선을 돌렸다. 또래의 다른 아이들은 다들 가소로웠는데 이 아이들이야말로 그와 어깨를 나란히 할 자격이 있었다. 그리고 저 의사도…….

“그렇지. 그런데 그거 아나? 대한민국 법률상 만 14세 미만의 소년들에게는 형사상 책임을 묻지 않아. 즉 너희는 뭐든지 할 수 있는 존재야…….”

의사는 그리 말하고 손가락을 까딱였다.

“…….”

“아, 물론 착한 아이가 되어 부모님께 사랑받고 싶다면 그냥 자리에서 일어나 돌아가도 돼. 하지만 내가 처방한 약은 다시 받기 힘들 테고 그럼 다시 옛날로 돌아가고 말걸? 그래도 좋다면야.”

“그, 그건 곤란해요.”

“그렇지? 그럼 닥치고 마시라고, 꼬마 손님. 마셔보면 내 말을 이해할 거야. 자 건배하지! 여러분의 새로운 삶을 위해서.”

아이들은 모두 자신의 앞에 놓인 술잔을 들이마셨다. 그 순간… 모두들 갑자기 찾아오는 쾌감에 전율했다.

“으으.”

“이건 뭐지?”

“이래서 어른들이 술을 마시나?”

“웃기지 마. 난 마셔봤는데 이런 거 아니었어.”

아이들은 몸서리치면서 웅성웅성 떠들기 시작했다. 그 모습을 보며 박우춘 씨는 키득키득 웃었다.

“자… 그러면 앞으로 종종 이런 모임을 갖도록 하지. 일단 여러분, 이 기회에 여기 인터넷 카페에 가입하고 서로서로 친하게 지내도록. 아마 여러분은… 수준 안 맞는 머리 검은 짐승들 사이에서 고통받고 있었을 테니까.”

의사의 말대로 아이들 모두는 그동안 장님이다가 갑자기 눈

뜬 사람처럼, 세상을 달리 보게 되었다. 세상을 달리 보니 인간관계 역시 달라질 수밖에 없고 대부분의 기존 인연들은 짜증 나기만 했다.

확실히 여기 이 자리에 있는 아이들은 그들과 대등하겠지. 하지만 일부 아이는, 아니, 사실 대다수 아이는 지금 자신이 처한 환경이 얼마나 비과학적이고 이상한지, 저 의사가 하는 짓이 얼마나 상식을 벗어난 것인지 알고 있었다.

왜 이렇게까지 하는 거지?

평일 결혼식장은 주말보다 저렴하지만 그래도 공짜로 대관해 주진 않을 것이다. 연회장 대관료, 음식값 등등 이것이 치료의 일환이 아니라면 저 의사가 사비를 지불한 것일 텐데 왜 환자들에게 이렇게까지 해주는 건가?

환자를 사랑해서? 어린아이들을 동정해서?

그럴 리 없다.

그러나 아무도 의사에게 따지지 못했다. 의사는 이미 절대적인 처형 도구를 가지고 있었다. 약을 받지 않으면 다시 이전으로 돌아간다는 걸 암시한 것만으로도 아이들은 의사에게 끌려다닐 수밖에 없었다.

게다가 방금 마신 술, 그 안에 담겨 있는 것이 주는 쾌락을 거부할 수 있을지도 모르겠다.

"자, 오늘은 친목을 다지고 큰일은 슬슬 도모해 보자고. 인생을 즐겨. 즐기지 않으면 손해지. 어린 친구들, 내가 인생을 허비해 봐서 잘 알아."

박우춘 씨는 흥에 겨워서 잔에 술을 따르고 콧노래를 불렀다.

그렇게 해서 김우람 군은 의사 박우춘 씨를 통해서 결성된 이 기묘한 모임의 일원이 되었다. 조직의 이름은 '블랙라벨 스터디 클럽'으로 결정되었다.

일단의 목적은 서로 간의 친목 도모이지만 의사 박우춘 씨는 아이들에게 현재의 부모에 대한 불만, 더 나아가 사회에 대한 불만을 주입시켰다.

하지만 아이들은 그런 박우춘 씨의 의도가 불순하다는 걸 짐작하면서도 떠날 수 없었다. 김우람 군 역시 그러했다. 이제 와서 이 의사의 손길을 벗어나면, 그래서 다시 예전의 자신으로 돌아간다면 그걸 견딜 수 없을 것 같았다. 그리고 자신과 대등한, 같이 고민을 가지고 그에 대해서 토론할 만한 존재가 필요했다.

인간은 결국 사회적 동물이다. 누군가와 교감을 가지는 쾌감을 포기할 수 없었고 이 블랙라벨 스터디 클럽은 그들을 위해서 만들어진 최고의 사교 모임이었다.

[우람 형, 그거 해봤어요?]

[응. 나도 해봤다. 되던데?]

우람 군은 자신의 방에서 블랙라벨 스터디 클럽에서 알게 된 아이들과 어플 챗을 하고 있었다. 지금 아이들은 자신들이 성적만 향상된 것이 아니라 신체 능력 또한 강화되었음을 알고 그걸 시험해 보자는 이야기로 꽃을 피우고 있었다. 김우람도 자신의 신체 능력이 강화되었다는 걸 학교 체육 수업에서 알아챘다.

[너무 티내지 말고 적당히 달려. 어린아이가 올림픽 신기록을 세우게 되면 의심받으니까. 이 능력, 쓰면 쓸수록 강해지는 것 같아.]

[혹시 초능력 같은 것도 가능하지 않을까?]

[아, 나도 그 생각 해봤어. 며칠 전부터 연습 중이긴 한데. 곧 성과가 나오면 여러분이랑 공유할게.]

[그거 기대되는걸.]

아이들은 자신들에게 주어진 어마어마한 혜택에 신이 나 있었다. 자신의 능력이 점진적으로 계발이 가능하고 쓰면 쓸수록 강해진다는 것에 다들 기뻐했다. 마치 게임을 하는 기분이었다. 경험치가 쌓이면 레벨 업 하는 식의……. 하지만 이런 능력을 갖게 되면서도 그 능력을 쓰지 못하는 것에 대한 불만도 쌓여갔다.

[차라리 학원폭력물처럼 학교 애들이 시비를 걸어줬으면 시원하게 털어버리겠는데……. 은따당하는 입장이라 그것도 쉽지 않네요.]

누가 그리 말하자 모두 공감했다. 학교가 끝나는 순간 보습학원으로 실려 나가는 아이들은 학원 폭력에 시달릴 틈이 없었다. 학교는 그야말로 스쳐 지나가는 공간이니까 그 안에서 어떤 유의미한 인간관계가 성립되질 않는다. 결국 학교의 다른 일반적인 학생들과 치맛바람에 휩싸인 학생들 간에는… 넘을 수 없는 투명한 벽이 존재하고 있었다.

[으, 스트레스 쌓여! 능력은 좋은데 써먹을 데가 없단 말이야!]

[그렇다고 설마 히어로 영화처럼 뭔가 코스튬을 갖춰 입고 자경단 활동을 하자는 건 아니지? 한국은 치안이 꽤 좋아.]

[하, 설마. 그럴 리야…….]

학생들은 자신에게 주어진 힘을 휘두르고 싶다는 욕구와 그럼에도 불구하고 사회의 일원으로 지내야 한다는 굴레에서 갈등하고 있었다. 김우람 군 역시 그들과 비슷한 충동을 느끼고 있었고…….

그때 그의 귓가에서 누군가가 속삭인다.

'이전에는 모자란 성적으로 부모님의 애정을 갈구하기 바빴는데 정작 이렇게 쉽게 모든 게 해결되니 너무 시시하군.'

'더욱더 짜증 나는 건 블랙라벨 스터디 클럽 정도가 아니면 수준이 안 맞아서 이야기도 안 통한다는 거야.'

'내가 독선적인 건가? 그건 아닐걸?'

이 속삭임은 최근 계속해서 들려온다. 처음에는 자신이 환청을 듣는 건가, 미친 게 아닌가 걱정했지만 곧 그런 생각은 지워버렸다. 미쳤을 리가 없다. 성적도 잘 나오고 삶은 시시할 정도로 쉬운걸? 미친놈에게 세상이 이렇게 쉽게 굴복한다면 미친 건 그가 아니라 세상이겠지.

게다가 이 속삭임은 강한 설득력으로 그의 가려운 부위를 살살 긁어주었다. 마치 스스로에게 자문자답하는 것 같아서 위화감이 적다. 그냥 이전보다 더 자문자답을 강렬하게 할 수 있게 되었구나. 그렇게 느껴질 뿐이다.

'뭐든지 잘해낼 자신이 있어. 우리에겐 힘이 있다고.'

'그리고 우리는 촉법소년이지. 형법에 걸리지 않아.'

'그래. 법이 우리에게 살인 면허를 주었다고. 물론 그게 올바르진 않지. 하지만 올바르지 않은 짓을 한 건 사회고 그들이 저 올바르지 않음을 유지하는 건 지금까지 한 번도 그걸로 치명상을 입어본 적이 없기 때문 아닐까?'

그렇다. 법은 미성년자들을 제대로 된 인간으로 취급하지 않는다. 실제로 김우람도, 그리고 블랙라벨 스터디 클럽의 모두가 그러했다.

부모는 그들을 대등한 인격체로 취급하지 않는다. 어디까지나 부모의 부산물, 부인격 정도에 불과했다. 그들은 부모의 소유물이고 다른 학부모들에게 비교 우위를 얻기 위한 기쁨의 대상, 혹은 잘 치장한 노후 대비 물자에 불과했다.

인간이 인간 취급을 받지 못한다는 건 끔찍한 일이다. 그런데 그것이 효나 경로사상, 전통이라는 이름으로 당연시된다면 그것은 누구의 책임인가?

이 사회의 책임이다.

어차피 늘어난 능력, 무엇이든 할 수 있을 것 같은 힘을 가지고 있다면 그럼 뭘 해야 할까?

9

"혼팅은 인간을 현혹하지. 아마도 저 아이들은 자신이 할 수 있는 최악의 선택을 할 거다."

한세건은 과거 그가 시달렸던 혼팅을 떠올리며 몸서리를 쳤다. 그것은 속삭인다. 끝없이 속삭이는 그 소리는 처음에는 남의 것이지만 이윽고 자신의 내면의 목소리가 된다. 물론 당연히 그 자신의 목소리가 아니다. 주위에 몰려든 싸구려 잡령들이 희생자의 단단한 자아에 이것저것 쑤셔보면서 약한 부위를 찾다가 찾아낸 부위가 공교롭게도 희생자 본인의 두려움과 일치할 뿐이지.

그렇긴 해도 역시 위험하다. 한세건은 스스로 인정하긴 싫지만 초인적인 의지가 있어서 견딜 수 있었다. 하지만 저런 어린 아이들에게 혼팅이 걸려 있다면?

"당신도 저거에 걸렸잖아. 그렇다는 건 당신은 최악의 선택을 안 했단 뜻인가?"

서현이 묻는다. 한세건은 그 질문에 답하지 못했다. 그러는 사이 서현은 한세건이 건드리지 못하게 하던 광파도청기를 이용해서 도시 여기저기를 도청해 본다.

"뭐, 어디선가 재밌는 이야기가 들릴까 했는데 그런 거 없네. 역시 모텔 쪽을 도청하는 게 좋으려나?"

"하지 마, 미친놈아. 지금 그런 거 갖고 놀 때냐?"

한세건이 기가 막혀서 서현에게 투덜거렸다.

"그럼 어떻게 할까? 역시 애들 집을 닥치는 대로 습격하고 납치해서 물어봐? 창의적인 고문을 곁들여 가면서?"

애들은 아직 죄를 짓지 않았다. 그런데 단지 정보를 얻겠다고 무작정 쳐들어가서 두들겨 패는 건 강도짓 아닌가?

"허튼짓하지 마. 우리가 잡으려는 건 놈들의 몸통이지, 괜히 가지 쳐내다가 몸통이 숨어버리면 곤란해."

"뭐, 하는 짓 보면 몸통이 제대로 나올 것 같지 않구만. 이건 통합적으로 관리되는 게 아냐. 애초에 브레인이 한 놈뿐이라면 이렇게 전력을 나눠서 축차 투입을 할까? 단번에 대량으로 투입해서 당신이나 나나 잡아버렸겠지. 애들 가지고 뭔가 사회학 실험을 해보고 싶다면 우선 위험 요소부터 제거하고 나서 했을 거야."

"……."

한세건은 혀를 찼다. 서린에 비해 서현은 확실히 유능하다. 일부러 알아차린 일을 숨기고 말했는데 서현은 단번에 그걸 꿰뚫어 본다. 카타볼릭 상태라서 예지 능력을 못 쓸 텐데도 놀라운 통찰력을 보여주는 걸 보면 역시 전장에서 뒹군 놈의 감이나 판단력이라는 건 무시하지 못할 것이다.

그런데 이 녀석은 정말 이 일에 관계가 없나?

이제 와서 의심하긴 늦은 기분이 들지만 서현 역시 테트라아낙스의 권좌를 노리고 무시무시한 대권 레이스에 도전했던 인물이다. 그 동생이 대권을 차지했다고 한 걸음 물러난 것처럼 보이지만 권력욕이라는 게 과연 그렇게 쉽게 버릴 수 있는 것일까?

"뭐가 어찌 되었든 간에 지금 아이들이… 접속하는 인터넷 카페에 가입할 필요가 있겠군."

"와. 나잇살 처먹을 대로 처먹은 인간이 초딩 중딩 애들 노는 데 가입하게?"

"…초딩 중딩? 고등학생은 없어?"

"응. 왜? 여고생 정도면 사격 가능 범위인가?"

서현이 그리 반문했지만 한세건은 코웃음 치며 흥신소에서 조사한 자료들을 보았다. 분명히 클리닉 내방객에는 고등학생도 있지만 그중 특수한 모임에 불려 나간 아이들은 어디까지나 많아봐야 중학생이다.

"형사미성년자들이군."

"형사미성년자?"

"죄를 지어도 형사소송의 대상이 되지 않는 아이들."

"그런 게 있어? 거참. 어린애들 총에 맞으면 안 죽기라도 한다는 건가? 뭔 생각이지?"

서현은 어이가 없어서 투덜거렸다.

"뭔 생각일 거 같냐. 일부러 형사미성년자만 모으는 걸 보면."

한세건은 서현이 모를 리 없다고 생각했다. 과연 서현도 이내 눈치챘다.

"뭐, 그렇다면 상대가 하려는 짓은 뻔하네. 어린애들을 이용해서 대형 사고를 치려는 거잖아? 형사미성년자란 제도 자체를 엿 먹이려는 그 태도가 멋지군. 솔직히 말해서 굉장히 내 취향인데?"

"늑대인 줄 알았더니 개소리도 잘하는군. 적을 칭찬할 셈이냐? 어디 더 짖어보지그래?"

"…뭐, 적이래도 칭찬할 건 칭찬하자는 주의라서. 그리고 지금 당신 그 말 굉장히 기분 거슬리는데?"

서현은 한세건의 반응을 보고 짜증을 냈다. 그러자 한세건은 광파도청기를 끄면서 말했다.

"네 기분 거슬리는 것만 신경 쓰이고 이 일이 벌어져서 뒈질 사람들 처지는 신경 안 쓰이냐? 역시 넌 쓰레기 같은 놈이야. 너 같은 게 과거를 지우고 새 출발이라니 너무 뻔뻔하지."

"아, 그래서 뭐? 나 같은 나쁜 놈이 살기 좋아 보이니까 나라도 까칠하게 해주지 않으면 균형에 안 맞겠다, 이런 거세요? 내가 지금 실실 웃고 다니니까 속이 편한 줄 아냐? 좀 닥쳐! 그리고 일이 일어나긴 하겠어? 왜 벌써 민간인들 죽는 그림을 머릿속에 그리고 있는데? 테트라 아낙스가 서슬 퍼렇게 눈 뜨고 있는데 초상현상을 이용한 어린애 군단이 서울 시내 한복판을 불바다로 만드는 게 가능할 것 같아? 테트라 아낙스는 예지 능력자야. 이런 큰일을 예지 못 할 리가……."

"……."

"아… 이런 맙소사."

서현은 한세건의 표정을 보고 혀를 찼다. 만약 이 사건이 그럼에도 불구하고 일어난다면 월야의 모든 주민은 곧 알게 될 것이다.

새로운 테트라 아낙스의 예지에는 커다란 구멍이 뚫려 있다는 것을!

박우춘 씨의 클리닉은 커다란 상가 건물 안에 있었다. 병원은 닫을 시간이지만 상가 내의 다른 건물들은 아직 영업 중이라 사람들의 눈을 피해서 침입하기가 쉽지 않았다.

"사람 눈도 많고 모션 센서도 있는데?"

흔히들 세콤이라고 하는 민간 경비 회사의 방범 장치가 눈에 들어온다. 서현은 저걸 보면서 한세건에게 물어보았다.

"일단 자물쇠를 부수거나 여는 건 내가 할 수 있어. 하지만 저 센서는 어쩌지?"

"신형 센서로군. 일반적인 적외선센서들은 인체에서 방사되는 30미크론 이하 영역의 적외선을 인식하는 거라 센서에 적외선이 안 빠져나가게 하면 돼. 거울 같은 걸 사이에 끼워 넣으면 되겠지. 하지만 신형 센서는 안에서도 적외선을 방사하기 때문에 사이에 이물질이 낄 경우에는 바로 알아챌걸? CCTV도 있고."

"그럼……."

"뭐, 다 방법이 있지. 따라와."

한세건은 서현에게 그리 말하고 전화로 케네스 양을 호출했다. 케네스 양이 즉각 전화를 받았다.

"케네스, 서전텍이라는 방범 업체 이번 코드 좀 보내줘."

—크. 지금 무슨 짓 하고 있는 거야?

"없진 않겠지?"

—있긴 하지만… 네가 그걸 왜…….

"돈은 있다."

—알아, 알아. 에이, 모르겠다.

잠시 후 케네스 양에게서 메일이 날아왔다. 세건은 그걸 받고

지하로 내려가 통신사 배선 박스를 찾았다.

"어디 보자, 파워콤, KT, SK브로드밴드……. 다 있네. 음. 봉인 테이프가 붙어 있군. 이봐, 혹시 헤어드라이기 갖고 다니냐?"

"그런 걸 갖고 다닐 리가. 공구 박스에 전기인두는 있던데."

"그거면 탄다. 봉인 테이프를 티 안 나게 뜯으려면 적당히 가열해야 해……. 100도씨 정도면 적절하겠군. 종이로 된 봉인 테이프라… 유기용매 같은 것도 못 쓰겠군."

"그럼 내가 하지 뭐."

서현은 봉인 테이프에 손을 대고 조심스럽게 파이로키네틱 능력을 사용했다. 카타볼릭 상태긴 하지만 봉인 테이프 하나 달궈서 접착제를 녹이는 건 그리 어려운 일이 아니다.

"수명 줄어든다며?"

"수명 줄어든다고 흡연자들이 담배 끊는 소리 하고 있네. 필요하면 쓰는 거지. 이 정도는 괜찮아."

"글루건에 면 수건을 대고 가열하면 될 것도 같았는데… 뭐, 네가 하니 편하네. 알겠다. 네놈 수명 줄어들면 나야 좋지."

한세건은 봉인 테이프를 떼어냈다. 서현은 그런 한세건의 말을 듣고 투덜거리며 자물쇠를 땄다. 단자함을 열자 안에는 고르디우스의 매듭처럼 배배 꼬인 전선들이 한가득 엮여 있었다.

"그래서 이제 어떻게 하는 거야?"

"방범 업체 모션 센서가 반응하면 그 모션 센서는 유선으로 방범 업체 상황실에 연락하게 되어 있어. 보통 데이터 회선으로 연결하지.”

“KT 같은 통신사에서 방범 업체를 하는 게 그런 이유에서였군.”

“그 신호를 도중에 낚아채서 이상 없음 상태로 바꿔주면 되겠지. 다만 이런 건 Null 신호도 128bit RSA 방식으로 암호화되어 있어서 내가 가지고 다니는 노트북 같은 걸로는 천지가 개벽하는 날이 올 때까지 못 풀어. 다만 방범 업체 직원들이 워낙 박봉에 시달리니까 케네스 양처럼 더러운 짓의 프로라면 아예 그 암호 시드를 가지고 있을 법도 하지.”

“CCTV는? 병원 안에 CCTV가 있을 텐데?”

“보통 VVIP 서비스가 아니면 CCTV를 실시간으로 감시하지 않아. 이런 방범 업체들 일반 회원제 서비스가 얼마나 저렴한지 알면 너도 이해할걸? CCTV가 온라인형인지 오프라인형인지 모르니까 네트워크를 끊어서 온라인 저장을 막고 오프라인 카메라일 경우 백업을 털어서 파일을 변조시킨다.”

한세건은 배전반에 신호 변조 장치를 단 다음 다시 배전반을 닫고 열기로 녹였던 봉인 테이프를 완벽히 원래 모습 그대로 붙였다.

“이걸로 모션 센서는 무력화되었을 거야. 다시 들어가지.”

서현과 한세건은 병원의 기계식 자물쇠와 디지털 도어록을 간단히 따버리고 안에 들어갔다. 서현과 한세건은 서로 말싸움을 하면서도 움직일 때는 손발을 맞춰서 순식간에 안으로 진입해 돔형 CCTV들을 찾아내고 그걸 뜯어냈다. 예상대로 CCTV는 지붕 위 외장하드에 데이터를 저장하는 오프라인 방식이었다.

“이걸 변조하도록 하지. 이전에 저장된 동영상을 복사해서 넣어두고 파일의 헤더는 수동으로 편집한다. 넌 그동안 도청기를 달아!”

한세건은 그리 말하고 노트북을 꺼냈다. 서현은 투덜거리며 한세건이 던져준 도청기들을 병원 곳곳에 달았다.

작업은 순식간에 끝났다.

“약을 찾아볼까? 아이들에게 투약한 게 남아 있다면 조사할 가치가…….”

서현이 그렇게 물어보았지만 세건은 고개를 저었다.

“그 혼팅을 유발하는 게 일종의 비약이라면 의사가 여기에 두고 있을 리 없어. 컴퓨터로 가보지.”

“아, 그래. 그런데 이런 건 어떻게 해킹하는 거야? 암호가 걸려 있을 텐데?”

“제대로 된 보안 업체라면 하드디스크에 데이터를 저장할 때 전체를 암호화할 거야. 하지만 일반 병원이 그럴 리가 없지. 하드디스크를 통째로 백업해 가서 조사하면 되겠지. 뭐, 그리 중요한 정보는 담겨 있지 않겠…….”

“지금 느꼈나?”

서현과 한세건은 동시에 숨을 죽였다. 안이 텅 비었다고 너무 과신했었던 것일까? 상가 건물 복도 쪽에 엘리베이터가 정지하고 여러 사람의 발소리가 일제히, 규칙적으로 다가오는 게 들린다.

"모션 센서 안 죽은 거 아냐?"

"그럴 리가."

한세건은 자신의 실력을 절대적으로 확신하면서 컴퓨터의 하드디스크를 백업 장치에 끼워 복제를 시작했다.

모션 센서도 CCTV도 확실히 죽어 있는데 대체 왜?

하지만 그 이유를 한세건은 곧 알 수 있었다.

원장실 바닥에 회색 재가 뿌려져 있다.

'마법진?'

깜짝 놀란 한세건이 서현을 돌아보았다.

"야… 이거… 어, 너 지금 콘택트렌즈 끼고 있냐?"

"음? 아, 그렇네? 콘택트렌즈에 적응해 버렸어. 젠장. 빼뒀어야 했는데."

"……."

서현이 오른쪽 눈을 개방하고 있었으면 밖에서 봐도 충분히 알아봤을 것이다. 그렇지만 일개 정신과 의사 클리닉에 보호용 마법진이 있었다니?

"뭐, 잘됐지. 누가 우릴 잡으러 왔는지 보자고."

서현은 목을 풀면서 키득키득 웃었다. 육탄전이라면 절대적인 자신감이 있다는 건가?

그때 클리닉의 문이 열렸다.

어둠 속에서 붉게 빛나는 눈동자들이 안으로 들어왔다. 플라스틱으로 만든 아동용 애니메이션의 캐릭터 가면을 쓴 작은 체격의 아이들이 성큼성큼 걸어 들어오는데 그때마다 듣기 싫은 쇳소리가 울려 퍼졌다. 쇠파이프를 바닥에 질질 끌면서 걸어오고 있는 것이다.

서현은 콘택트렌즈를 빼고 혀를 찼다.

"셋은 흡혈귀인데? 둘도 상태가 안 좋아."

초등학생이나 중학생, 촉법소년으로 보이는 다섯 명의 아이 중 세 명에게서 흡혈귀 특유의 아우라, 쇠 냄새가 났다. 그것도 한세건을 습격했던 놈들과 똑같다. 보통 뱀파이어보다 훨씬 더 불안정한 아우라를 가진 것들, 진마에 가까운 높은 VT가 있지만 그보다 훨씬 더 불안정하고 파괴적인 형태를 취하고 있다.

"…멍청한 놈들."

한세건은 치를 떨었다. 어린 나이에 뱀파이어로 각성하는 건 뱀파이어 본인들도 달갑게 여기지 않는 일이다. 평생 어린아이의 모습으로 살아가야 하기 때문이다.

"크크, 정말이네."

"정말 있어. 역시 그분의 말이 맞는데!"

"하지만 선생님이 저 녀석들이랑 싸우지 말라고 했는데……."

"뭐, 세 보이긴 하는데 그래봐야 평범한 인간이야."

"인간 주제에 우리 적이 될까?"

플라스틱 가면을 쓴 아이들이 스산한 음성을 내고 있었다. 서현은 한세건을 바라보았다.

"어쩔 거야?"

"어쩌긴. 죽여야지. 뱀파이어가 되면 돌이킬 방법이 없다."
한세건이 그렇게 말하자 아이들이 키득키득 웃었다.
"뭐야? 지금 우릴 죽인다고 한 거야?"
"웃기거든?"
호전적인 아이들은 자신들의 힘에 취해서 비웃고 있었다. 막 뱀파이어가 되어 그 능력에 취한 이에게서 흔히 볼 수 있는 현상인데 어린아이들이라 그런지 상태가 더 심하다. 뱀파이어가 아닌 아이들은 겁에 질려 있었지만 역시 싸우기로 결심했는지 눈을 부릅떴다.
'어쭈?'
서현은 뱀파이어가 아닌 아이들의 눈이 새하얗게 뒤집어지는 것을 보면서 깜짝 놀랐다. 검은 망령이 들끓는다. 사법에 오염된 아이들의 몸에서부터 불길한 검은 영기가 휘몰아치며 끔찍한 데스마스크를 사방에 남긴다.
치지지직…….
유리창에 물기가 맺히더니 빠르게 망령들이 울부짖는 모습으로 변해갔다. 유리창뿐만이 아니다. 건물 안 전체에 스산한 한기가 감돈다. 보통 사람들은 그것만으로도 의식을 잃을 정도로 강력한 저주였다. 실제로 쇠로 만들어진 스탠드등이 빠르게 녹슬어가고 있었고 그 녹들 위로 서리가 끼기 시작했다.
그 안에서 뱀파이어 아이들은 되레 신이 나서 뛰어들었다.
"끼야호!"
마치 날뛰는 원숭이 떼처럼 쇠파이프를 든 아이들이 삼차원적인 궤도를 그리며 서현과 한세건에게 날아들었다. 서현과 한세건이 자신들의 저주에 옴짝달싹 못 할 거라고 확신하고 공격을 가한 것이다.

그러나 서현과 한세건은 이런 저주쯤은 아랑곳하지 않았다.

철컥!

한세건의 등에서 큼지막한 유탄 발사기 같은 총이 튀어나왔다. 접철식 폐쇄 구조로 개조된 비스트였다. 쇠파이프를 들고 뛰어든 아이들이 갑자기 나타난 총을 보고 깜짝 놀랐다.

"그만둬!"

그때 서현이 한세건의 총을 옆으로 밀어서 치우고 자신을 향해 날아드는 쇠파이프를 팔을 접어 막았다.

"뭐? 너 미쳤냐?"

총구가 옆으로 밀려나자 한세건은 방아쇠를 당기지 않았다. 한세건은 어이가 없어서 서현을 바라보았다. 지금 이 녀석 뱀파이어가 된 아이들도 아이라고 챙겨주려는 건가?

"크… 크크, 깜짝이야."

뱀파이어가 된 아이들도 그 모습을 보고 안도의 한숨을 내쉬었다.

"갑자기 총 같은 걸 꺼내길래 난 또 뭐 그 인디아나 존스 꼴 나는 줄 알았네."

"저기서 쏴버렸으면 우리가 인디아나 존스에게 덤벼드는 칼잡이 꼴 되잖아?"

아이들은 키득거리며 쇠파이프를 마저 휘두르려 했다. 그러나 그때…….

투확!

서현이 제자리에서 빙글 돌면서 라운드 하우스 로우킥(완전히 제자리에서 빙글 도는 큰 로우킥)을 날렸다. 그 일격에 맞은 아이의 다리가 산 채로 끊겨 나가면서 몸이 붕 떠올랐다. 그 몸에 서현의 백스핀 블로가 꽂히자 다리가 잘려 나갔던 아이의 몸이 그대로 붕 날아가 병원 입구 인테리어용 대리석 벽면에 충돌했다.

그 끔찍한 모습을 보고 아이들이 굳어버렸다. 다리가 잘린 채 날아가 버린 아이는 머리가 벽면에 충돌해서 두개골이 골절되고 몸 안으로 목이 접혀 들어갔다. 보통 사람이라면 즉사할 상처지만 뱀파이어가 되어서 죽지 않았다. 하지만 이 압도적인 힘은 뭐란 말인가?

"웰컴 투 더 리얼 월드! 어린애에게도 총알이 박히는 게 현실이다. 난 할리우드 영화에서 애랑 동물을 안 죽이는 게 참 꼴사납더라고."

그런 끔찍한 타격을 선사한 서현은 이죽거리며 아이들에게 손가락을 까닥였다. 언제든 덤비라는 신호였다.

"언제 적 이야기를 하는 거야? 요새 영화들은 어린애도 많이 죽어."

한세건은 어이가 없어서 빈정거리고 비스트를 다시 등허리에 꽂아 넣었다. 서현이 자신을 막은 게 총을 쏘지 말라는 거지, 애들과 싸우지 말라는 게 아니라는 걸 알았기 때문이다.

"아, 그래도 유탄 발사기는 좀 그렇잖아? 아무리 인식장애술이 걸려 있어도… 상가가 날아갈걸.”

확실히 지금 한세건의 비스트는 유탄 발사기같이 생겼다. 그래서였군.

“이거 유탄 발사기 아냐. 멍청한 놈아.”

“…뭐야, 그럼? 샷건? 내가 커스텀 화기까지 어떻게 알아.”

“말을 말지.”

한세건은 서현의 무자비한 공격에도 이내 재생되는 뱀파이어 아이들을 보고 혀를 찼다. VT 14만의 흡혈귀가 되어 그를 공격했던 미얀마 군벌 출신의 군인들이 떠올랐다. 그들이 커럽티드로 몰락하는 모습과 이 아이들의 모습이 겹쳐진다. 그때의 군인들은 그래도 자신들이 어떤 존재가 되는지 이해하고 되었을 것이다. 반면 이 아이들은 아무것도 모른다. 지금 이들은 갑작스레 눈앞에서 펼쳐진 폭력에 당혹스러워하고 있었다.

그들이 쇠파이프를 들고 뛰어들었을 때 대부분의 인간은 일방적으로 맞고 고꾸라졌겠지. 설마 반격해서 이렇게 호쾌하게 토막 낼 줄은 몰랐으리라.

“이… 이럴 수가? 우리만이 아니었어?”

“젠장!”

다른 아이들이 몰려들어서 쓰러진 아이를 부축한다. 빠른 재생력 덕분에 머리는 바로 몸통에서 빠져나왔지만 끊어진 다리와 몸통이 너무 멀다. 아이들은 그제야 자신들이 일방적인 포식자가 아니라는 걸 깨닫고 덜덜 떨었다.

“너희를 이렇게 만든 건, 이 병원 의사겠지? 무슨 생각이냐?

무슨 짓을 할 생각이지?"

한세건의 질문에 아이들이 당혹스러워했다. 대답해야 하나? 아니면 무시하고 도망쳐? 전부 함께 덤벼들면 승산이 있지 않을까?

"아니, 그……."

"에이, 썅!"

그때 다리가 끊겼던 아이가 대뜸 바닥에서 부서진 대리석 파편을 잡더니 한세건에게 던졌다. 한세건은 머리를 간단히 까딱여 그 공격을 피하고 동시에 허벅지의 칼집에서 단도를 뽑아 날렸다.

퍽!

쓰러진 뱀파이어를 부축하던 다른 아이의 다리에 칼이 꽂혔다. 반항적으로 공격해 온 놈을 공격하는 게 상식적이지만 그 경우 아예 부상 입은 놈을 버리고 나머지 녀석들이 도망칠 가능성이 있다. 부상 입은 놈을 심문하면 정보를 얻는다는 소기의 목적은 달성할지 몰라도 이전에 공격해 온 암살자들이 커럽티드가 되었듯 이들도 언제 커럽티드가 될지 모른다.

'중상을 입은 놈일수록 쉽게 커럽티드가 되겠지. 그렇다면 표적은 차라리 다친 애를 빠르게 부축하던 저놈이다. 저 녀석은 다른 애들도 쉽게 버리고 가지 못할 거야.'

한세건의 예측대로 부축하던 아이가 칼을 맞자 다들 깜짝 놀랐다. 그 틈에 한세건이 다리에 꽂힌 칼을 노리고 뛰어들어 짓밟아 버린 뒤 니킥으로 다른 놈의 턱을 부수고 머리채를 잡았다.

그리고 목을 한껏 꺾은 뒤 그렇게 꺾인 목 뒤의 연수에 권총을 들이밀고 연사했다. 접혀서 팽팽해진 연수에 권총탄이 박히자 아무리 재생력이 뛰어난 뱀파이어라고 해도 신경계로 퍼부어지는 충격에 감전된 것처럼 전신이 파들거렸다.

이 공격은 직접 맞지 않고 보고 있는 이들에게도 충격을 주었다. 서현의 육탄전이 너무나 순식간에 벌어져서 믿어지지 않는다면 한세건의 육탄전은 확실한 '처형' 이었다. 강렬한 살의가 없으면 할 수 없는 무자비한 공격에 아이들이 질려 버렸다.

"…아… 으……."

"뭐… 뭐야?"

"뭐야, 이자들은?!"

가벼운 마음으로 덤벼들어선 안 될 상대라는 걸 깨달았지만 이미 늦었다.

"젠장! 튀어!"

하지만 어느새 입구에는 서현이 서서 가로막고 있었다. 그러자 소년들은 누가 먼저라고 할 것도 없이 창문 쪽으로 몸을 날렸다.

"아차!"

열리지 않도록 만들어진 창문 벽이지만 유리로 된 것은 분명했다. 소년 뱀파이어들은 몸으로 유리창을 부수었다. 아직 뱀파이어가 아닌 소년들까지 함께 뛰어내려 지상에 주차된 차 위로 떨어졌다.

도난 경보기가 갓 태어난 아이처럼 우렁차게 울어대기 시작했다. 상가가 밀집하고 유흥업소도 많아 밤에도 조용하지 않은 곳이지만 상가 창문 부서지는 소리와 차량 경보기의 비명은 업소들의 소음조차 꿰뚫었다.

"경찰 오겠네. 도망치자!"

"젠장. 애써 새 신분을 얻었는데 범죄자로 남을 수는 없지."

한세건과 서현은 잽싸게 백업한 하드디스크를 챙기고 병원을 빠져나갔다.

한세건과 서현은 경찰들이 몰려들기 전에 모든 흔적을 지우고 잽싸게 도주를 시작했다. 그런데 어째 가는 방향이 이상하다 싶더니… 실베스테르의 펜트하우스로 향하는 게 아닌가?

주차장에 멈춰 선 세건을 보고 서현도 속도를 줄였다. 서현의 자전거는 서스펜션을 충실히 보강해서 시속 100킬로미터가 넘는 속도도 감당할 수 있지만 브레이크는 아무래도 약했다. 차체가 너무 가벼워서 급히 제동할 경우 앞으로 날아가 버리는 게 문제다. 그래서 어쩔 수 없이 픽시 자전거들처럼 스키딩(Skidding:차체를 옆으로 틀어 진행 방향 옆으로 미끄러지는 것으로 제동하는 것. 더 강한 제동력을 얻을 수 있지만 차축과 타이어에 부담을 준다)으로 멈춰 세우는데 그 소리가 요란하다.

"시끄럽잖아, 미친놈아. 우레탄 코팅 된 바닥에서 스키딩하지 마라."

주차장 바닥은 우레탄 코팅이 되어 있었는데 그 위에 자전거로 스키딩을 하니 아주 손상이 심했다.

"왜 여기로 온 거야?"

"내 아지트들은 적들의 습격을 받을 염려가 있으니까. 여기랑 아르쥬나에는 강력한 마법이 걸려 있거든."

"그건 알겠어. 하지만 막 꺼내 온 그 하드디스크, 분석할 장비는 있나?"

"뭐, 장비야… 흔하지. 컴퓨터면 돼. 노트북도 있고."

한세건은 즉시 노트북으로 하드디스크 분석을 시작했다.

"단어들 사용 빈도를 분석하도록 하지. 우선 좀 쉬자. 경찰들은 골치 아파. 죽일 수도 없고."

그사이에 엘리베이터가 도착했다. 서현과 한세건은 다시금 실베스테르의 텅 빈 펜트하우스에 들어갔다. 자동으로 불이 켜지며 을씨년스러운 펜트하우스의 모습이 드러났다.

"여전히 넓군. 음, 좋아. 대부분은 진료 차트로군."

한세건은 병원 하드디스크의 분석 결과를 보고 혀를 찼다. 촉법소년 연령대의 환자들은 따로 명단이 관리되고 있었는데 그 수가 상당하다. 거의 1개 중대급이다. 정신과 클리닉에 다니는 미성년자가 이렇게 많다니. 아이들이 그만큼 스트레스를 많이 받는 것인가? 공부 잘하게 해준다는 병원 광고가 많은 부모를 혹하게 한 것일까?

'하긴, 전교 1등으로 만들어주었다는 광고가 학원에 붙어 있으면 이제 다들 그러려니 하지만 병원에 붙어 있다면 그 임팩트가 남다르긴 하겠지.'

한세건은 그리 생각하면서 차트와 진료 기록들을 간단히 훑어보기 시작했다. 그사이 서현은 목이 타는지 냉장고를 뒤적거리며 물과 음료수를 찾았다.

“뭐, 보나 마나 뻔하지. 미성년자들은 무슨 짓을 해도 처벌받지 않는다며? 그 인간은 그러니까 미성년자들을 약물과 상담으로 자신의 추종자로 만든 뒤 순교시킬 셈이야. 사이비 교주다운 짓이지.”

“그건 나도 알아. 문제는 표적이 뭐냐는 거지.”

“아이들을 뱀파이어로 만들었다면 미성년자라서 법에 저촉되지 않는다는 걸 이용하려는 게 아니야. 아마 그 제도 자체가 공격 목표 아닐까? 봐라, 애들에게 처맞으면 안 아프냐? 아프지? 그러니까 아이들에게 살인 면허를 주는 건 잘못이야. 너희의 어리석음을 땅 치며 후회해라, 등신들아. 뭐 그런 게 아닐까?”

서현이 그리 말하며 냉장고에서 빠져나왔다. 마실 게 없다. 실베스테르가 이곳에서 빠진 지 꽤 됐고 서현 자신도 그리 음식을 많이 사들이지 못했다. 최근 한세건과 얽히면서 잘 들어오지 않았으니 식료품이 텅텅 비어 있는 건 당연하다.

“목이 타나 보군. 어지간하면 포기하고 모터사이클을 타지 그래?”

한세건은 모터사이클을 타지만 서현은 그걸 자신의 동력으로 쫓아왔다. 라이칸스로프의 능력으로 불가능한 건 아니지만 아무리 그래도 목이 타는 것까지는 어쩔 수 없는 것 같다.

“싫어. 조금 땀 흘리고 물 좀 마시면 될 일로 석유를 태우다니 어림도 없지. 지금 이 순간도 아랄해가 바짝바짝 마르고 있다고. 인간의 환경에 대한 무관심이란…….”

“땀 흘렸으면 어서 씻어, 등신아. 헛소리 작작 하고.”

한세건은 서현에게 핀잔을 주고 계속해서 자료를 분석해 봤다. 곧 결론이 내려졌다. 이 정신과 의사는 어느 날 갑자기 찾아온 신비한 여인을 만나고 그녀에게서 받은 약으로 ‘블랙라벨 스터디그룹’이라는 일단의 조직을 만들어 아이들을 세뇌시켰다.

그리고 아이들을 이용해서 테러를 벌이려는 게 이 남자의 목표다. 병원 진료 기록이라 제대로 된 개인 정보는 없지만 진료 차트 등에 쓰인 용어들만 봐도 이 남자가 지금 현재 사회에 얼마나 불만이 많은지 알 수 있었다. 하긴 애초에 기러기아빠다. 한국에서 가장 행복도가 낮은 가정, 편모가정이나 편부가정보다 더 극심하게 행복도 낮은 가정 형태가 아닌가? 삐뚤어져도 이상할 게 없지.

문제는 동기가 아니라 공격 계획이다. 그래서 어딜 공격할 거지?

“그런데 한국에서는 아동 강력 범죄가 없나? 법률이 저렇다면 아이들이 대놓고 저지를 법도 한데. 촉법소년이라는 게 나이가 꽤 되더라? 어린아이들이라면 몸이 덜 자라고 약하니까, 한국엔 총화기도 별로 없으니까 범죄를 실행하기가 힘들다고 하겠지만 요새 중학생 애들은 이전 세대 성인들보다 키도 더 클걸?”

서현은 그 점을 궁금해했다. 워낙 문명과 담을 쌓고 살아온 그에게 문명사회의 청소년에 대한 관대함은 이해하기 힘든 것이었다.

"음, 왜 없겠어? 있지. 다만 여론에서 이슈가 안 될 뿐."

"어째서? 피해자들은 되게 억울할 것 같은데."

"여론은 여러 민초가 죽든 말든 상관없어. 자신들이 원하는 걸 그려낼 뿐이지."

"하하. 그렇게 말하니까 참……. 마약 뿌리는 사람이 할 말은 아냐, 그치?"

"……."

서현은 이때를 호시탐탐 노리고 있었나 보다. 한세건이 서현에게 계속 툴툴거리는 게 기분 나빠서 이렇게 갚아주려고 한 것 같다. 한세건이 화가 나서 뭐라고 쏘아붙이려 했지만 그때 벨소리가 울렸다.

"네."

—저… 호, 혹시 음식 시키셨나요?

패스트푸드 유니폼을 입은 젊은 아르바이트생이 쭈뼛거리고 있었다. 엘리베이터 최상층 버튼을 누르라고 배달 주문에 적혀 있으니 장난 전화인지 아닌지 반신반의하는 모양이다.

"…네, 맞아요."

승인 버튼을 눌러주자 엘리베이터가 최상층으로 올라온다. 그 모습을 보고 한세건은 한숨을 내쉬었다.

"실베스테르의 집에서 음식을 시켜 먹다니 이런 날도 오는군. 그런데 왜 패스트푸드?"

"배달 음식 중 가성비가 맞는 게 그거뿐이더라고."

"그러니까 왜?"

"나가서 먹기 귀찮잖아? 경찰도 있고. 다른 건 그릇 내놔야 하니까."

"……."

한세건은 멍하니 엘리베이터 앞에 서서 배달 직원을 맞이하고 돈을 지불했다. 고급스러운 펜트하우스에서 패스트푸드를 늘어놓고 둘이 앉아서 펼쳐놓는다. 한눈에 봐도 만들어둔 지 좀 지난 햄버거와 축 처진 감자튀김들, 그나마 싱싱하지만 배달부의 손에서 진동을 겪어 탄산을 외부로 한껏 방출하고 물과 콜라 원액의 희석물로 변한 것이 음식의 전부다.

"그러니까 왜?"

"…아, 지금 내가 동구권 촌놈이라 맥도날드라면 사족을 못 쓸 거라고 생각하는 거지? 아니거든? 나를 그런 촌놈으로 보지 말라고. 나도 알 거 다 아는 사람이야. 왜 이래. 내가 이런……."

서현은 그리 말하고 햄버거를 한입 베어 물었다. 그러고는…….

"맛있다!"

"…야!"

한세건은 동의하지 못하겠다는 듯 소리를 질렀다. 하지만 아니지, 식은 햄버거여도, 설사 그게 체인점의 흔한 햄버거여도 어느 날 우연의 일치로 엄청난 기적이 일어나 맛있어졌을지 모르지 않는가?

'그럴 리가 있나?'

한세건은 내심 투덜거리며 한입 베어 물었다. 그리고 꼭꼭 씹으며 맛을 음미했다.

빵에 습기가 차서 빵인지 떡인지 모르겠고 패티는 식어서 기름이 고형분으로 따로 돌고 있다. 이게 맛있다고 할 정도면 평소 식생활이 얼마나 개판인지 알 것 같다.

한세건은 식도락과 담을 쌓았다. 음식은 어디까지나 뱀파이어와의 전투력을 유지하기 위해서 억지로 먹는 연료다. 냉동 피자나 만두 등으로 냉장고를 가득 메우고 단백질 보충제를 먹어서 지방 1, 탄수화물 3, 단백질 2의 비율을 유지하는 게 한세건의 식단이었다. 그럼에도 불구하고 맛있는 건 맛있는 거고 맛없는 건 맛없는 거다. 그가 먹는 데 관심이 없다고 해서 양질의 음식을 저질이라 폄하할 수 없고 저질의 음식을 양질이라 고평가할 수도 없는 법.

그런 와중에도 서현은 다 식어서 눅눅해진 감자튀김도 케첩에 푹 찍어 입으로 가져가고는 눈을 동그랗게 떴다.

“맛있어.”

“이 맛집 블로거 같은 놈이…….”

한세건은 진심으로 화를 냈다.

“그놈들은 뒷돈 받고 광고라도 하는 거지만 넌 대체 패스트푸드점에 뭘 받아서 그러냐? 응?”

“아니, 그, 그냥 맛있는데. 순수한 반응이야.”

“평생 군 건조식량만 처먹다 왔나.”

한세건은 투덜거리며 햄버거를 먹고 휴대폰을 꺼내더니 칼로리를 계산했다.

"나머지는 죄 탄수화물이군. 난 됐다. 이 '맛있는' 감자튀김 너 혼자 다 먹어라."

한세건은 빈정거리는 어조로 말했지만 서현은 진심으로 맛있다고 여기는지 당혹스러워했다.

"그… 그래도 되나? 아이 참, 이거 민망하군. 하지만 음식을 버리면 벌받지."

"…차라리 다음엔 치킨을 시켜봐."

한세건은 그리 말하고 뭔가를 꺼내서 뜯었다. 포로 따로 포장되어 있는 단백질 보충제다. 그는 그걸 물에 타서 마시면서 서현을 돌아보았다. 서현은 먹는 모습을 보이는 게 부끄러운지 한세건에게 등을 돌리고 음식을 먹는데 흡사 좀비가 시체 뜯어먹는 모습 같다.

"어쨌거나 아까 전 이야기로 돌아가서… 한국에 이미 미성년자, 촉법소년들에 의한 강력 범죄가 있는데 그럼 저 인간은 왜 저러는데?"

서현은 여전히 그게 궁금한 모양이다.

"왜는? 그동안 촉법소년들이 범죄를 저질러 봐야 자기들끼리 피해를 주거나 아니면 남의 집 금품, 강도 등 주로 소시민들이 피해자인 범죄가 대부분이었다, 이거지. 높으신 분들이나 그분들의 딸랑이인 언론이 관심을 가지겠냐?"

"그럼 이 의사가 공격하려는 타깃은 높으신 분들의 관심을 끌 수밖에 없는 것이겠군. 왜 그런 짓을 하지? 의사면 나름 잘나가는 엘리트 아닌가? 부유하기도 하고."

"그전에는 말아먹었던 모양이야. 약물중독이고 가정도 파탄. 정신과 의사지만 남들 케어해 줄 상태가 아니었던 거지. 게다가 보아하니 그도 부모의 사유물이었던 것 같고."

한세건은 자료를 보면서 그렇게 말했다. 서현은 어깨를 으쓱해 보였다.

"사유물?"

"모든 부모라는 게 그렇지만 부모는 사실 뭐, 면허 따서 되는 게 아니야. 그냥 되는 거지. 그런 사람들에게 자식의 양육권, 절대적인 권한을 쥐여주면 어떻게 되겠어?"

한세건은 코웃음 쳤다. 이 정신과 의사가 왜 이렇게 엇나갔는지 그림처럼 보인다. 자식을 공부시키기 위해서 이사를 세 번 했다는 맹모의 고사에서 드러나듯 동북아시아의 부모들이 자식을 가르쳐서 입신양명시키려 하는 의욕은 수천 년 묵은 의식이다. 세상이 너무나 빨리 변해 버렸는데 아직도 그런 케케묵은 방식을 벗어나지 못하니까 부모나 자식이나 말할 것도 없이 망가지는 것이다.

"지금 병원에서 주로 타깃으로 잡은 아이들도 다 그렇지. 이 부모들은 자식을 공부시키기 위해 애에게 정신과 약물 처방을 받게 했어. 그런 애들을 약물과 말발로 세뇌해서 이상한 비밀결사를 만드는 건 그리 어렵지 않은 일이겠지. 실제로 성적이 오르고 성과를 내면 부모들은 할 말도 없을 테고."

한세건은 그리 말하면서 컴퓨터를 뒤져보았지만 역시 병원용 컴퓨터에는 진료 차트 등이 전부였고 어딜 어떻게 공격할지는 담겨 있지 않았다. 다만 여기서 블랙라벨 스터디그룹이라는 것이 운영되었다는 건 알 수 있었다.

"블랙라벨 스터디그룹이라… 이게 바로 그 인터넷 카페로군."

"그래? 해킹 가능한가?"

"포탈 인터넷 카페를 해킹하기란 까다로워. 뛰어난 프로그래머들이 즐비한 곳이라. 나는 어디까지나 필요해서 공부한 정도지, 전문 해커라고는……. 케네스 양처럼 멍청하게 홍콩에서 덤프된 복제 XP 같은 걸 쓰면 쉽게 털 수 있는데. 하지만 여기 컴퓨터에 깔려 있는 회계 프로그램의 아이디랑 비번을 조합하면 접속 가능하겠지. 다만 우리가 침입했다는 걸 알고 비번을 바꿔버리거나 하면 곤란한데."

한세건은 병원 프로그램의 아이디와 비번을 조합해서 블랙라벨 스터디그룹에 넣어보았다. 다행히 이 의사는 아직 비번을 바꾸지 않았는지 단번에 접속이 가능했다.

"좋아. 어디 볼까. 음… 하하… 하하하."

잠시 인터넷 카페를 보던 한세건은 대뜸 실성한 놈처럼 웃음을 터뜨렸다. 그걸 보던 서현이 다가왔다.

"뭔데 그렇게 웃어? 응?"

서현은 인터넷 카페 제일 위의 게시물을 보고 실소를 터뜨렸다. 국회의사당 건물과 그 앞의 거리 지도에 여러 실선이 그어져 있었다. 각 골목길, 차도 등의 거리를 실측한 수치가 적혀 있다.

"국회의사당과… 여당 당사로군. 이럴 수가."

서현은 그걸 보고 혀를 찼다. 촉법소년들을 이용해 국회의사당과 여당 당사를 공격해 이 나라를 이끄는 고위 정치인들을 잡으려는 것인가?

"…멋진데. 미친놈. 그래, 미치려면 이렇게 미쳐야지."

한세건도 칭찬했다. 인터넷 카페에서는 물론 대놓고 테러하자는 이야기는 없었다. 아무리 비공개 카페라 해도 포털 직원들이나 다른 이들의 필터링에 걸릴 수 있으니까. 그러나 각종 지도들, 사진들 등 지역 정보가 실려 있는 걸 볼 때 그들의 목표가 어디인지는 명약관화했다.

10

테트라 아낙스는 뱀파이어들에게 율법을 제시했다.

하나, 허락 없이 뱀파이어의 수를 늘리지 말 것.

하나, 인간들에게 뱀파이어의 존재를 숨길 것.

하나, 허락 없이 동족을 사냥하지 말 것.

이 율법을 지키는 한 테트라 아낙스는 그들을 인간들로부터 지키고 보호하겠다고, 그 안에서 번영을 누리게 하겠다고 약속했다. 그에 반발하거나, 아예 가치가 없어서 테트라 아낙스의 보호 대상이 되지 못한 이들은 율법에 어긋난 자, 아웃로가 되었고 테트라 아낙스의 가호를 받는 이들은 그가 가지는 예지와 정신 조작 능력, 강력한 텔레파시의 힘으로 막대한 부를 거두어들였다.

그러한 테트라 아낙스의 지배 체계를 볼 때 서울 한복판에서 뱀파이어가 포함된 일단의 조직이 국회의사당을 점거하는 행동은 용납될 수 없을 것이다. 뱀파이어의 존재를 만천하에 드러내지 않겠다는 게 테트라 아낙스가 강제한 율법의 근간이 아니던가? 그러니 그런 화려한 짓을 뱀파이어가 직접 저지르게 할 수는 없다. 아무리 테트라 아낙스의 정보조작능력이 대단하다 하더라도 국회의사당 점거 같은 행동에서 뱀파이어의 자취를 완전히 지워내기란 쉽지 않으리라. 당연히 그 전에 조치를 취해야지.

만약 그걸 미연에 방지하지 못한다면 테트라 아낙스의 예지력에 구멍이 뚫린 것이라 보이겠지. 확실히 지금의 테트라 아낙스, 서린은 이전의 테트라 아낙스처럼 모질지 못하다. 서린은 선량한 자라 목적을 위해서 뱀파이어를 만들고 실험체들을 지배하고 다스리지 못한다. 인간으로서는 훌륭하지만 제왕으로서는 치명적인 약점을 안고 있는 셈이다.

그리고 지금, 그 제왕의 약점에 대해 도전하는 세력이 있었다. 어린아이들을 뱀파이어로 바꾸고 그들의 힘으로 한 나라의 국회의사당을 점거하는 일이 벌어진다면? 절대적 강자로 군림하며 뱀파이어들을 억누르던 테트라 아낙스의 권위가 훼손당할 것이다. 그렇다면 인간의 피와 살을 탐하는 야수들을 통제하던 족쇄가 풀리게 될 테니……. 그때야말로 미친 달의 세계가 무엇인지 똑똑히 알게 되리라.

"하하하… 좋아."

박우춘 씨는 병원이 적에게 공격받았다는 말을 듣고 오히려 기뻐했다.

처음에는 반신반의했다. 그에게 나타난 여자, 그리고 도저히 과학적으로 설명할 수 없는 약들의 효과를 보았을 때, 아이들의 성적이 급격히 상승하고 인간의 능력을 벗어난 힘을 가지게 되었을 때도 확신을 얻지 못했다.

그러나 이번에야말로 확신을 얻었다.

적이 있다.

"우, 웃을 일이 아니에요, 선생님."

"그 녀석들 엄청났어요. 그 하단차기 한 번에 다리가 끊어지고 주먹 한 번에 머리가 몸통 안으로 밀려 들어갔단 말이에요!"

"저희보다 센 것 같아요."

아이들은 자신이 겪은 적의 강력함을 열심히 피력하고 있었다. 이 아이들의 능력을 잘 알고 있는 박우춘 씨는 그 아이들과 대등하거나 압도한 적들의 존재를 듣고 고개를 끄덕였다.

"하지만 너희는 살아서 돌아왔지?"

"네. 그, 그야."

"상처가 재생이 되니까요."

아이들은 그렇게 말했다.

"너희가 자랑스럽구나. 잘했다, 소년들. 굉장히 위험한 적수로부터 무사히 살아 돌아오다니."

"……."

"이건 숭고한 일이란다. 그리고 그런 숭고한 일은 당연히 아무런 희생 없이 이룰 수 없지. 그걸 방해하려고 하는 세력들이 나타나게 마련인데, 너희가 본 그것들이 바로 기득권층의 사냥개란다."

"네? 하지만 그런 게 있다는 이야기는 들어본 적이……."

아이들은 그리 반문했다.

"그럼 이건 어떤데? 이런 게 있다는 이야기는 들어본 적이 있니?"

박우춘 씨는 자신의 엄지손톱으로 자신의 손목을 휙 그었다. 살점이 떨어져 나가며 선혈이 솟구쳤지만 잠시 후 그 피는 다시 상처로 빨려 들어왔다. 박우춘 씨는 자신이 벌인 일이면서도 새삼스럽게 신기한지 그 상처를 살펴보았다. 어느새 상처는 완전히 아물어서 흔적도 남지 않았다.

"봐라. 너희가 알던 세계는 어디까지나 그들이 알려줄 만큼만 알려준 세계란다. 너희의 부모들은 너희를 위해서 열심히 공부시킨다고 했지만 정말 중요한 것은 그분들도 모르고 계시지."

박우춘 씨는 그리 말하고 웃어 보였다.

"하지만 너희는 알게 되었다. 그렇지? 물론 강요하진 않으마. 만약 이번 일이 너무 두려워서, 그 권력의 사냥개들에게 굴복할 거라면 여기서 빠지도록 하렴. 블랙라벨 스터디그룹은 탈퇴는 자유란다. 가입이 어렵지."

박우춘 씨가 그리 말하고 아이들을 돌아보았다. 물론 누구도 빠지겠다고 나서는 이는 없었다. 이 블랙라벨 스터디 클럽에 들어오기 전의 아이들은 성적도 낮고 과도한 부모의 기대, 계속되는 학습 압력에 치여 미치기 일보 직전의 상태였다. 그런 상황에서 이제 겨우 해방된 아이들이 다시 원래대로의 삶으로 돌아갈 수는 없다.

"그럼 준비하지. 일정을 앞당기자꾸나."

박우춘 씨는 상자들을 옮겼다. 안에는 낫, 정글도, 식칼을 쇠파이프에 연결해 만든 창, 석궁 등이 들어 있었다. 다들 조잡한 무기지만 사용하는 이들의 신체 능력이 인간을 벗어난다면 만만치 않은 위력을 발휘할 것이다.

그리고 어차피 총화기는 군경의 것을 빼앗아 쓰기로 했다.

"자, 그럼… 김우람 군? 이걸 아이들에게 나누어주겠니?"

아이들, 특히 가장 먼저 블랙라벨 스터디 클럽에 들어왔던 김우람은 그 무기를 받아 들고 옆의 아이들에게 건네주었다. 아이들은 모두 열정적인 표정으로 무기를 받아 들었다. 학업 능력은 많이 올랐지만 그럼에도 불구하고 아이들은 아이들이었다. 부모의 강압적인 지배에 순응하던 아이들에게 순응의 대상이 박우춘 씨로 바뀌었을 뿐 변한 것은 없다. 이미 아이들은 지옥을 겪었기에… 설령 범죄를 저지르는 한이 있더라도 그 지옥으로 돌아가고 싶지 않았다.

학원과 학교를 다람쥐 쳇바퀴 돌듯 돌아가는 삶으로 회귀하느니 국회의사당에 불을 지르겠다. 그것이 아이들의 선택이었다.

영등포구 여의도동, 국회대로 앞은 본래부터 경찰과 군인들이 상주하면서 삼엄한 경계를 하는 곳이었다. 특히 회기 중일 때는 병력이 증원되어 물샐틈없는 경비… 라고 말하면 허세고, 예산과 인력이 허용하는 선 안에서는 삼엄한 경비를 보여주었다.

그 정도만 해도 총기가 풀려 있지 않은 대한민국에서는 훌륭한 저지력을 보여주었다. 많은 사람이 농담 삼아서 국회를 불질러야 한다느니 정치가는 믿을 수 없다느니 말하고 있지만 정작 정치가만큼 일반 폭력이나 폭거에서 안전한 직업이 없는 것은 이 때문이었다.

그들의 존재 자체가 공권력의 상징이고 그렇기 때문에 그들은 국가의 보호를 받는다.

국회대로 앞에 소위 닭장차라고 부르는 전경 버스가 놓여 있는 건 그래서 당연했다. 그런데 이날은 그 태도가 확 달라졌다.

무수히 많은 병력이 꾸역꾸역 거리를 메우고 있었다. 이 정도라면 흔하다. 그러나 이번엔 병력의 질이 다르다. 수도방위사령부의 대테러 부대가 진을 치고 있고 진압용 장갑차, 살수차, 연막차 등이 즐비하다. 차량 진입을 방지하기 위한 바리케이드와 스파이크가 이중, 삼중으로 펼쳐져 있고 도로의 차량 진입은 검문소를 통해서만 지날 수 있게 해서 인근의 교통 상황은 최악으로 치달았다.

그렇지 않아도 막히는 길이다. 그런데 왜 이런 최악의 교통 상황을 각오하고 이런 일을 벌이는가?

행정부의 과민 대응에는 물론 그 이유가 있었다.

약 18시간 전…….

자신이 한세건이라 주장하는 이의 테러 예고가 영등포 경찰서 창문을 깨고 날아들었다. 테러 예고는 영등포 경찰서와 각 방송국, 신문사에 일괄적으로 보내졌다.

"어린애들을 모아서 국회의사당과 여당 당사를 공격한다라… 멋진 미친 짓이다만 내가 더 미쳤지."

한세건은 엑토플라즘 마스크로 얼굴을 바꾸고, 아무런 무장도 없이 양복 차림으로 여의도 공원에서 사태를 주시하고 있었다. 서현 역시 엑토플라즘 마스크를 쓰고 그의 곁에서 혀를 내둘렀다.

"아니, 보통 이렇게까지 하나?"

서현은 한세건의 방식에 기막혀했다. 어린아이들을 뱀파이어화, 혹은 다른 비약으로 강화시켜서 국회의사당과 여당 당사를 공격하려 하는 저 정신과 의사에 맞서서 한세건은 자신을 노출시켰다.

물론 아주 약간이고 세건이 보낸 정보를 역추적한다 해도 세건을 잡을 수는 없으리라. 인간들이 이해하지 못하는 마법의 힘을 빌리면 모든 과학수사로부터 쉽게 도주할 수 있으니까. 그렇다고는 해도 고작 경비를 강화시키기 위해서 자신이 위험해지는 걸 기꺼이 감수한 것이다.

"국회의사당 따위 불탈 필요가 있다고 생각하지 않아? 왜 우리가 이걸 막아야 하는 건데?"

서현은 그 점에 불만을 가졌다.

"한국에서 얼마나 살았다고 국회의원에 대해서 그렇게 불신을 품고 있어?"

"무슨 허튼소리를 하는 거야? 기본적으로 국회의원이라는 것들은 부패하게 되어 있어."

서현은 여러 청렴결백한 정치가가 들으면 섭할 소리를 아무렇지도 않게 내뱉었다.

"난 뱀파이어 놈들이 하는 짓에 어깃장을 놓는 거라면 그게 인류를 구할 백신을 만드는 일이라도 방해할 거다. 국회의사당과 여당 당사를 공격하는 건 매력적인 일이지만 그 주체가 뱀파이어인 게 문제지."

한세건도 인류를 구할 백신을 운운하는 걸 보니 국회의사당을 태워 버리는 데 내심 찬성하고 있는 모양이다. 서현이 그런 세건을 보고 비난했다.

"정말 지독하게 꼬였군. 아, 하긴. 아까 전에 자기가 더 미쳤다고 자랑했지? 저런 애들이랑 누가 더 미친 놈인지 다투고 싶을까?"

"…애초에 국회의사당을 불태우는 걸 선이라고 생각하는 시점에서 너도 꼬였어."

"아니, 나는 음… 쾌적하게 꼬여 있지. 어쨌거나 병력은 꽤 늘고 있고 저기 경찰들도 우리를 과연 몇 차례나 보고 있… 아, 젠장."

경찰이 서현과 한세건에게 다가왔다.

"저, 죄송합니다만 신분증을 좀 볼 수 있을까요?"

"불심검문입니까?"

"협조해 주십시오."

경찰들은 별다른 권한 없이 신분증을 보여달라고 하고 있었다. 원래대로라면 경찰은 자신의 소속과 신분을 제시하고 무슨 혐의 때문에 검문에 응해달라고 요청해야 하지만 여기서 괜히 엉겨봤자 말이 안 통한다. 절차대로 하자고 요구하는 건 경찰에게 '시비'로밖에 보이지 않는다.

한세건과 서현은 즉시 신분증을 꺼내어 보여줬다.

"……."

경찰들은 서현과 한세건의 신분증을 검사하고 조회에 넣었다. 잠시 후 그들은 얼굴을 찌푸렸다.

"지방세 체납하셨네요. 두 분 다."

"…아휴. 먹고살기 바쁘다 보니까. 왜요? 설마 그걸로 잡아가시게요?"

평소 한세건 말투가 아니지만 지금 한세건은 좀 나이 들어 보이는 가면을 쓰고 있었다. 말투까지 능글맞자 경찰들은 경계심을 풀었다.

"아, 아닙니다. 그냥."

경찰들은 큰 의심을 품지 않고 위조 신분증을 돌려주었다. 한세건은 오히려 옆에 끼고 있던 서류 가방에서 팸플릿 하나를 꺼내서 경찰들에게 주었다.

"그럼 경찰분들 이거 좀 받으세요. 저희 회사가 최근 신제품을 개발했는데 이게 나사에서 검증받은……."

"……."

경찰들은 그 순간 '이러니까 지방세를 체납하지' 라는 딱한 표정으로 서현과 한세건을 바라보았다. 한세건은 남의 얼굴 가죽이라 그런지 무표정하게 그런 시선을 받아넘기고 해괴한 음식물 쓰레기 처리기 팸플릿을 떠넘겼다.

경찰들은 시체에 달려드는 하이에나처럼 왔다가 살충제 피해 도망치는 바퀴벌레처럼 사라졌다.

"…능숙한데?"

서현이 혀를 내둘렀다. 한세건은 다시금 평소의 냉랭한 태도로 돌아왔다.

"원래 사람들 내쫓는 데는 세일즈가 제일이지. '도를 아십니까' 도 있고. 자, 그나저나 꽤 경계가 삼엄해졌는데 어떻게 나올까?"

"정상적이라면 당연히 피하겠지. 결행일이 오늘로 되어 있는 것도 아니고 좀 넉넉하게 잡혀 있었는데 왜 오늘 일을 벌일 거라고 생각한 거야?"

"우리가 병원을 뚫고 들어갔으니까. 거기에다가 설령 이렇게 경계가 삼엄해졌어도 조직 구성이 어린아이 위주로 되어 있다면, 결행일을 뒤로 늦추진 않을걸? 그런 짓을 했다간 조직이 와해될 테니까. 정신과 의사의 리더십은 아이들을 거의 광신도로 만든 것처럼 보이지만 한 꺼풀 벗겨보면 위태롭기 짝이 없는 조직이라는 건 스스로 잘 알고 있겠지. 결행일을 늦추느니 오히려 당길 거야."

목숨을 던지는 테러 활동의 경우 사전에 결행일이 알려졌어도 그대로 강행하는 경우가 많다. 죽음을 한번 각오했었는데 그 죽음의 문턱에 들어갔다가 돌아오게 되면 마음이 쉽게 바뀌게 된다. 그제야 목숨의 소중함을 알고 위험한 짓을 자제하게 되는 것이다. 어린아이들을 선동해서 이끄는 조직이라면 더더욱 그러하다.

"그런가? 난 잘 모르겠는데? 보통 소년병을 다룰 땐 마약하고 입단 의식을 치러서."

한세건보다 훨씬 안 좋은 지역을 살아본 서현으로서는 실감이 가지 않는 말이다. 용병 집단이 소년병을 거둬들일 땐 철저히 마약에 중독시켜서 자신들의 노예로 만들고 여자를 강간하게 하거나 인육을 먹이면서 스스로를 인간이 아니라고 여기게 만드는 게 일상다반사였다. 한세건은 저들을 소년을 이용한 테러 조직으로 보고 있고, 서현은 소년을 이용한 용병 집단으로 보고 있으니 시선에서 차이가 날 수밖에 없다.

"…그 정신과 의사가 너처럼 막장 세계를 돌아다닌 용병은 아닐 테니까. 내 쪽이 맞을 거다."

한세건은 그렇게 단언하고 캔 커피의 뚜껑을 땄다. 서현은 투덜거리며 편의점에서 산 냉동 햄버거를 먹는다.

'이 자식… 이거 정말 좋아하네. 이제 내 덕에 거지꼴은 면했을 텐데 돈이 없어서 사 먹는 건 아니지 않나?'

본인은 햄버거를 좋아한다는 게 구(舊)동구권 출신이 서방세계에 지나친 환상을 품고 있는 옥시덴탈리즘이라고 생각해서 아니라고 하고 있지만 옥시덴탈리즘을 가지고 있는 게 맞는 것 같다. 말하자면 한류 좋아하는 일본인 아줌마가 생각하는 한국의 이미지와 실제 한국인들이 느끼는 한국이 다른 것, 그런 것을 알면서도 어쩔 수 없이 환상을 품어버리는 처지라고 할까?

"그럼 여기서 계속 실행하길 기다릴 건가? 며칠 내내 계속?"

"뭐, 그 정도 잠복이야 스나이퍼에겐 기본 아닌가?"

한세건이 반문하자 서현이 코웃음 쳤다.

"그러다 허탕 치면 귀한 시간을 낭비하잖아?"

별로 그런 것 같아 보이진 않는다. 서현은 공원 풀밭에 앉아 편의점 햄버거를 먹으면서 핸드폰을 꺼내 만지작거리기 시작했다. 그런 서현을 무시하고 세건은 생각에 잠겼다.

의사 박우춘의 행적을 보았을 때… 그는 아이들도 증오하고 있을 것이다. 지금 그가 선동하고 있는 아이들은 어린 시절 자신의 모습을 그대로 빼닮은 것이다. 아이의 인성이 파괴되든 말든 공부를 강요하는 부모, 그런 부모와의 관계를 올바르게 정립하지 못하고 그대로 끌려가 인생을 파괴당한 남자, 그는 자신을 끔찍하게 혐오하고 있음에 틀림없다. 그렇기에 자신의 어린 시절과 판박이라 할 아이들 역시 혐오하고 있을 가능성이 높다.

어차피 박우춘은 이 일이 성공하든 실패하든 관심 없다. 증오에 미쳐 있는 자는 일의 성패 그 자체를 크게 중시하지 않는다. 한세건이 뱀파이어 헌터가 되어봤기 때문에 단언할 수 있었다.

저 의사에게는 이 일을 일으키는 자체가 더 중요하다. 그러니 아무리 경계가 삼엄해도 결행할 것이다.

과연…….

빠아앙!

대형 트럭 특유의 우렁찬 경적 소리와 함께 유조차 한 대가 국회대로 앞으로 모습을 드러내었다. 그 유조차 옆에는 노란색으로 전체를 도색한 그랜드 카니발 한 대가 있었는데 겉에는 '파인 영어 학원' 이라고 랩이 씌워져 있었다.

학원차와 유조차, 전혀 어울리지 않는 기묘한 차량 두 대가 짝을 이루어 쏜살같이 달려오고 있었다. 차량 통행을 통제하기 위해서 앞의 길을 좀 비워둔 게 오히려 치명상이 되었다. 유조차가 달리며 바리케이드를 받아버리고 바리케이드 뒤에 설치된 스파이크를 짓밟아 타이어가 다 터졌다. 타이어에 스파이크가 박히면서 바퀴가 회전하지 않고 미끄러진다. 하지만 묵직한 유조차는 그대로 스파이크를 아스팔트에 갈면서 미끄러진다.

"막아!"

"으읍……."

경찰들은 기겁하면서 차량을 준비했다. 하지만 시동이 꺼져 있던 터라 이제 막 시동을 걸어서 저걸 막을 수 없었다. 아스팔트에 불똥을 뿌리면서 유조차가 미끄러지고 그 뒤를 바짝 붙어서 학원차가 들어온다.

덜컹!

유조차가 비틀거리더니 옆으로 쓰러진다. 국회의사당 정면,

T자형 교차로를 밀고 들어가더니 너무나 안 좋게도 경찰들 한 복판에서 유조차 탱크가 터졌다.

휘발유가 쏟아져 나오며 달짝지근하면서도 역겨운 냄새가 확 퍼져 갔다. 깜짝 놀란 경찰들은 즉시 병력을 뒤로 물렸다. 유조차 한 대 분량의 휘발유가 발화하면 무시무시한 일이 벌어진다. 영화에서의 폭발이 무색할 정도의 위력이 나게 마련이다.

그렇게 휘발유가 뿌려지자 경찰들은 투입을 망설였다. 유조차 돌진도 돌진이지만 범죄 성명을 냈던 한세건은 과거 서울 한복판의 외국계 회사 건물을 통째로 폭파시키고 타워크레인을 접어버린 미치광이 폭탄마다. 어설픈 사제 폭탄이나 ANFO 같은 만들기 쉬운 폭약이 아니라 체코 또는 중국군용 TNT나 C4, 셈텍스를 사용하는 위험인물로 판정 난 놈이다.

사건을 벌인 이후 녀석을 동경해 모방 범죄를 벌인 놈들이 얼마나 많았는지 모른다. 이번에도 한세건을 따라 한 모방범일 가능성이 높지만 워낙 과격한 방식으로 성명서를 투척했기에 병력을 배치하지 않을 수 없었다.

아직 저게 한세건인지 아닌지 결정 나지 않았는데 함부로 접근시켰다가 저 안에서 폭발물이라도 터뜨리면 큰일 난다. 이미 휘발유에 인화될까 봐 총도 함부로 쓰지 못하는 상황이 아닌가?

그때… 학원차의 문이 열렸다.

아이들이 뛰어내렸다. 그 모습만 보면 흔한 학원가의 차량 같았다. 차 안에서 내려서는 아이들은 많아봐야 10대 초반, 중학생이 가장 나이 많은 아이였다. 그러나 보통 학원에서 하교하는 아이라면 석궁이나 식칼, 쇠파이프를 철사로 묶어 만든 창, 소방용 도끼 같은 흉흉한 물건을 들고 있진 않을 것이다.

경찰들이 잠깐 당황하는 사이… 한 발의 궁시가 그대로 경찰의 팔에 꽂혔다.

“아악!”

“이…….”

놀란 경찰들이 진압방패와 총화기를 들었지만 휘발유가 번지는 지역 내에선 총을 쓰지 못한다. 그사이 아이들이 믿어지지 않는 빠르기로 달려들어 경찰들을 덮쳤다. 어설프게 무장한 어린아이들이라고 얕잡아 볼 게 아니다. 그냥 인간 아이라고 해도 장대에 식칼을 묶은 무기는 사람을 죽이기에 충분한데 하물며 이들은 뱀파이어다.

식칼창과 도끼가 순식간에 경찰들의 저지선을 으깨고 부쉈다. 당황한 경찰들은 이도 저도 못 하고 우왕좌왕하고 있었다. 살수차가 물을 뿌리기 시작하자 유조차에서 쏟아지던 휘발유가 물을 타고 빠르고 넓게 퍼져 나간다.

“하지 마! 이 자식들아! 기름에 물 뿌리라고 누가 가르치던!”

전경 차량을 지휘하는 지휘관이 욕설을 퍼부었지만 살수차는 발작적으로 물을 쏘아냈다.

“뭐, 너 경찰대학 몇 기야? 지금 여기서 물 안 뿌리면 없던 화학방제차가 떡하니 나타나냐?”

“서, 선배님. 그래도 물은…….”

“나랑 노가리 까지 말고 저 악귀 새끼들이나 막아!”

살수차 지휘 차량 쪽이 기 싸움에서 이겼다. 그사이 한 대는 유조차를 식히려(?) 물을 부어대고 있었고 다른 한 대는 무장한 아이들에게 물을 뿌려 그들을 제압하려 했지만 소용이 없었다. 아이들은 물줄기를 피해내며 오히려 도끼를 던져 살수차를 움직이던 경찰의 머리에 길쭉한 손잡이 하나를 장식해 주었다.

푸확!

피가 분수처럼 뿜어져 나오며 사람이 축 늘어졌다. 촉법소년들에 의한 살육 장면을 본 전경들은 너무나 비현실적인 그 모습에 기겁했다. 마치 옛날 영화 그렘린(1984)의 한 장면 같았다.

경찰 병력들은 도저히 이 사태를 막을 수 없었다.

"…퇴각시켜. 경찰들도 빼! 휘발유를 피해서 국회 안뜰에서 상대한다!"

수도방위사령부, 대테러 태스크포스의 팀장 권영수 중령은 병력을 휘발유로부터 물려 차라리 국회 안뜰에서 승부하는 게 낫다고 판단했다. 그러나 영등포서의 전경 부대들은 물러서지 않았다. 국회대로에서 막지 못하고 안뜰까지 들어올 경우 수도방위사령부에 모든 상황이 이관되기 때문이었다.

이것은 군인과 경찰을 무능하다고 비난할 일이 아니었다. 상대는 뱀파이어, 인간의 한계를 뛰어넘은 놈들이고 원래 공격하는 쪽이 방어하는 쪽보다 훨씬 유리하다. 또 아무리 상대가 한 세건의 이름을 팔아 범행 예고를 했다고 해도 이미 이런 모방 범죄는 많이 있어왔다. 그때마다 지휘 체계를 군대에 이관하고 군인이 주공(主攻), 경찰이 조공(助攻)으로 군경합동작전을 펼칠 수는 없다.

그래도 만약 작전 계획대로 적의 공격을 방어했다면 서로서로 영역을 침범하는 일도 없었을 것이다. 하지만 모든 작전은 실전 개시 오 분 안에 쓰레기통으로 직행하는 법.

권영수 중령은 올바른 판단을 내리고 병력을 이동시켰지만 경찰들까지 자신의 뜻대로 움직일 수는 없었다. 그리고 그것이 곧 끔찍한 비극으로 이어졌다.

"하하하, 너무 쉽군. 너무 쉬워! 이렇게 쉬운 걸 왜 인간이던 시절에는 그렇게 어렵게 생각했지?"

유조차의 운전석에서는 성인 남자 한 명이 걸어 나왔다. 그는 바로 이 아이들을 약물로 세뇌시킨 블랙라벨 스터디그룹의 리더, 박우춘이었다. 박우춘은 성냥으로 불을 붙이고 담배를 입에 물었다.

"켁… 콜록콜록… 으……."

담배를 피워본 적 없던 그가 기세 좋게 연기를 빨아들이다 기침을 시작했다. 뱀파이어가 된 그의 몸은 이전과는 비교할 수 없을 정도로 터프해졌지만 그렇다고 해서 못하던 담배를 잘하게 되는 것은 아닌 것 같다. 그는 투덜거리며 차량의 문짝을 뜯어내 방패로 삼고 그 너머로 불붙은 담배를 던졌다.

"자, 보라고. 하하하."

퍼엉!

이미 공기 중에는 기화된 가솔린이 공기와 한껏 섞여 있었다. 마치 점화 직전의 자동차 실린더 같다. 박우춘 씨가 성냥에 불을 댕길 때 이미 터지지 않은 게 신기할 정도다. 박우춘 씨가 불붙은 담배를 던지자 번쩍이는 섬광과 함께 폭염이 치솟아 올랐다.

당연히 폭풍과 폭염이 박우춘 씨를 덮쳤다. 박우춘 씨가 들고 있던 차량 문짝은 허망하게 날아가고 판금 위의 페인트가 타들어갔다. 유조차는 흔적도 없이 날아가 버렸고 대치하고 있던 경찰차들에도 불이 옮겨 붙었다. 하지만 그 불기둥 속에서 박우춘 씨는 멀쩡하게 서 있었다.

뜨거운 열기가 피부를 태우고 있지만 그보다 더 빠르게 상처가 재생되고 있었다. 물집이 잡히고 타들어가는 피부 안쪽에서 새살이 쑥쑥 돋아나서 금세 자리를 바꿨다. 마치 벗겨도, 벗겨도 끝없는 껍질처럼 피부가 허물어지고 재생이 이뤄졌다.

"하… 하하하하."

박우춘 씨는 전혀 고통을 느끼지 않았다. 오히려 자신의 파괴와 재생을 즐겼다.

"자, 애들아… 소총을 들어라. 안뜰로 들어가 볼까? 이거 참. 슬프군. 회기에 열심히 출석한 의원들만 봉변을 당하게 되었으니. 하지만 우린 국회의원이 악하다고 해서 징벌하는 게 아니다. 우리가 징벌하는 건 이 사회 자체란다."

이미 정신과 의사보다는 사이비 종교 교주가 더 어울리게 된 박우춘 씨는 불타오르는 유조차에서 뛰어내려 국회를 향해 걷기 시작했다.

"뭐……."

바닥에 쓰러졌던 권영수 중령은 그 모습을 보고 기겁했다. 그의 부하들이 모두 넝마처럼 널브러져 있고 미처 피하지 못한 경찰들도 심각한 부상을 입었다. 누군가의 귀한 아들들일 전경들이 화상을 입고 쓰러져 있고 닭장차가 옆으로 넘어졌다. 차들에 옮겨 붙은 불이 2차 피해를 낼 위험도 컸다.

어서 빨리 이 사태를 추슬러야 하는데… 저 불타고 있는 괴물 놈은 빠르게 상처가 회복되고 있었다. 지금 그가 미친 게 아니라면 저것은 초자연적인 괴물이다. 상상력이 지나친 이들의 망상이나 괴담에서나 나올 법한 괴물이 저런 실체를 가지고 국회의사당에 돌격하다니?

"이 노땅들 살아 있네?"

그런 권영수 중령의 귀에 천진난만한 어린아이의 목소리가 들려다. 아이의 목소리지만 그걸 듣는 순간 권영수 중령은 자신이 아이들 손에 잡힌 잠자리 신세가 되었다는 걸 깨달았다.

키득키득 웃는 아이들이 쓰러져 있는 권영수 중령에게 손을 뻗어왔다.

"으윽!"

놀란 권영수 중령이 권총을 꺼내서 응사했지만 아이들에겐 소용이 없었다. 가솔린을 맞아 불타도 끄떡없는 아이들이 소총탄 정도에 저지될 리가 없다.

그런데 그때였다.

퍽!

권영수 중령에게 다가온 아이 한 명이 마치 차에 치인 것처럼 붕 떠서 옆으로 6미터가량 날아갔다. 아이는 한 발로 땅을 지탱하고 몇 걸음 더 주춤거리며 몸을 정지시켰다.

"으음?"

놀라서 옆구리를 본 아이는 자신의 허리에 커다란 구르카 나이프가 박혀 있는 걸 보고 눈썹을 찡그렸다.

"뭐야?"

골반을 썰고 박힌 구르카 나이프가 치골까지 절단해 들어왔다. 하지만 이 아이의 재생력은 비범하다. 무엇보다 지금은 고통도 느끼지 않고 있었다.

"흥."

아이는 투덜거리며 자신의 허리와 골반을 아작 낸 구르카 나이프를 잡고 뽑아 들었다. 다른 아이들은 칼이 날아온 방향을 바라보았다.

그곳에는 유원지 같은 데서 파는 플라스틱 가면을 쓴 남자가 서 있었다. 엑토플라즘 마스크로도 부족해서 그런 조잡한 가면까지 뒤집어쓴 서현이었다. 그는 자신의 공격에 끄떡없는 아이들을 보고 혀를 찼다.

"통각을 차단할 정도로 능숙해졌나."

진마에 가까운 VT를 갑자기 얻게 되었다 해도 통증은 그대로 살아 있다. 오래된 뱀파이어들은 필요에 따라 통증을 차단하고 신경계가 절단되어도 몸이 움직이도록 하는 영적인 능력, 즉 신경계 손상을 뛰어넘는 바이패스 능력을 갖게 되는데 저 아이들이 벌써 그 경지에 도달한 것일까? 과거 서현에게 덤벼든 암살자들은 새로이 얻은 힘에 취해 자신이 진마와 대등하다고 주장했지만 그건 자연히 주어지는 재생력만 그럴 뿐, 모든 면에서 자신의 잠재력을 끌어내지 못하고 있었다.

그런데 이 아이들은 그 잠재력 중 일부를 믿어지지 않는 단시간에 개발해 낸 것이다. 그렇게 생각하면 향후 등장할 적들의 위협은 라이칸스로프의 왕자라는 서현도 경시할 수 없는 것이다.

이 조직은, 그러니까 저 블랙라벨 스터디 클럽이 아니라 저 의사를 부추긴 놈들의 조직은 위험하다. 한세건은 저들 너머에 보이는 조직의 위험을 느끼고 전율했다.

"당신들 피해. 이건 당신들이 감당할 수 있는 일이 아니다."

한세건은 쓰러진 권영수 중령을 일으켜 세우고 다른 군인과 경찰들에게 물러나라고 손짓한 뒤 아이들을 향해 걸어갔다. 조잡한 무기로 무장했던 아이들의 손에는 어느새 군경으로부터 빼앗은 총화기가 들려 있었다. 일반적인 풀메탈재킷은 재생 능력자들에게는 별문제가 아니지만 인간 헌터인 한세건에게는 위험하다.

본래라면 절대로 정면 승부 하지 않고 원거리에서 저격총 등으로 상대하겠지만 지금 상황은 좋지 않다. 과연 괜찮을까?

한세건이 약간 꺼려 하고 있을 때였다.

"얘들아."

마치 어린이 TV 프로 진행자의 목소리처럼 자상함을 과하게 담은 말투로 서현이 말했다.

"너희가 매우 힘들다는 건 이 형이 다 이해하고 있단다. 너희에게도 힘든 사정이 있고 사연이 있겠지."

서현이 그렇게 말하자 아이들이 눈을 등잔만 하게 떴다. 한세건도 어이가 없어서 눈을 크게 떴다. 이 녀석이 지금 미쳤나? 갑자기 감수성이 수소폭탄처럼 폭발해서 버섯구름을 피워 올리는 것도 아닌데 왜 무장한 뱀파이어 아이들에게 갑자기 그런 소리를 하는 건가?

"하하하. 와, 아저씨 뭔가 되게 창의적인 목숨 구걸이네요."

"나 정했어. 저 사람은 진짜 끔찍하게 죽일 거야. 그럼 더욱더 창의력이 번뜩이는 개소리를 들을 수 있을 거 아냐?"

"크크크."

아이들은 오히려 서현의 말에 자극을 받고 의욕을 불태우고 있었다. 그러나 서현은 가면을 쓴 채로 히죽 웃었다.

"그러니까… 음… 너희 중 한 놈만 남기고 다 죽일게. 슬프고 애석한 사연을 밝힐 기회는 마지막 한 놈에게만 준다. 사실 알고 보면 이 녀석도 좋은 녀석이었어~ 그런 건 한 놈만 남았을 때 좀 더 극적이지 않겠니?"

"……."

그 순간 잠시 정적이 흘렀다.

모두들 서현이 대체 무슨 소리를 하는지 이해하지 못했다. 충격적이고 위협적인 소리였는데 그게 진담인지 농담인지 모를 담담한 어조로 흘러나왔기에 다들 당혹스러워했다. 심지어 한세건도 서현이 대체 뭐라고 했는지 잠시 생각해 봐야 할 정도였다.

그 정적을 꿰뚫고 라이칸스로프의 왕자가 아이들 사이로 쇄도했다.

김명준은 아무리 학원을 다녀도 도저히 집중할 수가 없었다. 이제 막 초등학교 5학년인 아이에게 아침 9시부터 밤 10시까지 집중력을 유지하라는 요구 자체가 무리한 일이었지만 명준이는 하지 않을 수 없었다. 부모님이 어려운 환경 속에서도 값비싼 학원비를 들이며 얼마나 고생하는지 어린아이인 그조차 잘 알 수 있었기 때문이었다.

부모님에게 버림받을지도 모른다는 막연한 불안감 때문에 명준은 되지도 않는 공부를 열심히 했다. 영어를 공부하고 중학교 과정, 고등학교 과정을 미리 공부하니 정작 본수업은 너무나 단순해서 학교에서 모자란 잠을 보충하게 되었다. 학교 선생은 그런 명준의 태도를 마음에 들어 하지 않았고 그럴 때면 명준의 부모님이 찾아와서 담임선생을 면담하고 갔다.

이제 겨우 11살 남짓한 아이에게 인생은 이미 너무 힘들었다. 앞으로 수십 년의 인생이 남아 있는데 그 남아 있는 인생 모두가 이런 식으로 흘러갈 거라는 생각을 하니 어린 나이임에도 불구하고 회의가 들었다. 초등학생 때도 수업에 쫓기고 중고등학교도 그럴 것이다. 대학생이 되면 취업 준비를 위해서, 취업 이후에는 살아남기 위해서, 계속 이렇게 몸이 달아올라야 할 것이고 그 레일에서 한 발 삐끗하기만 해도 떨어져 나갈 것이다.

자기만 이런 게 아니라 다른 아이들도 이런 가혹한 레이스를 버티고 있는 게 무섭다. 이미 자신은 몸과 영혼이 부서지는 것 같은 기분인데 다른 아이들은 이걸 버텨낸다. 그가 여기서 낙오하면 다른 아이들은 쭉쭉 나아가겠지. 몸이 부서지게 버텨봤자 우위를 점하지 못하고, 그만둬 버리면 바로 낙오해 버린다는 게 너무나도 무서웠다.

무섭고 힘든데 부모나 다른 누구도 믿을 수 없을 때 박우춘이라는 이 정신과 의사가 말했다.

레일을 아예 파괴해 버리자고.

그리고 처음으로 그 힘을, 레일을 파괴할 초자연적인 힘을 손에 넣었을 때 김명준은 그동안 자신이 얼마나 가볍고 하찮은 것에 매여 있었는지 깨닫게 되었다. 이렇게나 별 볼 일 없는 것에 묶여 있었으면서 그게 아니면 세상이 멸망할 것처럼 벌벌 떨었다니… 과거의 자신이 한심하게 느껴졌다.

명준은 자신에게 주어진 힘을 마음껏 휘두르며 그동안 자신을 학대하던 모든 것에 그 책임을 묻기로 결심했다. 뭐, 좋아. 국회의사당을 불태워 버려도 그들은 지금 현행법상 처벌할 수 없다. 민사상의 책임? 그런 건 어찌 되어도 좋아. 돈 따위는 신외지물이다. 압도적인 폭력으로 고위 관료, 정치인, 기업인들을 파리 목숨처럼 죽여 버릴 수 있는 위치는 제아무리 열심히 공부해서 사회의 톱니바퀴가 되려고 애써도 얻을 수 없는 지위가 되리라.

그렇게 자신을 합리화했는데…….

그의 눈앞에 그보다 더 압도적인 힘이 나타났다.

콰직!

서현의 발차기가 촉법소년 김명준의 치골을 걷어찼다. 골반이 깨지고 발차기가 몸통을 찢어 턱까지 치밀어 올랐다. 발차기로 사람을 아래에서 위로 장작 쪼개듯 쪼개 버린 것이다.

"막아봐라!"

서현은 맹수가 으르렁거리는 것처럼 외치며 주먹을 날렸다. 다른 아이가 반사적으로 그 공격을 막았지만… 순간 펑 하고 폭음이 터져 나왔다.

후드드득…….

피와 살점이 바닥에 흩뿌려졌다. 막은 아이는 멀쩡히 눈 뜬 채… 자신의 팔과 몸통에서 살점이 통째로 발려 나가고 뼈만 위태롭게 서 있는 꼴을 봐야 했다.

"어……."

'어떻게?' 라고 말하고 싶었지만 아이의 말은 이어지지 못했다. 찢어진 폐부에서 공기가 빠져나가며 말을 할 수 없게 된 것이다. 비약의 힘 때문에 통증을 느끼진 못했지만 그렇기 때문에 더 두렵고 경악스러웠다.

맨정신으로 자신의 몸이 해체되는 걸 봐야 했으니!

"쏴!"

아이들이 너 나 할 거 없이 소총을 쏘았다. 그러나 서현은 방수포를 휘둘러 총탄을 막아냈다. 이는 서현의 특수 능력이지만 그걸 모르는 아이들은 아무리 소총을 쏴도 상대가 끄떡없다고 생각했다. 하긴 자신들도 재생 능력으로 총탄에 아무런 영향을 받지 않는데 그들을 찢어발기는 적이 총탄에 빌빌거릴 거라고는 생각되지 않는다.

게다가 서현은 방금 자신의 일격으로 무력화된 아이들의 몸을 번쩍 집어 들어서 총격에 대한 방패로 썼다. 뱀파이어의 질긴 근육, 튼튼한 육체는 소총탄에도 상당한 방호력을 제공했고 그럼에도 불구하고 소년을 관통하고 들어온 총탄은 다시금 서현의 외투에 맞고 미끄러졌다.

"윽……."

아이들은 그 끔찍한 행동에 기가 막혀 했다. 그들도 무참하게 경찰과 군인들을 살해했지만 그것이 어디까지나 인간적인 행동이었다면 서현은 그야말로 괴물들의 싸움이 뭔지 보여주었다. 그들의 총격이 잠시 느슨해지자 서현은 손에 들린, 아직도 상처의 재생이 덜 끝난 아이의 척추 부분을 잡더니…….

우드득!

허리를 찢어 두 동강 내버리고 상반신은 왼쪽으로, 하반신은 오른쪽으로 따로따로 집어 던져 버렸다. 아무리 통각을 차단했다 해도 호흡기가 찢어져 공기 중에 노출되면 호흡곤란에 시달리게 된다. 횡격막으로 폐의 수축과 팽창을 해주지 않으면 폐가 있다고 해도 호흡이 불가능해지는 법. 두 동강 난 채 숨이 막혀서 꺽꺽거리는 모습은 당사자보다 보고 있는 이들을 더 괴롭게 했다.

"……."

아이들의 안색이 새파랗게 질려 버렸다. 그 와중에도 서현은 유원지에서나 팔 법한 싸구려 플라스틱 가면을 쓰고 우아하게 팔을 내밀어 아이들에게 덤벼보라고 손짓했다. 이미 서현은 정신적인 우위를 점했다. 아이들의 사기는 완전히 꺾여 버렸다.

"젠장!"

아이들은 서현에게 소총이 무용지물이라고 생각하고 총을 내려놓았다. 그때…….

펑!

다른 한 아이가 쓰러졌다. 아니, 쓰러졌다는 표현은 어울리지 않는다. 지면에 발목 두 개만 남고 나머지가 어디론가 사라져 버린 것처럼 보였다.

"후… 애들 괴롭히는 자격증이라도 발급받았냐? 이런 데는 능숙하군."

한세건이 비스트를 빙글 돌리며 탄을 재장전했다. 후장식 유탄 발사기처럼 생긴 이 총은 일반 권총탄이나 소총탄보다 훨씬 큰 특수탄을 쓰는 주술적인 총으로, 성자의 뼈로 만들어진 해머와 공이치기, 마법 핵이 심어져 있었다.

"읏!"

비스트의 위력에 놀란 아이들이 몸을 떨었다. 맞은 아이의 몸이 아예 산산조각 나는 거나 재생이 늦은 걸 보니 보통 총이 아니다.

"이 녀석… 아니, 이들이 바로 그 병원에 침입한 자들이……."

"맙소사."

지금까지 아이들은 자신들에게 갑자기 주어진 힘에 취해 무서운 게 없었다. 막 뱀파이어가 된 사람들이 겪는 공통적인 정신 상태라고 할 수 있다. 하지만 이윽고 깨닫게 된다. 이런 힘을 가진 게 자신들만이 아니고, 때로는 더 강력한 적도 있을 수 있다는 걸 알아차렸을 때는 이미 늦었다.

끔찍한 경쟁에서 도피해서 월야의 세계로 왔지만 이 세계에서도 아이들은 최하층, 테트라 아낙스의 율법을 어긴 아웃로다. 뱀파이어들에게도 보호받지 못하고 뱀파이어 헌터들에게는 당연히 표적이 된다. 이들을 뱀파이어로 만든 의문의 조직도 사실 이들을 이용하기 위해서 접근했으니 여기 아이들은 철저히 희생양이다. 그 사실을 이제야 깨달은 아이들은 당황해서 자신을 이곳으로 이끈 목자, 박우춘 씨를 돌아보았다.

"서, 선생님!"

하지만 선생과 아이들 사이에는 불꽃의 강이 흐르고 있었다. 불꽃의 강 이남과 이북, 그 남쪽의 아이들은 수수께끼의 적으로부터 어떻게든 스스로를 구원해야 했다.

"우리가 더 많아! 다 함께 뛰어들면 질 리가 없어!"

아이들은 그리 외치고 서현과 한세건에게 뛰어들었다.

'으이구. 이 가련한 것들…….'

서현은 혀를 찼다.

총화기를 불신하고 육탄전을 거는 건 재생 능력자 간의 전술로서는 당연한 일이다. 뱀파이어나 재생 능력자를 잡기 위해 디자인된 셀룰러나 프랙 할로우 포인트 탄 같은 것도 육탄전에 비하면 그 손상이 미비하니까.

그러나 문제는 이것이 아이들이라는 것이다.

퍽!

한세건은 자신에게 덤벼드는 아이의 공격을 간단히 밀어차기로 차단하고 아이의 머리를 잡고 비틀며 아래턱에 니킥을 찍어넣었다. 니킥이 단번에 아래턱을 부수고 두개골까지 으깼다. 키차이, 리치 차이가 워낙 심하게 나니 근육 단위면적당 출력에서 뱀파이어 아이들이 더 세다고 해도 무용지물이다. 한세건도 이미 일반 뱀파이어들 못지않은 신체 능력을 지니고 있고 체중과 리치, 그리고 그 리치에서 나오는 지렛대 원리에 의한 파괴력은 압도적이다.

아무리 월야의 율법을 무시하는 아웃로 뱀파이어들이라 해도 이런 어린아이들을 혈족으로 만드는 건 꺼려 하는 법인데, 테트라 아낙스에게 이빨을 들이댄 것들은 그런 최소한의 도의조차 저버렸다. 아무리 VT가 높아져도 짧은 팔다리가 길어질 리는 없으니까 리치 차이, 레버리지 차이를 극복할 수가 없다. 이런 아이들이 산전수전 다 겪은 서현과 한세건에게 육탄전으로 싸움을 걸다니…….

철컥!

게다가 한세건은 도검으로 무장하고 있다. 밀어차기에서 캐치 니킥 콤보로 상대를 박살 냈음에도 불구하고 한세건은 방심하지 않고 다시 밀어차기로 상대를 밀어내고 도검을 빼 들었다.

"녹티스……."

그 순간 검날에 검푸른 영기가 서렸다. 아예 녹티스의 핵을 도검이 아니라 자신의 몸으로 옮긴 세건은 일반 강철검에 순간적으로 녹티스의 마력을 씌우고 그대로 아이를 일도양단해 버렸다. 니킥으로 머리가 부서졌던 아이의 몸통이 수직으로 일도양단되었는데 재생력으로 단면이 붙지도 못하고 좌우로 깨끗하게 잘려 떨어졌다.

보고 있던 서현이 휘파람을 불었다.

"와, 잔인한 놈. 재주도 좋다."

녹티스는 릴리쓰를 봉인했던 성구에 의해 만들어진 주술핵을 가진 저주받은 검. 그것의 주술핵을 검에 이식하는 게 아니라 아예 몸에 옮겨 버리다니… 서현은 그 모습을 보고 혀를 찼다. 그야말로 칼날 위를 걷는 위험한 짓인데…….

"네놈이 할 말이냐?"

한세건은 도검을 털어내고 비스트를 국회 안뜰로 진입하고 있는 의사에게 겨누었다. 아이들이 의사를 부르고 있지만 박우춘은 힐끗 이쪽을 보더니 비릿한 미소를 띠울 뿐이었다. 불길 너머 그의 미소가 얼마나 야비하고 끔찍했던지 별 관련 없는 세건에게도 흡사 비늘이 번뜩이는 독사처럼 보였다.

박우춘은 아이들의 비명을 무시하고 자신과 함께 있던 아이들과 함께 국회로 진입해 갔다. 유조차가 불타오르면서 거대한 불길의 강이 뱀파이어 아이들을 두 부류로 나누었고 세건과 박우춘 사이에 바로 그 불길의 강이 흐르고 있었다.

"이 자식!"

한세건은 방아쇠를 당겼다.

퍽!

박우춘의 머리를 겨냥했지만 총탄에 맞아 핏물로 변한 건 다른 아이였다. 박우춘의 곁에 있던 아이 중 하나가 몸을 날려서 총탄을 막아낸 것이다. 불길의 강을 사이에 두고 이쪽 아이들은 서현과 한세건의 압도적인 폭력에 노출되면서 그제야 자신의 처지가 어떤지 깨달았지만 저 너머의 아이들은 여전히 박우춘을 신처럼 섬기고 있었다. 사이비 교주에게 충성하는 광신도들을 보는 것 같다.

"이 더러운!"

한세건은 그 모습을 보고 치를 떨었지만 박우춘은 이미 아이들과 함께 회기 중인 국회 안뜰로 진입했다.

남은 아이들은 완전히 저항 의지를 상실했다. 한세건과 서현, 이 두 남자는 그야말로 이런 것들과의 싸움에 익숙할 대로 익숙한 프로였다. 반면 그들은 아이일 뿐이다. 인간의 능력을 뛰어넘은 존재가 되었지만 인간 세상이 아닌 그런 것들의 세상에서 그들은 여전히 신참이다. 여기서는 부모의 보호도 기대할 수 없다. 그 사실을 알게 되었을 때 아이들은 절망하지 않을 수 없었다.

"사… 살려주세요."

누가 먼저였을까? 그 말이 절로 튀어나왔다.

그러자 아이들은 일제히 무너졌다. 박우춘이 그들에게 걸었던 세뇌, 헛된 허세와 욕망은 결국 가짜였다. 촉법소년으로 국회를 공격해 이 국가의 법조 체계를 비웃고 국가 권력을 능멸하겠다는 건 박우춘의 욕망이지 아이들의 욕구가 아니었다.

아이들은 그저… 그들을 목 조르던 여러 상황에서 탈출하고 싶었던 것뿐인데 그 결과가 또 다른 올가미, 그것도 인간의 사회보다 훨씬 더 폭력적인 세계의 올가미라는 건 너무나도 잔혹하다.

상처를 재생시킨 김명준 역시 바닥에 엎드려 애원했다.

"자, 잘못했어요. 저, 저희는……."

그러나 서현은 고개를 절레절레 저었다.

"내가 처음에 말했지? 너희 사연이나 백스토리는 마지막 한 놈 남기고 들어주겠다고."

그때는 농담이나 헛소리라고 생각했던 말이다. 창의적인 목숨 구걸이라고 생각한 이도 있었다. 그러나 지금에 와서는 그게 얼마나 무서운 말이었는지 뼈저리게 와닿는다.

이들은 살육의 프로다. 이런 짓에 이미 닳고 닳은 전문가. 그렇지 않고서는 나올 수 없는 말이 아닌가!

"하… 하지만……."

"우린 아무것도 몰랐어요!"

아이들 중 한 명이 그렇게 외쳤다. 이야기를 들은 김명준은 내심 혀를 찼다. 그런 변명이 통할 상대가 아니다. 오히려 저들을 분노하게 할 것이다. 왜냐면 이 아이들은 이미 경찰들을 쓸어버렸으니까. 많은 경찰과 군인이 죽어 있는데 몰랐다니, 살인이 나쁘다는 걸 몰랐다는 걸 변명이라고 하진 않겠지?

확실히 서현과 한세건은 아무것도 몰랐다는 이야기는 진짜 지나가는 개가 짖는 소리처럼 여겼다.

"우선 너희가 죽인 군경들 시신을 보렴. 몰랐든 알았든 사람이 죽은 이상 장난은 아니야. 그렇지? 그리고, 에……."

서현은 품에서 먹다 남은 편의점 햄버거를 꺼냈다. 한세건의 표정이 일그러졌다.

"그걸 왜 가지고 있어, 미친놈아."

"그럼 남은 걸 버리리? 어쨌거나 너희가 주목할 건 여기 고기 부분이야."

서현은 아이들에게 그 부분을 보여주었다. 그러자 모두 멍한 표정으로 서현을 바라보았다. 이 미친놈이 대체 무슨 참신한 미친 소리를 하려나 궁금해하는 표정이었다.

"소나 돼지가 딱히 죄지었다고 잡아먹는 건 아니잖아. 그렇지?"

"……."

보다 못한 한세건이 한마디 했다.

"닭고기일걸, 그거."

"어? 진짜네. 닭고기랑 대두분리단백… 뭐야, 이거. 실망인데."

포장지에 인쇄되어 있는 성분표를 본 서현이 혀를 찼다.

"뭐, 그러니까 내가 하고 싶은 말은 죄 안 진 생물도 필요하면 죽이는 게 세상이고 너희는 거기에 더해서 죄까지 지어 너무나 죽이는 데 부담 없는 상태란 말이지. 이런 상황에서 너희를 용서해야 할 명분을 좀 그럴싸하게 만들어보라는 거야. 단순히 동정심에 호소하거나 어린 걸 어필하는 정도로는 어림도 없다. 자, 어떻게 그럴싸하게 설득하겠니?"

"……."

아이들은 모두 말문이 막혔다.

정말 참신한 미친놈이다.

모두 그렇게 생각했다, 심지어 한세건도 그렇게 생각했지만 그렇다고 서현의 말이 틀린 것도 아니다. 어린아이들이 잘못했다고 엉엉 울면 사람이라면 누구나 봐주고 싶은 마음이 들 수도 있다. 하지만 아이들이 저지른 잘못은 사라지는 게 아니다.

아이들은 막막해져서 눈알만 굴렸다.

"자, 잘못했어요. 다시는 안 그럴게요."

"아니, 나에게 사과할 필요는 없어. 난 너희를 일방적으로 팼으니까. 너희가 사과해야 할 상대는 내가 아니라 지금 불타고 있는 저 군인과 경찰이지."

어린아이들이 이러지도 저러지도 못하는 걸 보면 마음이 약해질 법도 한데 서현은 들은 체도 하지 않는다.

한세건도 그걸 보고 답답해했다. 지금 이 순간 저 박우춘이란 의사는 국회에 진입하고 있는데 서현은 애들 상대로 이런 짓을 하고 있다.

물론 중요한 이야기다.

만약 여기서 어설프게 뱀파이어를 처형하기 위해서 손을 썼다가 아이들이 뿔뿔이 흩어지면 서현과 한세건 둘만으로는 도저히 다 잡지 못할 것이다.

그렇게 사라진 아이는 어떻게 되는가? 전형적인 아웃로의 길을 걸을 것이다. 도시의 어둠에서 야금야금 사람을 잡아먹다가 결국 폭주하고 뱀파이어 헌터들의 손에 의해 처단되겠지. 그동안 무수히 많은 사람을 해칠 것이다. 그런 상황은 바라지 않는다.

그렇다고 저 아이들이 뭐 개과천선해서 살아나?

그런 건 불가능하다. 일단 뱀파이어가 되어버리면 다시 인간이 될 수는 없다. 그렇다면 저 애들에게 살려준다고 거짓된 희망을 부여해 끌고 가서 어딘가 한적한 곳에 가두어두고 도망치지 못하게 만든 뒤 하나하나 도살할까?

그런 기만책은 한세건 성격에 맞지 않는다.

한세건이 테트라 아낙스와 기득권 뱀파이어 층을 끔찍하게 싫어하는 건 그들이 월야의 세계를 만들고 인간을 기만하고 있다는 이유가 컸다. 그런 뱀파이어들과의 싸움에서 더러운 기만책을 쓰면 세건 자신의 순수성이 훼손될 것이다. 순수함, 순수성이라고 하면 가볍게 여기기 쉽겠지만 뱀파이어 헌터의 삶은 극단적이다. 그 안에서 한번 타협해서 순수성이 훼손되기 시작하면 끝도 없는 추락만이 남아 있을 뿐이다.

아이들을 내버려 둘 수도 없고 단번에 처형할 수도 없고. 이러는 사이에도 국회는 공격받고 있다. 자, 어떻게 결판 지을 것인가?

"먼저 가서 의사나 잡아. 그 의사를 놓치면 이런 애들 다 잡아도 무의미해. 그렇지?"

서현이 한세건에게 먼저 가보라고 손짓했다. 하지만 세건은 망설였다. 아이들을 처리하는 걸 그에게 맡겨도 될까?

"에이, 썅!"

그때 한 아이가 지면을 박차고 몸을 날려 불길의 강을 뛰어넘어 도망치기 시작했다. 그 아이를 향해 서현의 구르카 나이프가 날아들더니 깔끔하게 두 다리를 절단했다. 빠른 속도로 뛰어가던 아이가 아스팔트 위를 미끄러질 때 먼저 날아가던 구르카 나이프가 역회전하더니 마치 부메랑처럼 돌아오는 게 아닌가?

퍽!

나이프에 꽂힌 아이의 몸이 그대로 날아와 불길의 강 안으로 떨어졌다. 그 모습을 본 세건은 혀를 찼다.

"그럼 여긴 네놈에게 맡기지."

국회의사당 안에서는 간만에 출석한 의원들 모두가 당황하고 있었다. 회기 중인지라 각 공중파 방송과 국정 방송 취재진들도 몰려와 있으니 이들 앞에서 황망한 모습을 보여선 안 되지만, 법치국가인 대한민국 한복판에서 이런 일이 벌어질 줄은 아무도 예측하지 못해서 어쩔 수 없었다.

취재진들도 동요하는 기색이 역력했다.

"그 폭탄 테러범이 맞는 거야?"

"그, 그건 모르겠는데. 어쨌거나 일 터진 건 확실해."

취재진들 중 일부는 이미 취재 본부로부터 언질받아 둔 게 있었다. 스스로 한세건이라 자처하는 의문의 테러범에 의한 범행 성명, 하지만 전문가들은 그가 보내온 영상을 보고 한세건의 모방범이라 단정 지었다. 사용하는 용어가 다르고 체격, 골격, 행동 모든 게 미세하게 다르다는 게 그 이유였다.

물론 그것은 한세건이 일부러 혼선을 주기 위해서 만든 것이다. 향후 어찌 될지 모르니 빠져나갈 구멍을 파둔 것이다. 본인이 본인의 모방범인 척하는 건 의외로 쉽다. 보통 성명을 발표하는 범죄자는 자기 과시욕과 어떤 의식에 사로잡힌 광신자이게 마련이다. 그러나 한세건의 경우는 그런 일반적인 범죄자 프로파일과 전혀 다른 성격을 가지고 있으니 전문가들도 그 범죄 성명을 보고 한세건의 모방범이라고 생각하는 걸 비난할 수는 없다.

그런데 지금 이 자리에 있는 의원들에게는 그게 한세건이든 아니든 중요하지 않다.

국회가 폭한들에 의해 침탈당하냐 안 당하냐 그게 중요하지.

"의, 의원회관으로 피하는 게 낫지 않습니까? 본회의장에 모여 있는 건 바보짓인 것 같은데."

"이미 의사당 안뜰에서 총격전이 벌어지고 있는데… 어쩔 거요?"

"그, 그렇다면 여기 남아 있어야겠군요."

"……."

국회의원들은 각 당파와 정당에 관계없이 다들 벌레 씹은 표정이었다. 매스컴이 앞에 있으니 지나치게 당황하는 모습을 보였다가는 정치적으로 치명상을 입을 것이다. 그렇다고 테러범들이 국회를 에워싸고 공격해 오는 걸 마냥 기다리는 것도 사람이 할 짓이 못 된다.

"어, 어떻게 해봐야 하지 않겠소?"

"사, 사무장님이랑 운영관리에서는 뭐 대안이 없소?"

국회의원들의 성화에 못 이겨 의장이 인터폰을 누르고 국회 시설 관리를 담당하고 있는 사무실에 문의해 보았다. 물론 일개 사무실 관리직이 대테러전을 수행할 요령을 알고 있진 않았다. 차라리 군부 쿠데타라면 모를까 이런 불순 세력에 의한 난입이라니?

만약 이들이 현 상황을 잘 이해했다면 국회대로를 피해서 국회의원 모두를 한강 공원 쪽 보도로 탈출시켰을 것이다. 그러나 현재 적의 세력이 어느 정도인지, 공격 방향은 어느 쪽인지 아무것도 모르는 상황이다. 함부로 움직이느니 튼튼한 의사당 건물 안에서 대한민국의 군경이 폭도들을 물리치길 믿고 버티는 게 더 나았다. 무엇보다도 지금 이 상황에서는 누군가 리더십을 발휘할 수 없는 상황이었다.

여당과 야당이 첨예한 대립각을 세우고 있는 지금이다. 국회의장이 의사봉 두들기는 진행자임에도 불구하고 실질적인 권한은 여당과 야당의 총수들에게 있는데 만약 그들 중 어느 한 쪽이 대피나 탈출을 지휘한다고 다른 당파의 사람들이 따를 것 같은가?

다들 그렇게 서로서로 눈치만 보면서 붙어 있을 때였다.

갑자기 총성이 멎었다.

적막이 의사당 회의장 안을 짓누르고 있었다.

텅!

회의장 문이 마치 원반던지기의 원반처럼 날아갔다. 멍하니 근처에 서 있던 보안 요원과 초선 의원 두 명이 문에 맞아 쓰러졌는데 허리가 기묘하게 뒤틀린 게 살아남기 힘들 것 같았다. 그 끔찍한 모습을 보고 모두들 기겁했다.

"아… 모두 여기 모여 계시는군. 다행입니다. 애써 모을 필요가 없어서."

회의장을 향해 걸어 들어오는 남자는 새하얀 가운을 걸치고 있었다. 그의 옆에는 의원 대기실이나 식당, 휴게실에서 쉬고 있던 이들이 소방 호스에 묶여서 굴비처럼 줄줄이 걸어 들어오고 있었다. 그들의 곁에는 어린아이들이 피 묻은 소총들을 들고 걸어 들어오고 있었다.

아이들이 들고 있는 소총 중에는 사람의 잘린 팔이 걸려 있는 것도 있었다.

"네놈들… 지금……."

여당의 보스, 당 대표도 역임했던 원로 의원 한 명이 입을 열었다. 그 순간 흰색 가운 남자의 손에서 뭔가가 날아갔다.

"으어어어어……."

발굽 부러진 황소처럼 저음의 비명을 지르며 원로 의원이 주저앉았다. 그의 허벅지에는 볼펜 몇 자루가 꽂혀 있다.

"아… 황운찬 의원님. 평소 신문에서 많이 보았지. 과연 거물이셔. 이 상황에서 주둥이를 놀려서 매를 먼저 맞는 솔선수범을 보이다니.”

“으윽… 뭐… 뭐가 목적이냐?”

“내 목적? 음, 별거 아닙니다. 아, 얘들아. 지금 여기서 도망치려는 자들이 있으면 모조리 쏴 죽이도록. 아, 방송국 있네. 자, 찍으시오. 혹시 실시간으로 중계되나? 응?”

의사가 방송국 직원들에게 그렇게 물어보았다. 그러자 모두 난감한 표정을 지었다. 방송 중계 차량과 연락이 되면 방송이 중계될 테고 아니면 안 될 것이다. 하지만 이 미친놈이 방송을 마음껏 장악하면 어떤 과격한 그림이 나올지 모른다.

“어리석은 놈. 지금 치기 어린 영웅 심리 때문에 이러는 것 같은데. 국회의원이 무슨 절대악이라고 생각해서 이러는 건가? 이런 치기 어린 짓으로 뭘 어떻게 하겠다고.”

“아, 물론 아니죠. 내가 그렇게 동안도 아닌데 그런 짓을 할 걸로 보입니까? 이거 나도 나이 먹을 만큼 먹었수다. 공부도 할 만큼 했고. 거, 나 의사요, 의사. 먹을 만큼 먹고 배울 만큼 배운 이 시대의 지식인을 무시하시네…….”

“그럼 대체 무슨 생각으로 이러는 건가? 의사당을 공격해서 뭘 하려고? 자네가 이런다고 바뀌는 건 아무것도 없어! 아니, 오히려 나빠질 거네. 우리가 바로 이 나라를 받치는 동량(棟梁)이야! 여기 인재들을 해하면 어디 이런…….”

“하여튼 이 영감탱이 주둥이는 모터를 달았나.”

박우춘 씨는 투덜거리며 황운찬 의원의 허벅지에 꽂힌 볼펜을 밟았다. 황운찬 의원은 너무 끔찍한 통증을 견디지 못하고 까무러쳤는데 실신하는 것과 동시에 실금해 버렸다. 나이가 많고 과거 방광염을 앓았던 병력이 있어서 참지 못한 것이지만 그 모습을 보며 박우춘 씨는 낄낄 웃었다.

"자, 그림 나오는데. 전 여당 당 대표가 지리는 모습이라니… 아, 야당 너희도 뭐 다를 거 없어. 자, 저기서 벽 보고 손 들고 서 있어."

박우춘이 그렇게 말했지만 국회의원들은 멍청히 그 모습을 바라만 볼 뿐이었다. 지금 이 순간 눈앞에서 벌어지는 일을 믿기 힘들었다. 그러자 어린아이들이 들고 있던 총을 무차별 난사했다.

"으아악!"

"꺄아아악!"

의원들과 국회 직원들, 방송국 직원들이 일제히 한 몸이 되어 비명을 질렀다. 그들은 바닥에 엎드려 머리를 숙인 채 비명을 질렀다.

"뭐, 뭐가 목적입니까?"

이번엔 야당 당 대표 조규탄 의원이 물어보았다.

"흠, 뭐일 것 같나?"

"무슨 목적이든 간에 저희가 도울 수 있을 거요. 이런 식으로 무작정 테러를 하지 말고 우선 원하는 바를… 차근차근……."

"어휴, 대가리에 똥만 찼나. 그러니까 너희가 만년 야당인 거야. 지금 총 들고 지랄하는 애들 보고 그런 소리가 나오다니. 미쳤구나. 왜? 네 세 치 혀로 온 세상 다 바꿀 수 있을 것 같아? 법도 주먹도 금배지 앞에서 살살 기니까 아주 제정신 아니지?"

박우춘은 혀를 차며 책상을 걷어찼다. 의사당의 책상은 나무로 만들어져 있어도 그 무게가 엄청난데 마치 스티로폼에 시트지 붙여서 만든 영화판 소품처럼 순식간에 부서지고 날아가 버렸다. 파편이 조규탄 의원에게 튀면서 순식간에 그를 피투성이로 만들어 버렸다.

"좋아. 내가 뭘 하려는지 잘 들어봐. 어이, 방송국, 아가씨. 저기, 거 일어나. 에이. 송유연 아나운서 없나? 비슷하게 생겨서 송유연인 줄 알았더니 아니네."

박우춘은 쓰러져 있던 방송국 직원들을 일으켜 세우고 아이들을 돌아보았다.

"모두들 방송국 직원은 해치지 말도록. 나머지는 뭐… 적당히. 알지?"

그러자 아이들이 고개를 끄덕였다. 국회의원들은 지금 눈앞에서 벌어지는 이 일이 농담이길 빌었다. 하지만 곧 농담이 아니라는 걸 알게 되었다.

국회 앞뜰은 이미 폭풍이 한차례 휘몰아친 꼴이었다. 애써 가꾼 조경은 한여름 폭풍과 진지한 면담을 나눈 뒤처럼 나무가 뿌리째 뽑혀 있었고 준공 이래 줄곧 그 자리를 지켜온 분수대가 부서져 물이 콸콸 쏟아지고 있었다. 그 물이 쓰러진 군경들의 피를 희석시킨다.

의원회관 앞에는 폭동 진압용 경장갑 차량이 뒤집어져서 회관 현관을 막고 있었고 스프링클러가 작동해서 물이 쏟아진다. 국회도서관 쪽에는 시체가 입구에 쌓여 있다. 앞뜰에 진주하고 있던 병력 모두가 공격을 버텨내지 못해 안은 오히려 뱀파이어들에 의해 장악당한 뒤였다.

한세건은 무너진 대리석 파편 뒤에 숨어서 주위를 둘러보았다. 아이 몇몇이 의사당 건물 고지를 점거하고 소총으로 안뜰을 쏘고 있었다. 명중률은 형편없지만 그렇다고 아무 생각 없이 뛰쳐나갔다가는 총탄 맞기 딱 좋다. 의원회관이나 국회도서관에도 올라서 있다면 십자포화를 퍼부을 수 있겠지만 그렇지는 않은 것 같다. 하긴 서현과 한세건이 방금 전 갈라놓은 아이들 수만도 상당하다. 학원차에 가득가득 타고 있었지만 블랙라벨 스터디그룹의 인원은 한정적이고 그 안에서 뱀파이어화가 된 아이들은 더더욱 한정적일 것이다.

“젠장.”

한세건은 무전기를 이용해 민간에겐 금지된 경찰용 회선을 열어보았다. 경찰들은 헬기를 준비하고 있는 것 같지만 현재 강풍이 불고 있고 국회의원들이 인질로 잡혀 있어서 진입하기 힘든 것 같다. 의원회관이나 부설 시설에 있던 사람들이 뱀파이어들을 피해서 탈출하긴 했지만 안의 상황을 전혀 알려주지 못하고 있었다.

“헬기라… 저건 대(對)테러부대가 뛰어들기 좋은 구조가 아닌데.”

창문보다 기둥이 더 앞으로 나와 있고 인근에 저격 가능한 높은 건물이 없으며 헬기가 들어오면 소리가 요란할 테고 사방이 탁 트여 있다. 이는 공격을 방어하기 좋은 구조이지만 인질이 잡혀 있을 때 구조대가 들어가는 것을 방어하기에도 좋다.

게다가 인간 어린애로 보이지만 저것들은 올림픽 선수 수준의 인간조차 압살할 정도의 신체 능력을 갖추고 있다. 하지만 경찰들은 어디까지나 상대가 아이라는 것을 염두에 두고 있었다.

만약 아이들이니까 쉽게 제압할 수 있을 것이라고 낙관하고 있다면 저들이 돌입해 봐야 더 많은 희생자만 낼 뿐이다. 외려 흥분한 아이들이 국회의원을 죽이기 시작할 테고 한 나라의 국회의원이 테러에 휩쓸려 몰살당한다면 아무리 테트라 아낙스라고 해도 부담이 될 것이다. 기억을 조작하고 사람들의 정신을 제압해서 지워 버리는 작업을 전 국민을 상대로 해야 하는데 테트라 아낙스의 힘이 신에 가깝다고 해도 어디까지 할 수 있을까?

'테트라 아낙스에게 도전하고 월야를 파괴한다.'

그런 목적을 달성하기 위해서는 참 효과적인 전략이다. 기본적으로 테트라 아낙스는 세계의 지배자이고 관리자이다. 이 세계를 파괴하고 질서를 무너뜨리면 그것만으로도 타격을 받는다.

그런 놈들을 막아야 하다니 이것은 한세건이 테트라 아낙스를 위해서 일하는 꼴이 아닌가? 그런 자괴감도 들었지만 세건은 고개를 가로저었다. 진영 논리에 너무 휩싸이면 오히려 죽도 밥도 안 된다. 눈앞에서 뱀파이어들이 설치는 꼴을 볼 수는 없지. 자, 그럼 대테러 부대의 난입은 별로 기대할 수가 없고, 어떻게 해야 할까? 헬기가 오기 전에 손을 쓰긴 써야 할 텐데?

'지금 내가 입고 있는 방탄복이… 권총탄이나 막는 건데…….'

5.56㎜ 소총탄을 맞게 된다면 곤란하다. 한세건도 이미 마인이나 다름없는 존재로 변해 버렸기 때문에 어이없게 즉사당하는 일은 없겠지만 그의 몸 안엔 태풍이 휘몰아치고 있었다. 뱀파이어의 피와 비약, 그리고 각종 마법적인 처치로 절묘한 밸런스를 유지하는 게 현재의 한세건이다.

지금은 단지 찻잔 안의 태풍일 뿐이지만 총탄 같은 걸 맞아서 그 찻잔이 깨지고 묶여 있던 태풍이 풀려나게 된다면? 그 뒤는 아무도 감당할 수 없다. 그래서 한세건은 피를 흘리는 일을 최소화하고 싶었다.

"해볼까."

한세건은 정신을 집중했다. 혼팅으로 여겨지는 영적인 힘, 검은 영기가 눈에 띄게 구체화되고 한세건의 눈이 귀화로 번뜩인다.

밤이면 더 좋았을 테지만 낮이라도 상관없다. 저 멀리 국회의사당 돔 옆에서 탄창을 갈아가며 막무가내로 총질하고 있는 꼬마 놈들이 선명하게 보인다.

한세건이 움직이기 시작했다.

의사당 위에서 총질하는 꼬마들은 재미있는 장난감을 손에 넣고 신 난 상태였다. 그들은 탄 박스를 쌓아두고 밖에 마구마구 총질을 하고 있었다.

"저기 닿을까?"

"쏴보자."

그들은 국회대로 너머 저 멀리 보이는 건물의 유리창에 총탄이 닿을지 말지 궁금해하면서 총격을 퍼부어댔다. 그중 몇몇은 한세건이 숨어 있는 분수대 근처를 향해 연거푸 총질을 해댔는데 어디까지나 위협사격일 뿐이었다.

한세건과 서현이 그들을 습격해 상당수를 공격하고 위협하긴 했지만… 아직 이 아이들은 그 두 사람이 위협적이라고 느끼지 못하고 있었다. 직접 맞닥뜨리기 전에는 곰도 귀여워 보이는 법이며 이 아이들의 정신 상태도 반쯤 광란 상태였다.

그런데…….

"어?"

은폐물과 엄폐물 사이로 검은 그림자가 흔들리나 싶더니 한세건이 순식간에 국회 앞뜰을 돌파한다. 그제야 놀란 아이들이 총탄을 퍼부어댔지만… 탄을 가는 사이 이미 한세건은 사각까지 들어왔다.

"어딜……."

국회의사당 입구에는 기관총 진지에 버티고 있는 아이들이 있었다. 하지만 아이들은 이미 탄띠를 다 써버리고 재장전을 못하고 있었다. 군사훈련을 받지 않은 어린아이들도 어설트 라이플은 쉽게 재장전할 수 있지만 중기관총은 익숙지 않아서 탄약이 남아 있음에도 불구하고 재장전할 수가 없었다.

다들 소총을 들고 이 당돌한 침입자를 맞이했다.

하지만 한세건은 직접 돌입하는 대신 기둥 쪽으로 돌았다.

"뭐야? 쫄았냐?!"

애들은 세건이 달려오다 몸을 숨기는 걸 보고 비웃었다. 지금의 아이들은 소총탄쯤은 아무렇지 않게 여겼기 때문에 상대가 소총탄을 두려워하는 걸 보니 웃음이 절로 나왔다.

그러나 곧 웃을 처지가 아니라는 걸 깨닫게 되었다. 기둥 뒤에서 갑자기 검은색 강선 같은 것이 뻗어 나와 아이들을 휘감았다. 깜짝 놀란 아이들이 피하려 했지만 이미 검은색 강선이 그들의 팔다리에 착 감겼다.

쾅!

폭음과 함께 아이들의 팔다리가 석고상 깨지듯 깨져 버렸다.

"아……."

그리고 그와 동시에 기둥 뒤에서 한세건이 튀어나왔다. 아이들은 즉시 팔다리를 재생시켜 저항하려 했지만 한세건은 도검을 휘둘러 애들을 깔끔하게 난도질했다. 녹티스의 저주가 검날에 어른거리며 갓 뱀파이어가 된 아이들을 썰어버리자 재생이 방해받는다.

"멍청한 것들. 뭐 득 보겠다고 뱀파이어가……."

한세건은 쓰러지는 아이들을 보며 혀를 차고 국회의사당 안으로 걸어 들어갔다.

의사당 안은 이미 뱀파이어들에 의해 완전히 장악당해 있었다. 다들 대회의장 안에 몰려 있고 각 입구를 소총 든 꼬마들이 지키고 있다. 그것도 죄다 VT만은 높아서 감당 안 되는 신체 능력과 재생 능력을 가진 놈들이다.

하지만…….

“응?”

문을 지키고 있던 아이들은 코너에서 날아와 자신의 다리에 감기는 선을 보고 의아해했다.

“뭐지?”

그 순간 폭음과 함께 팔다리가 잘려 나갔다. 깜짝 놀란 다른 아이가 도폭선이 날아온 코너를 향해 총구를 겨눴지만 그 반대쪽에서 튀어나온 한세건이 비스트를 발사했다.

철컥!

한세건은 비스트의 방아쇠울에 손가락을 끼우고 능숙한 솜씨로 총을 돌려 탄피를 빼고 새 탄약을 장전시켰다. 비스트를 맞은 아이는 몸통에 커다란 구멍이 생긴 채 쓰러졌는데 거의 몸 반쪽이 날아간 지경이었다.

“으…….”

“서, 선생님!”

아이들은 쓰러져서 선생님을 불렀다. 아마도 그 정신과 의사겠지. 한세건은 그리 생각하고 탄소강 일본도를 들고 쓰러진 아이의 머리를 수직으로 쪼개 버렸다.

텅!

국회의사당 회의실로 들어온 한세건은 남녀노소 가리지 않고 하의를 벗은 채 하물을 적나라하게 드러내고 있는 국회의원들을 보았다.

"……."

그리고 그 국회의원들 사이에서 혀를 차고 있는 박우춘 씨가 보였다.

"거참 생각대로 안 되네. 원래 예상대로라면 여기서 이 인간들은 다 발기시켜서 서로서로 난교도 좀 시키고 레고 블록 끼듯 그런 것도 좀 하고 그러는 게 좋을 텐데……."

박우춘은 이를 드러내고 으르렁거리며 국회의원들에게 분노했다.

"역시 겁을 집어먹어서 그런지 아니면 원래 발기부전인지 다들 잘 안 선단 말이야. 비아그라나 좀 챙겨 올 걸 그랬나?"

그는 국회의원들이 자신의 뜻대로 움직이지 않는 것에 한탄을 하다 한세건을 바라보았다.

한세건은 비스트를 들고 박우춘을 겨누었지만 그 순간 박우춘은 한 손으로 제1야당 당 대표인 조규탄을 들어 올렸다. 환갑이 넘은 노신사가 하물을 드러낸 채 덜렁덜렁 매달린 모습이 비참하기만 하다. 일국의 국회의원, 그것도 제1야당의 당수가 저런 처참한 몰골로 능욕을 당하는 모습을 보며 한세건은 혀를 찼다.

여기서 비스트를 쏴버리면 국회의원 여럿 말려들게 생겼다. 비스트가 화력도 좋고 마법적인 힘도 있어 재생을 방해하는 데 탁월하지만 사람들이 섞여 있을 때는 쓰기가 쉽지 않다. 정밀사격에는 어울리지 않는 무기다.

"꼼짝 마!"

아주 교과서적인 공격이 세건을 향해 날아들었다. 의사당의 다른 쪽 문을 지키고 있던 아이가 소총을 들고 책상 위를 뛰어올라 한세건에게 총격을 퍼부었다. 하지만 한세건은 박우춘을 겨누고 있던 비스트를 그 아이를 향해 쏴버리고 다시 총기를 회전시켜 재장전했다. 재장전 속도가 너무 빨라서 박우춘이 뭔가 손을 쓰기도 전에 다시금 비스트의 총구가 박우춘을 겨눴다.

"…놀랍군."

박우춘은 총을 맞은 아이가 거의 산산조각 나는 걸 보고 혀를 찼다. 유탄 발사기같이 생겼으니 화력이 강할 거라는 건 예상할 수 있었지만 저 총엔 그 이상의 뭔가 예사롭지 않은 힘이 있는지 맞은 아이가 제대로 재생하지 못하고 헐떡이며 괴로워한다.

"하하. 당신도 야당 지지자인가? 왜 야당 당수를 들고 있으니까 안 쏘나?"

박우춘이 빈정거린다. 한세건은 어깨를 으쓱해 보였다.

"왜 이런 짓을 하… 냐고 물어보면 신나서 대답하겠지?"

"아, 말이 통하는 친구로군. 그래, 이런 짓을 하는 인간은 보통 자기 동기를 밝히고 싶어서 안달이 나 있지. 국회의원 나리들은 이 나라를 다스리는 지도층이라고 자처하는 주제에 좋은 질문을 던지지 못하더라고."

박우춘은 낄낄 웃었다.

"누가 당신을 그렇게 만들었지?"

"아, 그런 질문은 좀… 내가 원하는 것부터 듣고 나면 대답해 주지. 당신에게 포상하는 셈 치고 다 대답해 줄 테니까 그 전에 우선 훌륭한 관객이 되라고. 알겠지?"

"……."

한세건이 얼굴을 찌푸렸지만 플라스틱 가면과 엑토플라즘 마스크가 그의 얼굴을 이중, 삼중으로 가리고 있어서 드러나지 않았다. 그때 또 다른 총성이 울려 퍼졌다.

다른 뱀파이어 아이들이 세건에게 총을 쏜 것이다. 그러나 세건은 이미 예상한 것처럼 회의장의 책상들 사이로 몸을 날려 총격을 피하고는 아무렇지도 않게 다음 질문을 던졌다.

"왜 국회지?"

"그야 높으신 분들이니까. 이 땅에 민주주의가 정착했지만 아직도 대부분의 인간은 봉건국가의 노비나 다를 바가 없어. 그들에게 보여주는 거야. 왕후장상도 칼 맞으면 파들파들 떠는 동물에 불과하다는 걸. 왕당파 놈들에게 왕을 칼로 쑤셔도 아무 일 없다는 걸 보여주어야 비로소 깨어나지 않겠어? 권위를 깨버려도 아무 일 없다는 걸, 사실 이건 신이나 어떤 섭리가 수호하는 게 아니라 그냥 너희의 환상이고 그 헛된 관습에 빌붙어서 이 자식들이 꿀 빨고 있었다는 걸 보여주고 싶었지! 아, 물론 국회 말고 고위 관료나 장관을 선택할 수도 있었겠지만 한데 많이 모이는 걸로는 회기 중 국회만 한 곳이 없더라고."

정말 한세건이 쳐들어오지 않았으면 어쩔 뻔했는지 궁금하다. 이렇게 살짝 운을 떼기만 해도 열성적으로 대답해 주다니.

하긴 지금 박우춘은 그야말로 풋내기 창작자다. 자신의 작품에 대한 관심에 목말라 죽을 지경이겠지. 그게 설령 총을 들이대고 받는 감상이라고 해도 신나서 견딜 수 없을 거다.

세건은 다시금 질문을 던졌다.

"촉법소년으로 조직을 구성한 이유는?"

"이 나리들이 해도 된다고 정했기 때문이야! 봐봐! 이 아이들은 살인 면허를 발급받은 거나 다름없어! 기소조차 못 할걸! 뭐, 나야 기소당할 수도 있겠지만… 내가 살아남아야 가능한 일이겠지?"

박우춘 씨는 어차피 이 일을 저지르고 나서 자신이 살아남지 못할 것을 잘 알고 있었다.

"해도 되기 때문에 저질렀다고?"

"아니, 이건 말하자면 경종을 울리는 거라고. 사회가 잘못되어 있다는 것을 모두에게 확실히 인식시키려면 사고를 치는 게 최고지. 왜, 해커들이 보안 허점을 서면으로 지적하기보다 직접 깨는 걸 선호하듯 말이야."

"어떤 점에서 잘못되었다고 생각하지?"

"뭣부터 말해야 할까? 아… 나는 지금 의사지만 사실 예술가가 되고 싶었어. 그거 알아?"

알 리가 있나. 한세건이 박우춘 씨를 직접 대면한 것은 오늘이 처음이다. 하지만 한세건은 맞장구쳐 줬다.

"그래. 인생의 마지막 행위 예술을 즐기고 계신가? 확실히 지금 이건 예술적이긴 하지."

"오, 뭔가 좀 아는군. 자네같이 끝내주는 관객이 오다니 나도 참 복받았어. 하하하하."

박우춘 씨는 기뻐했다. 의사 박우춘의 삶을 접고 처음으로 그가 원하던 삶을 사는 지금, 꽤 쓸 만한 관객이 오지 않았나! 물론 이건 짜고 치는 연극이다. 촌극도 이런 촌극이 있을 수 없지. 리베이트를 약속하고 반응을 얻고 있으니 바람잡이나 다름없다. 그렇다면 뭐라고 할까?

최고의 바람잡이? 그래, 그게 어울리겠군.

"그래서, 왜 의사가 되었지?"

저 바람잡이, 한세건은 박우춘에게 다시금 질문을 던졌다.

"부모님이 그걸 원했으니까! 알겠어? 이 나라의 부모라는 것들은 자식이 뭘 원하는지는 중요하지 않아. 자신이 원하는 걸 강요할 뿐이지. 이게 사회에 적응하지 못한 낙오자의 하소연이라고 생각하지 마! 지금 저 촉법소년이라는 끔찍한 존재 자체가 바로 너희가 만든 거야! 너희가 어린아이를, 자식을 인격적인 존재라기보다 부모의 소유물쯤으로 여기기 때문이 아니야?"

박우춘은 갑자기 소총을 들고 국회의원들을 향해 난사했다. 깜짝 놀란 국회의원들이 전기에 감전된 사람처럼 퍼득거리며 총탄에 맞고 쓰러졌다.

"의사가 되어라, 판검사가 되어라, 정치인이 되어라……. 부모의 욕망을 채우기 위해서 지금도 많은 아이가 재주넘기만 하고 있는데도 이 나라가 아무 말 없이 굴러가는 게 싫었어. 날 봐! 그렇게 기껏 부모님이 원한 의사가 되었지만 행복하지 않아! 전혀 행복하지 않다고! 내가 행복하지 않은데 고객으로 우울증 환자가 오면 뭐라고 해야 하는지 알아?"

"카운슬링은 카운슬러에게. 아닌가?"

"맞아. 하하. 난 약이나 처방하지. 아주 꿀 빠는 직업이야. 마약을 존나 합법적으로 팔 수 있으니까. 어이쿠. 이거 부모님에게 감사해야겠군. 부모님 덕에 배곯지 않고 마약을 빨며 살 수 있다니 이거 막 효심이 샘솟는데? 씨발, 국회의사당 밀어버리고 여기에 내 효행비나 세워!"

박우춘은 쓰러진 국회의원을 잡아 들더니 방송국 직원들 앞에 보여주었다. 총탄을 맞고 신음하는 국회의원을 카메라 앞에 들이밀고 그는 외쳤다.

"봐, 보라고! 너희가 촉법소년이라고, 인간 취급도 하지 않고 부모의 부속물로 여기는 아이들이… 의사도 금배지도 죽일 수 있다고. 인간이란 건 말이야, 총 맞으면 뒈지는 나약한 생물이야! 똑똑히 봐! 너희 천박한 속물들이 굽신거리는 인간을, 너희 속물들이 부속물로 여기는 아이들 손에 죽어가는 걸!"

박우춘은 흥분해서 횡설수설하기 시작했다. 한세건은 한숨을 내쉬며 비스트를 집어넣고 대신 글록 18을 꺼내 들었다. 그러나 이것도 회의적이다.

'단발로 조정하면 정밀사격도 가능하겠지만 진마에 가까운 놈들에게 9밀리탄이라니……. 뭐 얼마나 기대할 수 있을까? 오발로 셀룰러 탄을 사람에게 쏘면 혈전으로 급성 뇌일혈이나 심장마비를 일으킬 거야. 저 미친놈의 예술을 끝까지 완성시켜 줘

야 하나?'

"어이, 관객! 뭐든 좋으니 더 질문해! 나 혼자 떠드니까 정리가 안 되잖아!"

박우춘이 한세건을 불렀다. 한세건은 한숨을 내쉬고 다시 맞장구를 쳤다.

"그러니까 당신은 부모의 수단인 아이들을 이용해서 그들의 목적인 정치인을 친 거군. 이 모양 이 꼴이 되도록 방치한 국가와 사회에 엿도 먹이고. 뭐, 이번 사건으로 저 뿌리 깊은 가부장제의 늪에서 벗어나진 못하겠지만 경종을 울리는 정도는 되겠다 이거 아닌가?"

"오, 그렇지. 그거야. 자넨 정말 끝내주는 관객이군. 이거 참. 살려두고 싶어지잖아. 나도 똑똑하단 소리 듣고 자랐는데 자네도 꽤나 영민하군."

박우춘은 자신의 마음을 자신보다 더 잘 알아서 정리해 주는 한세건의 말을 듣고 기뻐했다. 가려운 데를 팍팍 긁어주는 셈이니 좋아할 수밖에. 그러나 한세건은 더 이상 맞장구쳐 줄 생각이 없다.

"자, 이 정도 맞장구쳐 줬으면 된 것 같은데 부족한가?"

"거참……. 매정한 친구로군. 난 이제 막 예술가로 데뷔한 거라고. 그런데 벌써 첫 무대의 막을 내리란 건가? 맘에 들든 안 들든 간에 앵콜을 불러주는 게 관객의 예의 아닌가."

박우춘은 키득키득 웃고 있었다. 하지만 한세건은 혀를 찼다.

"비난에 가까운 비평 타임이 기다리고 있으니까 예술가 기분 그만 내고 빨리 이야기나 하자고. 누가 당신을 그렇게 만들었지?"

한세건이 그리 말하자 박우춘은 혀를 차더니 순순히 불었다.

"웬 기이한 여자 유령이지. 한국인은 아닌 것 같았는데 한국어를 잘하더군. 그녀가 약을 주고… 내 뜻대로 하라고 했지."

"자세한 목적은 듣지도 않고?"

"아… 물론. 그녀의 목적 따윈 들을 필요도 없었고 말해줄 리도 없었겠지. 뭔 상관이야."

"그럼 결국 당신도 잘은 모르는 거군. 아는 게 별로 없고 이 사건을 일으키라고 직접 지시받지도 않았어. 그렇지?"

한세건이 그렇게 질문을 던지자 박우춘이 혀를 찼다.

"지금 질문은 좀 거슬리는군. 약과 힘, 그리고 자금을 지원받긴 했지만 이 일은 어디까지나 순전 내 구상이라고. 누가 만들어준 작품이 아니지."

"그래. 당신에게 힘을 준 사람은 힘만 주었을 뿐 지금 이 일은 당신의 의사다… 하아. 정말 큰일 했군그래."

한세건은 한숨을 내쉬었다. 박우춘의 상태를 보니 확실히 누군가가 뭔가 손을 대지 않고 그 본인의 의지로 저런 짓을 벌이고 있는 것 같다.

"그럼 비평을 하지. 자칭 예술가 양반, 잘 들어."

"아… 벌써 그런 시간인가."

"우선 이 그림이 멋있게 되려면 당신은 끼어들지 말아야 했어. 어디까지나 소년들의 의지로 이런 그림이 그려졌어야지. 당신이 끼어드니까 결국 강압적인 부모 대신 당신이 이 아이들을 지배했어. 아이들은 여전히 노예인 채다.”

“…….”

“아이들의 주인이 부모에서 당신으로 바뀐 것뿐이야. 정말 이 아이들이 국회의원을 쳐 죽이길 원할 거라고 생각해? 아니지. 이걸 원한 건 당신이지, 이 아이들이 아니야.”

“역시… 비평이라는 건 뼈저리군.”

박우춘은 쓴웃음을 지었다. 그도 자신에게 이런 약점이 있다는 건 알고 있었다. 너무 성급했지.

“당신은 자신을 이렇게 키운 부모나 사회를 원망할 만해. 한국 모든 사람들이 그렇지. 취업하라, 공부하라, 스펙 쌓아라만 가르치고 남을 사랑하고 인간으로 자립하는 법을 가르치진 않아. 그 결과 당신은 의대 나온, 스펙은 좋지만 제 가정도 못 챙기고 좋은 부모도 남편도 되지 못한 반쪽짜리 괴물이 되어 이런 짓을 벌였지. 하지만…….”

한세건은 혀를 찼다.

지금 사돈 남 말 할 처지가 아닌데… 자신이 말하려는 건 그 자신에게도 해당되는 것이다. 역시 동족 혐오인 걸까? 한세건이 저 비참한 의사를 동정하고 또한 증오하는 것은 그가 너무나도 자신과 닮았기 때문이다.

그래도 이 말은 해야겠다.

“증오는… 증오하는 자를 닮게 만들지.”

이건 완전히 한세건 자신의 이야기가 아닌가?

“당신이 부모를 증오했지만 당신은 결과적으로 자기 부모 이상의 괴물이 되어버렸어. 당신 가정을 파괴한 것만으로도 모자라서 이 많은 아이를, 당신이 가진 정신과 의사라는 권위에 도움을 요청한 사람들을 오히려 이용하고 지배했으니 당신이야말로 당신이 가장 증오하고 혐오하는 모습이 아닌가?"

"……."

박우춘은 쓴웃음을 지었다. 한세건이 말하는 바를 몰라서 이렇게 파멸한 게 아니다. 알코올중독자에게 술 끊으라고 하는 소리나 다름없다. 누가 그걸 몰라서 못 끊나? 안 끊어지니까 문제지.

그건 한세건도 뼈저리게 잘 알고 있는 것이다. 세건 스스로도 지금 자신이 너무 쓸데없는 이야기를 했다고 후회하는 중이었다.

"젠장. 어울리지 않는 훈장 짓을 하려니 몸에 소름이 돋는군. 너무 뻔한 이야기로 훈계나 줄줄 늘어놓는 것도 그만두지. 자, 다 놀았으면 덤벼, 새끼들아! 너희의 비참한 삶을 이 자리에서 끝내주지!"

한세건이 엄폐물에서 뛰쳐나왔다.

박우춘 씨는 단번에 10여 미터의 공간을 좁혀오는 한세건의 도약에 깜짝 놀랐다. 반사적으로 소총을 휘두르며 방아쇠를 당겼지만…….

철컥!

첫 발을 쏜 순간 탄피 배출구에 탄피가 끼어버렸다. 한세건이 권총을 탄피 배출구에 대고 민 덕분에 첫 발의 탄피가 그대로 걸려 버린 것이다. 박우춘 씨는 그 모습을 보고 비릿한 미소를 지었다.

"이거 참……. 내가 책상물림이라 뭐 싸워봤어야 말이지."

"그럼 일방적으로 처맞으면 되겠네."

한세건의 쌍권총이 하나는 관자놀이, 다른 하나는 턱 밑에 닿았다. 아니, 닿았다는 표현은 부정확하다. 쑤셔 박혔다고 하는 게 적당하겠지.

투확!

권총이 불을 뿜고 총탄이 뇌수를 완전히 갈아버렸다. 박우춘 씨는 이미 통각을 분리할 수 있을 정도로 뱀파이어화에 익숙해져 있지만 이렇게 깔끔하게 뇌를 당해 버리면 의식을 잃어버린다.

한세건은 그가 재생하기 전에 계속해서 공격을 퍼부었다. 글록을 잽싸게 홀스터에 꽂아 넣고 로우킥으로 박우춘의 다리를 밑동 베듯 후려차서 쓰러뜨렸다. 뱀파이어들 중에는 머리가 날아가도 몸으로 반격하는 놈들이 많아서 반사적으로 쳐 날린 것이었는데 모르는 사람들이 보면 머리를 총으로 날려 버리고도 분이 안 풀려서 시체를 과잉 공격 하는 듯했다.

"서, 선생님!"

아이들이 박우춘을 구하기 위해 한세건에게 뛰어들었다. 하지만 한세건은 글록 대신 도검을 빼 들어 단번에 후려쳤다. 아직 채 중학생도 되지 못한 어린아이가 두 토막 나서 쓰러지고 바닥에 쓰러진 박우춘도 토막 났다.

"쫘! 그냥!"

보다 못한 다른 아이들이 소총을 쏘기 시작하자 한세건은 잽싸게 몸을 빼내 사람과 컴퓨터 모니터가 즐비한 회의장 사이로 뛰어내려 몸을 낮추었다. 책상이 많고 모두 두꺼운 데다가 컴퓨터 모니터도 많아서 잘 보이지 않는다.

"어, 어쩌지? 찾으러 뛰어들어야 하나?"

"저 새끼 칼이 장난 아닌데? 괜히 들어갔다가는 죽는 거야."

아이들도 한세건과 육탄전을 벌이는 게 자살행위라는 걸 잘 알고 있었다. 앗 하는 순간에 박우춘까지 순식간에 해체하는 걸 보고서 알게 되었다.

그들이 상대하는 자가 바로 사냥꾼이다.

그들은 사냥감, 전투 경험, 살의에서 도저히 저자를 따라 갈 수가 없다.

"야! 안 나오면 의원들 다 쏴 죽일 거야! 나와!"

뱀파이어 꼬마들은 한세건을 불러내기 위해 의원들에게 총을 겨누었다. 그러자…….

"풋."

참지 못하고 한세건이 비웃는 소리가 들렸다.

몸을 숙인 채 책상과 책상 사이를 기어가면서 위치를 바꾸고 있으니 소리를 내어선 안 된다. 하지만 설마 국회의원들의 목숨으로 자신을 협박할 줄은 상상도 못 했던 것 같다.

"저기다!"

아이들이 소총을 그쪽에 겨누고 쏘아댔지만 소리가 난 정반대 방향에서 도폭선들이 쏘아져 나왔다. 마치 독사처럼 뿜어져

나온 도폭선들이 아이들을 노리며 날아든다. 깜짝 놀라 그것을 피해냈지만 그 순간 한 아이의 다리에 도폭선이 칭칭 감겼다.

상단으로 쏘아 보낸 것은 눈속임, 진짜는 지면을 타고 온 것이다.

"윽! 뭐야, 이까짓 건!"

아이는 힘을 주어서 그것을 끊으려 했다. 실제로 몇 가닥이 끊어진다. 하지만 그다음 순간…….

퍽!

폭음과 함께 도폭선이 점화되며 아이를 순식간에 산산조각 내버렸다.

"히익!"

"아……."

아이들은 그 모습을 보고 기겁했다. 몇몇 아이는 너무나 놀라서 쓰러진 박우춘에게 달려갔다.

"서, 선생님! 이제 어떻게 해요?!"

박우춘은 겨우 몸을 재생시키며 껄껄거리고 있었다. 저자에게 베인 상처는 역시 쉽게 아물지 않는다. 무슨 저주라도 깃든 것처럼 재생을 방해하는 힘이 있었다. 그 상태에서 박우춘은 아이들에게 경고했다.

"오, 오지 마라! 여긴 의원이 없어!"

철컥!

묵직한 총의 격철이 당겨지는 소리가 신경을 거슬렀다.

"윽!"

한데 모인 아이들과 박우춘을 향해 비스트가 불을 뿜었다. 넘치는 비스트의 화력은 단번에 박우춘과 아이들의 몸을 박살 냈다.

"저자는 국회의원을 가급적이면 지키지만 자신을 위험하게 하진 않는다. 그 말인즉슨 그들을 인질로는 쓸 수 없지만 방패막이로는 쓸 수 있다는 거지!"

박우춘은 그리 말하며 양팔로 바닥을 기었다. 아이들을 노리고 하향 조준 해서 그런지 박우춘은 하반신이 날아간 정도로 끝났다.

"으아아악!"

국회의원들이 겁을 집어먹고 허우적거리지만 이미 그들의 바지를 벗겨 발목에 걸치게 해두었다. 제대로 걷지 못하고 있는 국회의원들 사이로 박우춘은 손으로만 땅을 짚고 뛰어들어 그들을 물어뜯었다.

아니… 그러려고 했다.

푹!

커다란 일본도 한 자루가 날아와 박우춘을 책장에 고정시켰다.

"윽!"

박우춘이 허우적거렸지만 그의 팔에 다시금 충격이 날아왔다. 아니, 포격이라는 말이 더 어울리리라. 비스트가 불을 뿜으며 박우춘의 팔을 찢어발겼다.

"너희는 이 세계를 전혀 몰라. 막 얻어낸 힘을 유치하게 휘두를 줄만 알지, 진짜 사냥꾼을 만난 적은 없지."

한세건은 비스트를 쥔 채로 걸어 나오고 있었다. 이미 아이들은 한세건을 상대할 만큼 상황이 좋지 않았다. 비스트와 녹티스, 이 두 가지 무기는 진마들에게도 꽤 골치 아픈 무기였고 한세건이 발하는 영기, 혼팅은 그 이상으로 치명적이었다. 물론 전신이 날아간 녀석도 죽지 않는다. 진마에 가까운 VT는 아이들이 죽어서 편해지는 것을 허용하지 않는다.

하지만 그렇게 재생해서 뭐? 어차피 지금의 아이들은 한세건의 털끝조차 건드리지 못하고 있었다. 이제 다시 덤벼들어 봐야 고통만 더 길어질 뿐이다.

"으……."

박우춘은 힘겹게 몸을 틀었다. 그런 박우춘에게 다시금 비스트가 불을 뿜었다.

"쿨럭… 쿨럭……. 자, 잠깐. 아, 알겠어. 알겠다고. 항복하지."

박우춘은 겨우겨우 재생되려 하던 몸을 최대한 움직여 한세건에게 항복의 제스처를 취해 보였다.

"항복?"

다가오던 한세건이 멈칫했다.

"난 어차피 끝났어. 하지만 이 아이들은 네가 말한 대로 내게 지배당해서 온 거야. 그러니까 날 죽이고 끝내자고."

박우춘은 어차피 삶에 별로 미련이 없었다. 그가 말한 대로 가족을 사랑하거나 행복하게 살아가는 법에 대해서 모른다. 매일같이 맛없는 걸로 끼니만 때운 자가 식도락을 즐길 수 없는 것처럼 행복을 아예 모르는 그는 막연히 행복을 동경하기만 했을 뿐이다.

그래서 이런 짓을 저질렀지.

사랑받고 사랑하는 방법을 아는 자라면 설사 어떤 좌절이 있더라도 그것을 딛고 일어났을 테지만 박우춘의 삶은 그렇지 못했다. 설령 여기서 한세건의 위협을 격퇴하고 살아간다 하더라도 더 이상 미련이 없다. 그러니 하다못해 아이들이라도 살려두고 싶다. 그래서 박우춘은 기꺼이 한세건에게 자신의 목숨을 내던졌다.

그런데…….

그 순간 빠드득 하는 소리가 났다. 다른 이에게서 난 게 아니라 한세건이 이를 갈아서 낸 소리였다.

"진심이냐. 지금 그 소리는 네놈이 저 아이들을 이제 와서……."

"하하하… 아니, 네 말이 맞았어. 사실은 난 그냥… 내가 행복해지면 그뿐이었어. 촉법소년이고 나발이고 알 게 뭐야? 그러니까 아이들은 살려……."

"웃기지 마! 너희가 무슨 선택을 했는지… 무슨 짓을 했는지 모르고 있어도 유분수지!"

한세건은 박우춘을 보고 싸늘하게 피가 식는 느낌을 받았다. 너무 화가 나서 오히려 피가 식어버린다.

"큭큭큭. 그래. 뭐 경솔했다는 건 인정하지. 하지만 난 다시 그 순간으로 돌아가도 똑같은 선택을 할 수밖에 없고… 이 아이들도 마찬가지야. 그러니 이제 와서 그렇게 열 내지 말라고. 그냥 쿨하게 죽여. 내 요구를 거부할 거면 그러면 되잖아?"

박우춘 씨는 그렇게 말하고 키득키득 웃었다.

"그냥… 난 이 사회에게 사회 구성원의 불행에 대한 대가를 치르게 하고 싶었어. 그렇잖아? 어린아이들이나 나 같은 놈이나 이렇게 막 대했는데 우리만 불행해지고 사회는 아무런 비용도 지불하지 않는다는 게, 설령 그래서 범죄를 저질러 봐야 사회 하층민들만 당하고 여기 이 잘나신 분들은 눈 하나 깜빡하지 않는 게 마음에 들지 않았을 뿐이야. 뭐, 그래. 아이들을 끌어들여서 내가 망친 건 인정할게. 하지만 내가 그렇게 쉽게 끌어들일 수 있었던 것도 다 망가져 있기 때문 아니었어? 그래. 알아, 안다고. 이 힘. 흡혈귀가 된 거. 되돌아갈 수 없다는 것도 잘 알아. 씨발. 몰라서 이러는 거 아니라고."

박우춘이 그리 말하며 눈을 감았다. 그 순간 그의 몸이 울컥 변형되기 시작했다. 하지만 박우춘은 자신의 몸이 변형되는 것을 바라보면서도 허탈하게 웃었다. 자신이 몸이 붕괴하는 걸 눈 앞에 두고도 마치 남의 일 보는 듯했다.

"난 그저… 내 파괴된 삶에 대한 비용을 이 사회에 청구했을 뿐이야. 누군가 그 비용을 청구하지 않으면 이 사회는 자기가 잘난 줄 안다고. 그 과정에서… 난 희생을 각오했어. 이 아이들은 그러지 않았지만……."

하지만 변형되는 것은 박우춘만이 아니다.

"서… 선생님?!"

"아아악!"

박우춘을 중심으로 공명이 일어나기 시작했다. 이 비약, 이들을 뱀파이어로 만든 비약에는 무시무시하게 강력한 혼팅이 들어 있었다. 그 혼팅이 박우춘과 아이들의 몸에서 뿜어져 나오며 울부짖는다.

오오오오오오!

망령들의 합창이 일제히 공명하며 끔찍한 화음을 이룬다. 박우춘만이 아니라 근처의 다른 아이들도 변형을 일으키기 시작했다.

"씨발. 애새끼들에게 미안하군. 하지만… 뭐, 이런 게 세상 아니겠나."

박우춘은 허탈하게 웃으며 자신의 몸에서 뿜어져 나오는 거대한 종양에 파묻히기 시작했다. 마치 거대한 늪에 빠져 가라앉는 자처럼 종양 너머로 사라져 갔다.

"젠장……."

한세건은 주위를 둘러보았다. 박우춘이야 비스트를 많이 얻어맞았으니 그렇다 쳐도 다른 아이들조차 일제히 변형되다니… 게다가 여기서 뿜어져 나오는 망령들의 느낌은 한세건에게도 이미 익숙하다.

"어… 어떻게 해?!"

"사, 살려주세요!"

방금 전까지 자신의 손으로 사람을 죽이던 아이들이 비명을 질렀다. 하지만 아비규환 속에서도 손을 쓸 방법이 없다.

"으… 아아아악!"

"뭐… 뭐지?"

다른 사람들, 국회의원과 방송국 직원들은 영감이 없어서 망령들의 비명을 듣지 못하고 있지만 그 영향은 받고 있었다. 한세건이 한숨을 내쉬고 그들의 앞에 섰다.

"젠장."

국회의원들을 위해서 자신의 몸을 던져야 하는 날이 올 줄은 꿈에도 상상하지 못했다. 한세건은 사이키델릭 문을 투여시켰다.

쿵쿵쿵쿵…….

마치 8기통 엔진이 발동 걸리는 것처럼 심장이 뛰고 한세건의 몸에서 검은 영기가 치솟아 오른다. 망령들의 합창에 대항해 한세건과 그의 영기가 팽팽하게 맞선다. 그러자 국회의원과 방송국 직원들은 바로 정신을 되찾았다.

"모두 나가!"

한세건은 국회의원과 방송국 직원, 의회 직원들에게 퇴각을 명했다.

"히이이익!"

나가라고 했더니만 다들 한꺼번에 한세건의 명령을 따르는 모양이었다. 말을 참 잘 듣기도 하지. 평상시에도 그렇게 잘 들으면 좀 좋았을까만 이런 위기 상황에 모두들 단순 무식하게 한세건의 명령을 따르니 아수라장이 펼쳐졌다.

사람은 많은데 입구는 좁다. 물론 이 회의장은 여러 방향에 문이 있어서 한 번에 많은 사람이 출입할 수 있게 되어 있지만 지금 저 앞에 괴물들이 가성소다수를 끓여 거품 피어오르듯 증식하고 있는데 그 근처의 문을 이용할 용기는 없다.

거기에 이미 박우춘에게 능욕당한 의원들은 바지를 벗어 내린 상태라 제대로 뛰지 못했다. 차라리 몸 성한 의회 직원이나 방송국 직원들이 이때 빠져나가면 좋으련만 방송국 직원은 앞으로 벌어질 일에 대한 궁금증 때문에, 의회 직원들은 의원을 남겨두고 먼저 빠져나갈 경우 후에 문책당할 것이 두려워 망설이고 있었다.

목숨이 위험한 이 상황에서 그런 장기적인 보신까지 신경 써야 한다는 게 우습지만 그만큼 의원들이 가지는 권위가 대단하다고 해야 하리라. 아니면 박우춘과 그 아이들이 보낸 살의에 이미 마비된 것일까? 눈앞에서 인간의 형체가 무너지고 살과 뼈로 이뤄진 거대한 괴물이 나타나는데 그걸 보고도 도망칠 생각도 못 하다니.

"으아아아악!"

비명을 지르며 허우적거리는 사람들이 문에 막혀서 나가질 못한다. 서로서로 짓밟아 죽이게 생겼다. 아무래도 이 순간은… 한세건이 저 국회의원들이나 사람들을 위해서 커럽티드를 상대해야 할 것 같다.

그런데 그때였다.

갑자기 문짝이 날아갔다. 하중을 버티는 기둥을 제외한 벽체가 모조리 쓰러지면서 길이 넓어진다. 그리고 그곳에는 한세건과 마찬가지로 플라스틱 가면을 덮어쓴 괴한, 서현이 서 있었다.

"…이런 젠장."

한세건은 서현이 들어오는 걸 보고 혀를 찼다. 저 녀석이 들어오는 걸 반갑게 여기다니 죽을 때가 다 되었나 보다.

"후. 커럽티드잖아? 대체 얼마나 괴롭혔길래……."

서현은 투덜거리며 자신이 부순 벽체의 옆에 서서 길을 비켜 주었다.

"얼른 도망가. 엉덩이 무거운 노계들아!"

국회의원들에게는 꽤나 모욕적인 발언이겠지만 지금 그런 거 신경 쓸 때가 아니다. 의원과 기자들이 그제야 정신을 차리고 부서진 문 쪽으로 뛰쳐나갔다.

커럽티드가 인간들에게 반응하고 움직이기 시작했다. 살과 뼛조각이 뒤섞인 살점이 마치 먹이를 노리는 아메바처럼 뻗어 나오고 그 안에서 뼈로 이뤄진 가시가 탄환처럼 튀어나왔다. 하지만 서현은 회의장 벽면에 붙어 있던 커다란 휘장을 떼어내 휘둘렀다. 천으로 이뤄진 거대한 휘장이 마치 강철판처럼 쫙 펼쳐지면서 커럽티드와 피난하는 사람들 사이를 차단했다.

"하, 내가 설마 의원이나 정치가들을 구조하게 될 줄은 몰랐는데."

"왜? 이 기회에 정치가들에게 잘 보여서 한자리 얻게?"

한세건은 답답해하는 서현에게 그리 말했다. 서현이 눈썹을 찌푸렸다.

"그나저나 대체 얼마나 학대했길래 커럽티드가 된 거야?"

"원래 이런 놈들이야. 아무래도 저들을 저렇게 만드는 비약은 반드시 커럽티드라는 결말을 부르는 것 같아."

한세건은 그리 답하고 비스트를 재장전했다.

“그런데 넌 그 아이들 어떻게 했어? 그 아이들도 커럽티드가 되지 않았나?”

박우춘이 커럽티드가 되는 순간 다른 아이들도 커럽티드가 되었다. 그렇다면 서현에게 맡겨둔 아이들은 어떻게 되었을까?

그러나 서현은 싱긋 웃으며 아무렇지도 않게 답했다.

“아, 도망치더라고. 뭐 상처도 덜 입고 그랬으니 커럽티드화는 좀 늦겠지. 여기서 멀어지기도 했고.”

“뭐?! 뒷감당은 어찌하려고?”

그렇게 하지 말라고 서현에게 맡겨두고 온 것인데 서현은 뻔뻔스럽게도 도망쳤다고 말한다. 그 때문에 얼마나 고민했었는데 이렇게 상큼하게 그냥 놓아줬다고 답하다니. 아, 물론 서현은 아이들이 도망쳤다고 하지만 그게 그거다.

“내가 신도 아니고 그 아이들이 도망치려고 작정하면 어떻게 혼자 막겠어? 설마 나보고 애들에게 기만책을 써서 속이고 잡아두라는 건 아니었겠지? 그렇게 잡아둬서 뭐 하게? 나중에 피신 못 하게 만든 다음 하나씩 잡아 죽이게? 우엑. 당신 최악이네. 인간쓰레기 자식.”

“아, 아니, 그런 건 아니지만 그렇다고 아이들이 도망쳐서 다른 사람들을 해치면?”

“그때는 그때 가서 걱정할 일이고. 왜? 아예 온 세상 모든 재앙을 다 막아주시지그래?”

서현은 코웃음 쳤다. 하지만 한세건은 서현의 말을 받아들일 수가 없었다. 그래, 한세건이 알고 있는 한 아이들을 놓아줄 게 아니면… 기만책을 써서 죽이는 수밖에 없었다. 그런 기만책은 너무나 더러운 일이기에 한세건조차 차마 할 수 없었던 일이다. 그 상황에서 서현에게 뒤를 맡기고 떠났던 것은…….

"차라리 그렇다면 내게 말하지 그랬어? 난 날 대신해서 너보고 손을 더럽히라고 한 건 아니야. 그냥……."

"아까 전에도 말한 것 같은데 난 신이 아니야. 당신도 신이 아니고. 뭐, 당신은 워낙 결벽증 환자라서 답도 안 나오는 문제를 붙잡고 한나절 끙끙 매달릴 것 같아 내가 처리했을 뿐이야. 고마워하라고. 대체 나 없으면 어쩔 뻔했어?"

서현은 그리 말하고 한세건에게 어깨를 으쓱했다.

"너무 고마워하지는 말라고."

"…흥."

한세건은 서현의 너스레를 듣고 혀를 찼다. 뻔뻔한 녀석이다. 그렇지만 서현이 말한 대로 만약 그가 없었다면 답도 나오지 않는 문제를 붙들고 앓고 있었겠지.

그래서 세건은 서현에게 책임을 묻는 걸 포기하고 커럽티드에게 눈을 돌렸다.

박우춘과 아이들, 모두가 변해 버린 커럽티드는 거대한 아메바에 뼈로 된 각질과 발톱, 손톱들이 돋아난 해괴한 모습으로 꾸물거리며 움직이고 있었다. 커럽티드가 몇 차례 발톱들과 가시들을 쏘아 보냈지만 서현이 차양을 휘둘러 그걸 막아내고 있었다.

“어서들 빠져!”

“하, 하지만!”

서현과 한세건이 협박을 하는데도 방송국 직원들은 망설이고 있었다. 눈앞에서 벌어지는 해괴한 일을 찍어야겠다는 사명감 때문일까?

한세건은 권총을 뽑아 들고 방송국 카메라를 노리고 쏘았다. 권총으로 20여 미터 밖의 카메라만 노리고 정확하게 파괴한다는 건 신기에 가까운 일이지만 한세건에겐 전혀 어렵지 않았다. 방송 장비들에 연거푸 총알이 박히며 부서지자 방송국 직원들도 겁을 집어먹고 물러나기 시작했다.

“좋아. 다 내보낸 것 같고 이젠 뭘 할 거지?”

서현이 물어보았다.

“뭐, 폭탄이 있으면 좋은데… 장비가 무겁고 군경의 눈을 피하느라 안 들고 온 게 문제군. 국회의사당에서 폭탄을 펑펑 터뜨릴 필요가 생길 줄은 몰랐지.”

한세건은 남아 있는 도폭선을 확인해 보고 혀를 찼다. 이 정도로는 커럽티드에게 어림도 없다. 비스트의 탄도 거의 다 썼다.

“넌 뭐 없냐?”

“장비? 없는데. 내가 거지꼴인 건 댁도 알고 나도 알고 모두 다 알잖아?”

“자랑이다. 이거 호쾌하게 덤볐지만 사면초가로군.”

한세건은 남아 있는 장비를 머릿속으로 셈해보고 혀를 찼다. 탄약과 도폭선이 얼마 남지 않았다.

"뭐, 괜찮아. 내게 이만큼의 천이 있으면……."

서현은 차양을 잡고 으스댔지만 그때 커럽티드로부터 찍 하고 액체가 발사되었다. 서현은 반사적으로 그걸 차양으로 쳐냈는데…….

치이이이익!

차양이 타들어가기 시작했다.

"…말하면 알아듣나 보네."

서현은 그걸 보고 혀를 찼다.

"입이 방정이지."

한세건은 한숨을 내쉬고 비스트를 쏘았다. 비스트는 분명히 커럽티드에게도 효과적이지만 뭐랄까, 언 발에 오줌 누기? 거대한 산불 앞에서 모종삽 들고 재롱 피우는 기분이다.

"뒤로!"

한세건과 서현은 동시에 뒤로 물러나기 시작했다. 그들을 향해 커럽티드가 질주하며 덤벼든다. 커럽티드의 몸 안에서 두꺼운 발톱들이 튀어나오며 서현과 한세건을 동시에 노린다.

"그런 거에 맞을 만큼 둔하지 않거든!"

서현이 몸을 날려 피하고 구르카 나이프를 던졌다. 하지만 커럽티드의 몸에 박힌 구르카 나이프가 마치 막 부은 콘크리트에 파묻힌 것처럼 파묻혔다. 서현이 염동력을 발휘해도 돌아오지 않는다.

게다가…….

치이이익!

커럽티드의 소화액이 칼날을 부식시키기 시작했다.

"크… 이거 그럼 완전 맨손인데……. 어쩌라고? 산성 담즙을 분비하는 괴물이랑 투닥거리긴 싫은데?"

서현이 발을 동동 구르는 걸 본 한세건이 비스트를 발사했다. 비스트가 적중되자 커럽티드가 뒷걸음질 치며 고통스러워한다. 그사이에 서현과 한세건은 잽싸게 뒤로 물러났다.

그들은 대회의실을 빠져나와서 물러나며 인근의 잡동사니들, 벽에 걸린 그림이나 조각 등을 집어 던져서 길을 막았다. 물론 그래도 커럽티드를 막는 데는 역부족이다.

"그워어어!"

기괴한 괴성과 함께 커럽티드가 몸을 떨치자 길을 막아둔 잡동사니들이 순식간에 산산조각 났다.

"젠장."

"아까 전 거 한 발 더! 그 커다란 총 효과 좋던데."

"다 썼어!"

한세건은 비스트를 챙겨 넣고 대신 도폭선을 풀어냈다. 한세건이 날려 보낸 도폭선이 커럽티드의 몸 곳곳에 휘감긴다. 보통 생물이라면 버틸 수 없을 정도의 많은 양이다.

"어디 이것도 버티나 보자!!"

한세건이 몸을 빙글 돌리며 도폭선을 채자 도폭선에 물려 있던 전기 플러그가 당겨지며 폭발한다. 커럽티드의 몸이 산산조각 나며 흩어졌지만 이내 재생된다.

"…설마 이번에도 다 쓴 건 아니겠지?"

서현은 혹시나 싶어서 한세건에게 물어보았다. 그러자 한세건이 답했다.

"그 설마다."

"뭘 그렇게 자랑스럽게 말해?!"

"그럼 네가 뭔가 해보든가. 와서 쭉 민폐만 끼치고 있는 거 아냐? 응? 자칭 라이칸스로프의 왕자님?!"

"난 지금 가난해서 장비가 별로 없어. 옛날엔 이거저거 많이 챙겨 갖고 다녔는데 이게 다 동생 놈 때문이다."

"그냥 네가 구두쇠라 맨몸으로 때우려고 하는 게 아니라?"

한세건이 물어보자 서현은 움찔했다. 무기가 싼값에 굴러다니는 분쟁 지역과 달리 한국에서는 간단한 총화기라도 그 가격이 수십 배는 뛰어오른다. 치안이 좋으니 인식 장애술도 걸어야 하고 그러면 쓸데없이 비싸진다.

어차피 뱀파이어나 라이칸스로프 등을 상대할 때는 총화기도 필요 없는 서현 입장에서 굳이 그런 데 돈을 쓸 이유가 없으니 장비에 돈을 쓰지 않았다.

그 결과가 이거다.

"아니 뭐, 내가 카타볼릭 상태가 아니면 커럽티드도 그다지 무서울 건 없는데… 솔직히 일이 이리될 줄 알았나?"

서현은 투덜거리면서도 벽에 붙어 있는 소화기들을 뽑아서 집어 던지고 죽어 있는 군인들의 손에서 소총을 집어 들어 소화기를 노리고 쏘았다. 기밀 용기가 터지면서 폭음과 함께 새하얀 포말이 쏟아져 나왔다.

효과적이다 싶었지만 그것도 잠시, 커럽티드는 잽싸게 기력을 회복하고 다시금 덤벼든다.

그때 헬기 로터 소리가 들리기 시작했다. 인근에 있던 특수부대들이 드디어 도착한 모양이다.

"골치 아프게 되었군."

한세건과 서현은 지금 가면을 쓰고 정체를 감춘 채 이 일에 참견하고 있다. 그들은 사람들을 구조하고 공격한 세력들을 상대하고 있지만 그거야 이쪽 사정이고, 모르는 이에겐 불손한 무장 세력으로 보이는 게 당연하다. 특수부대의 헬기가 등장한 것은 오히려 좋지 않다.

"…커럽티드를 저들에게 맡기고 물러나긴 그렇겠지?"

서현이 확인차 물어보자 한세건이 켁 하고 말도 안 되는 소리를 한다는 표정을 지어 보였다.

"그럼 저치들 다 죽어. 대테러 특수부대의 화력이라고 해봐야 거기서 거기지. 여긴 우리가 처리한다."

아무리 특수부대라 해도 대테러전 임무에 가지고 올 무기래 봤자 CS탄이나 9㎜ 기관단총, 저격용 라이플이 전부다. 대테러전은 인간을 상정하고 그를 무력화시키기에 충분한 화력 정도를 가져오는 법이다. 차라리 일반 보병 부대라면 분대지원화기나 대전차병기 등을 가지고 있겠지만 대테러 부대는 대전차병기나 폭약 같은 걸 쓸 이유가 없다. 일반적인 대인 병기로 커럽티드에게 씨알이나 먹힐지 모르겠다.

"우리가 처리하는 건 좋은데 빨리 처리하지 않으면 군경들이 우리도 잡으러 몰려올걸?"

서현은 그 점을 지적했다.

"의원 차량을 빌리지. 도망친 자들은… 도보로 피난 갔을 테니."

국회의사당 진입로에는 온통 잡동사니, 바리케이드들이 잔뜩 깔려 있다. 과연 의원들과 방송국 직원들은 도보로 피난하고 있는 중이다.

"커럽티드가 다른 인간들에게 주의를 기울이지 못하도록 서현 넌 계속 깔짝거리고 있어. 그동안 내가 차들을 질주하게 해서 커럽티드에게 박아 넣는다."

"아니, 근데 나 지금 맨손인데?"

"뭐, 그 정도는 알아서 해라. 왕자병 환자니까 잘할 수 있을 거야. 믿는다."

한세건은 서현에게 큰 믿음을 보여주고 주차장으로 달려갔다. 혼자 남은 서현은 의회를 빠져나오며 죽어 있는 시체들을 흡수해 더욱더 커져 버린 커럽티드를 바라보며 혀를 찼다. 무기라곤 아무것도 없는데 저 거대한 살덩이 괴물을 상대하며 시간을 끌어야 할 처지가 되었다.

"왕자병 환자라니!"

서현은 투덜거리며 의사당 앞에 놓인 MG50 브라우닝 머신건과 그 탄띠를 집어 들어 탄띠를 재장전했다.

현재 국회의사당 앞은 육로로 접근하기가 쉽지 않은 상황이었다. 강변북로 앞길은 항상 막히고 있었고 기존에 배치된 병력

대부분은 살해당했다. 우연히 그 자리를 피해 살아남은 자들도 완전히 겁을 집어먹어서 도저히 작전 수행을 할 수 없는 상태였다. 작전 지휘부는 과연 돌입해야 할 것인가 상황을 더 지켜봐야 할 것인가를 놓고 열띤 토론 중이었다.

만약 무작정 돌입했다가 안에서 살인 사건이 벌어지고 높으신 분인 국회의원들이 살해당할 경우 그 책임은 감당하기 힘들다, 적이 국회의사당을 공격한 만큼 반드시 뭔가 성명을 발표할 것인데 그에 따라 협상할 여지가 있지 않겠느냐는 쪽과…….

어차피 국회의원을 잡을 정도로 미친 놈들은 자기들 성명 발표를 하고 나면 자살 테러를 감행할지도 모른다, 그럴 거면 빠르게 쳐서 어떻게든 피해를 최소화하는 게 낫다는 의견이 첨예하게 대립 중이었다.

그런데 그때 의원들이 탈출하기 시작했다. 또 다른 거동수상자들이 안에 뛰어들어서 국회의원들을 구출했다는 게 그들의 일관된 증언이었다. 덕분에 준비 다 해놓고 근처를 배회하던 헬기가 국회의사당을 향해 접근할 수 있었다.

헬기가 의사당을 향해 접근하자 과연 쑥밭이 된 국회 앞뜰에서 살아 움직이는 두 사람이 보였다. 헬기에서는 즉각 그들을 향해 투항 권고를 날렸다. 정황상 저들이 국회의원들을 탈출시킨 인물로 보이지만 그렇다고 군경이 저들을 그냥 보내주는 건 할리우드 히어로물에서나 가능한 일이다.

—거수자 두 명! 즉각 무기를 버리고 바닥에 엎드… 세상에 저게 뭐야?!

하지만 헬기가 접근한 그 순간 그들을 향해 지상에서 커다란 촉수가 튀어 올랐다. 두족류 생물의 촉수 같은 끔찍한 근육덩어리가 헬기를 향해 날아든다. 헬기 옆에 붙어 있던 저격수가 반사적으로 방아쇠를 당겼지만 거대한 살집에 총알이 묻혀 티도 나지 않는다.

"아!"

"에라이!"

그때 그걸 보고 있던 거동수상자가 손을 썼다. 그가 들고 있던 큼지막한 중기관총이, 그 거대한 쇠뭉치가 무슨 탄환처럼 날아가 촉수에 충돌했다. 총열이 촉수를 꿰뚫으며 헬기를 잡을 뻔했던 촉수가 휘청거린다. 덕분에 헬기는 피할 수 있었지만 그 순간 촉수의 빨판으로부터 뼈가시가 튀어나왔다.

퍽!

유리창에 가시가 꽂히는 걸 본 조종사는 비명을 지르며 헬기를 위로 급상승시켰다. 문어나 오징어 빨판같이 생긴 것에서 발사된 것이지만 길이 25센티미터의 나이프만 하다. 그게 방탄유리를 뚫고 박힐 정도라니, 사람이 맞으면 즉사다.

"아… 으아……."

"뭐… 뭐야, 젠장!"

대테러 부대의 병사들은 다들 장교와 하사관으로 이뤄진 전문 직업군인들이다. 그들은 본능적으로 자신들이 가지고 있는 무기로는 저것에 아무런 위협이 되지 않는다는 걸 깨달았다. 방금 전 저 거동수상자가 도와주지 않았다면 그대로 죽었을 거라는 것도 알았다.

“휴. 자, 양심이 있으면 이제 나를 방해하진 않겠지. 특수부대의 실무자란 작자들은 고지식한 면이 있으니까.”

서현은 다시 빈손인 채로 커럽티드를 바라보았다. 커럽티드는 햇빛을 받으니 오히려 식물처럼 쑥쑥 자라며 국회의사당 안과 밖에 있던 군경의 시체들, 희생자들의 육신을 먹어치우고 점점 커지고 있었다. 질량보존의법칙을 무시하는 것처럼 끝없이 증식하는 모습은 혐오스럽기만 하다.

그런 커럽티드를 향해 커다란 구형 체어맨 차량 한 대가 질주한다. 국회의원들의 의원 주차장에서 한세건이 차를 발진시킨 것이다. 체어맨 차량은 풀 액셀 상태로 질주해 커럽티드를 들이받았다. 하지만 커럽티드는 거대한 근육덩이인 촉수로 차량을 받아내어 충격을 흡수한다. 물론 몸체가 찢어지고 체액이 튀는 건 막을 수 없다. 차량의 전력 질주 충격을 완벽히 흡수한다는 건 불가능하리라. 그래도 저래서야 별 타격이 안 된다.

“에이! 담배 한 개비 피운 셈 치지!”

서현이 손가락을 튕기자 딱 하고 소리가 나며 커럽티드의 몸에 꽂힌 체어맨 차량에서 불길이 치솟아 오르기 시작했다. 이내 휘발유가 인화하면서 대폭염이 치솟아 올랐다. 커럽티드의 몸이 허우적거리며 뒤로 물러난다.

커럽티드는 뼈가시를 쏘아냈다. 가시들이 비처럼 쏟아지지만 서현은 폭발에서 튕겨 나온 자동차 펜더를 들고 날아드는 가시를 쳐냈다.

그사이 또 다른 차량이 질주한다. 이번엔 구형 각진 에쿠스 차량이다. 보아하니 한세건은… 연식 오래된 차부터 보내고 있는 것 같다.

'뭐지? 자동차 보험료 판정하는 것도 아니고?'

서현이 의문을 품고 있을 바로 그 순간.

콰악!

커럽티드의 몸에서 7미터가 넘는 사마귀의 앞발이 나타나 달려오는 에쿠스 차량을 아래에서 위로 쳐올렸지만 그와 거의 동시에 서현이 다시 손가락을 튕겼다. 에쿠스 차량도 발화하면서 불길에 휩싸인 채 커럽티드의 몸에 돌격했다. 사마귀 발이 차량을 쳐올렸지만 공중에서 폭발하며 불붙은 휘발유가 소낙비처럼 쏟아져 커럽티드의 몸을 태웠다.

살을 태우는 끔찍한 냄새와 함께 커럽티드가 몸부림친다. 커럽티드의 껍질이 타들어가 죽고 그 안에서 새로운 살이, 새로운 모습이 나타난다. 물고기의 비늘, 지느러미 같은 게 나왔다 타죽고 사람의 팔다리가 나타났다가 스스로의 몸 안에서 자라나는 거대한 암세포에 의해 붕괴된다. 그리고 동물의 앞발, 고양이과 짐승의 앞발이 나타났다. 하지만 그를 향해 다시 차량이 돌진했다. 한세건이 의원 주차장에서 차를 꺼내어 쏘아 보내는데 그 작업 속도가 대단히 빠르다.

펑!

그리고 그걸 서현이 적절한 타이밍에 발화시킨다. 의원들이 타는 차들은 죄다 연료 탱크가 커서 발화시킬 때 효과가 좋다. 커럽티드가 분비하는 산성의 체액이 금속을 녹이며 수소가스를 발생시키는 것도 폭염의 위력을 증가시키는 데 일조하리라. 뭐, 얼마 되진 않겠지만.

한세건과 서현의 콤비네이션이 착착 맞아 들어간다. 서현과 한세건은 서로서로 적으로 만났던 사이지만 지금 이 순간 기계처럼 정확하게 호흡을 맞추며 커럽티드를 압도했다.

"으으윽! 이제 제발 뻗어라!"

서현은 계속 달려오는 차량을 발화시키며 비명인지 기합인지 모를 소리를 내질렀다. 카타볼릭 상태라 해도 사실 이 발화 능력을 사용하는 건 서현에게 별 부담이 없다. 힘의 낭비 없이, 핀포인트로 정확하게, 필요한 부분에만 열을 가하고 있었으니까. 그게 아니더라도 리림인 그의 역량은 엄청나다.

그럼에도 불구하고 애원하게 만드는 건… 저 커럽티드에서 뻗어 나오는 망령들의 노랫소리, 그리고 그것에 빨려 들어간 아이와 의사의 영혼이 내지르는 비명 때문이었다.

한시라도 빨리 이것들을 끝내서, 저 비참함으로부터 해방시켜 주고 싶다. 덤으로 어서 빨리 국회의사당을 벗어나고 싶기도 하고.

퍼엉!

그런 염원이 닿았기 때문일까? 차량이 대폭발하며 커럽티드의 몸통에 박히고 커럽티드를 밀어서 국회의사당에 들이받아 버렸다.

마침내… 커럽티드의 증식이 끝났다.

경찰 특수부대와 수도방위사령부의 대테러 특수부대가 돌입했을 때 상황은 이미 정리되어 있었다. 아니, 그렇다기보다는 그들이 할 수 있는 게 없다고 해야겠지. 범인도 없고 피해자들만 남아 있었다.

방송국 직원들은 남아 있었지만 다들 횡설수설만 하고 있었다. 모두들 특수한 약물이나 집단 최면 상태에 빠져 있었던 것 같다.

돌입한 부대원들도 모두 혀를 내둘렀다. 철두철미하게 파괴된 국회의사당의 앞뜰, 역시 박살 난 의원회관과 의사당 건물에 비해 비교적 멀쩡한 국회도서관을 보면 기가 막힌다.

이런 짓을 할 수 있는 놈이 있다니, 대체 누구일까? 분명히 뭔가 파격적인 적이었던 것 같은데 다들 기억이 혼미하다.

결국 사건은 이 일이 벌어지기 전 각 경찰서와 언론사에 범죄 예고를 날렸던 범죄자 한세건과 그의 추종자들이 벌인 일로 결론지어졌다. 처음 수사에서는 한세건의 모방범으로 추정된 사건이었다. 그러나 워낙 파격적인 일이다 보니 단순한 모방범으로는 수사본부의 체면이 살지 않는다. 일국의 권위에 정면으로 도전한 끔찍한 테러 사건인데 한세건을 따라 한 모방 범죄에 불과했다고 하면 국격이 떨어진다.

그러니 역시 한세건이었다고 결론지어졌다. 단순한 모방범이 아니라 전설적인 테러리스트, 극단적 아나키스트인 한세건이 저질렀다고 하는 게 경찰들의 체면도 세우고 언론도 이목을 끌어 좋았다.

짓지도 않은 죄를 뒤집어쓴 한세건이야 억울하지만 그렇다고 자기가 안 했다고 항변을 할 수도 없는 일 아닌가?

11

새로운 테트라 아낙스, 서린은 오라클 시스템을 폐기했다. 뱀파이어를 인위적으로 만들고, 그들의 눈과 귀를 파괴하고 촉각마저 빼앗아 그들 전체를 테트라 아낙스의 도구로 전락시켜 버리는 끔찍한 오라클 시스템. 그것을 거부함으로써 서린은 이전까지의 테트라 아낙스, 고든과 선을 그었다.

이러한 인도주의적인 행동은 꽤 많은 신식 뱀파이어의 지지를 끌어내었지만 모든 뱀파이어가 인도주의 노선을 지지하진 않았다.

외려 지금 한국에서 벌어진 이 사건은 그의 권위에 심각한 손상을 입혔다.

교역 규모로 세계에서 손꼽히는 국가의 국회의사당이 침탈당했다. 뒤늦게 수습하긴 했지만 과거의 테트라 아낙스였다면 이런 일을 미연에 방지했을 터.

'테트라 아낙스는 더 이상 월야를 지배하지 못한다.'

그 사실을 만천하에 공표한 것이나 다름없다. 이것은 반드시

이 세계에 큰 파문을 불러일으킬 것이다.

"으으음……."

테트라 아낙스, 서린은 한국에서 벌어진 일을 간신히 봉합하고 눈을 감았다. 결국 한세건에게 모든 죄를 밀어 넣을 수밖에 없었다. 기억을 조작하고 인식을 바꾸고 기록마저 재조정하는 것은 많은 에너지를 필요로 한다. 대한민국은 물론 전 세계의 시선이 한국에 몰려 있었으니 그걸 합리적으로 재조정하는 데는 많은 힘이 필요했다. 오라클 시스템 없이 그걸 혼자서 해낸 것만으로도 몸이 부서질 것 같다.

"정말 나란 놈은 배은망덕하군. 이래서 참… 은혜를 입혀봐야 머리 검은 짐승인가?"

비록 한세건은 서린을 죽이려 들겠지만 서린은 한세건에게 받은 것들에 대해서 고마워하고 있었다. 이번 일 역시 그러하다. 한세건이 먼저 경찰과 군인들에게, 방송국에 범죄 성명을 발표해 준 덕분에 일을 봉합하기가 쉬워졌다. 뭐, 그 결과 한세건의 몸에 걸린 현상금이 더 올라가게 되었지만 엑토플라즘 마스크와 그림자 창고의 마법이 있는 이상 한세건은 일반 경찰에게 잡히지 않을 것이다.

서린은 쓴웃음을 지었다.

"미안… 형."

서현도 이번에 너무나 잘해주었다. 인생의 목적을 잃고 방황하던 게 언제였냐는 듯, 그는 놀랍게도 잘 적응한다. 그런 서현을 보면 솔직히 질투심이 일 때도 있다. 부와 권력의 정점에 선 서린이 서현을 질투한다는 건 얼핏 이해하기 힘들겠지만 실상을 알고 보면 이해할 법하다.

사실 서린은 지금도… 테트라 아낙스, 고든과 싸우고 있었다. 고든의 기억, 정확히 말하자면 아낙스의 기억은 방대하다. 그가 오랜 세월 살아오면서 느낀 일들, 경험들이 고스란히 서린의 안에 남아 있다. 그 기억은 지식이며 힘이기도 했지만 동시에 서린의 자아를 위협하는 광기의 첨병이기도 했다. 테트라 아낙스가 가지는 강력한 힘, 막대한 예지 능력, 정보 능력은 서린이 겪어온 삶을, 서린이라는 얄팍한 존재를 언제든지 찢어발길 수 있었다.

그럼에도 불구하고 서린이 자아를 지킬 수 있는 것은 그가 이번 일에서 타협하지 않았기 때문이다. 만약 여기서 이 사태를 미연에 막기 위해 타협했다면, 서린 자신이 도저히 납득할 수 없는 수단을 선택했다면 그 순간 서린의 존재는 지워지고 그 자리에는 다시 아낙스가, 이전보다 훨씬 더 강력한 서린의 육체를 가지고 서 있게 됐을 것이다.

처음에는 이해하지 못했지만 이제는 알게 되었다.

서린은 아낙스의 시대를 끝내기 위해 만들어진 존재.

서현은 단지 사랑해서 태어난 존재라는 것을…….

물론 그의 어머니, 릴리쓰라는 요사스러운 의지의 특수성을 감안해야 하지만 이러니 서린이 서현을 부러워하지 않을 수 있나? 그런데 정작 서현은 자신의 가혹한 어린 시절과 달리 평화로운 어린 시절을 보내고, 이제 부귀공명을 누리게 된 서린을 부러워하고 있으니 아이러니도 이런 아이러니가 없을 것이다.

"으으윽……."

서린은 괴로워했다. 거의 신에 가까운 무한한 힘이 그의 안에 있다. 이걸 쓰기만 하면 인간들의 기억을 조작하고 마음을 지배하고 세계를 원하는 대로 떡 주무르듯 주무를 수 있는데, 그걸 쓰는 순간 자신이 파멸할 거라는 걸 알고 있으니 괴롭다.

그때 갑자기 어디선가 물의 냄새가 코를 찔렀다.

"왜 그래?"

괴로워하는 서린의 앞에는… 투명한 수술복 차림의 소녀가 서 있었다. 물기를 머금어 몸의 윤곽이 그대로 드러나는 수술복을 걸친 소녀는 천천히 걸어와 서린의 앞에 앉았다.

"괴로워? 서린?"

"…아… 아니. 괜찮아, 스팅레이."

"오라클들… 많이 해방되었어. 그래도 많이 남아 있다. 나도 그렇고. 필요하면 언제든지 말해. 아낙스를 위해서는 괴로웠지만 서린을 위해서라면 난 기꺼이… 꿈을 꿀 거야."

스팅레이는 과거 테트라 아낙스가 만들어낸 인공 진마로 그녀는 오라클 시스템의 부사령탑에 가까운 존재다. 서린이 그녀를 이용하려고 마음먹으면 지금도 그에게 가해지는 부담의 상당수를 덜어낼 수 있을 것이다. 하지만 서린은 고개를 가로저었다.

"아니, 괜찮아. 그나저나 또 그런 차림으로… 마리아가 오해한다니까."

서린은 억지로 웃음을 지으며 호출벨을 눌러서 사람들을 불렀다. 인공적으로 만들어진 진마, 스팅레이에게는 아직도 미흡한 점이 많다. 서린이 아낙스의 기억과 주술력을 마음껏 끄집어낼 수 있으면 스팅레이가 저런 꼴로 다니지 않게 할 수도 있을 텐데 아낙스의 기억을 마음껏 끄집어내는 건 위험하다. 지식과 기억을 분류해서 잘 정제해 꺼내지 않으면 언제 어떤 일이 벌어질지 모른다.

게다가…….

이 함정은 아주 오래전부터 계획된 것이다.

• ☾ • See You Next Moon •